U0147822

國學經典故事
鄭國　衛國　宋國卷

萬安培 主編

《國學經典故事》
編輯委員會

專家顧問：李學勤　清華大學出土文獻研究中心主任，夏商周斷代工程和中華文明探源工程首席專家

張希清　北京大學中國文化研究所所長，著名文史專家

王震中　中國社會科學院學部委員、歷史研究所副所長，著名先秦史專家

劉玉堂　湖北省社會科學院副院長、華中師範大學特聘教授，著名楚文化專家

韓養民　西北大學歷史學院教授，著名秦文化專家

江林昌　煙臺大學副校長、山東師範大學齊魯文化研究院院長，著名齊魯文化專家

主　　編：萬安培

編輯委員會（按姓氏筆畫排序）：

王　凡　王廣西　付武林　刑　磊　吳正章　宋　海
李勇衛　李會明　周　林　周　峻　周傳琴　林明學
胡宏兵　夏緒虎　陳以志　游　峰　童其志　黃守岩
萬安培　葛　文　賈志杰　鄒進文　劉寶瑞　鄧天洲
鄧　紅　鞠加亮　韓曉生

編寫組成員（按姓氏筆畫排序）：

汪子鈞　邱小明　胡　博　孫　樂　國應福　張軍翠
萬俊峰　萬憬浩　劉海燕　潘陳靜　譚曉藝

責任編輯：陳曉東　鄒少雄　靳　強　沈　紅
余兆偉　黃　沙　劉天聞　劉　佳

序言

中華優秀傳統文化傳承需要國學傳播方式的現代表達

今天我們所說的「國學經典」，包括經、史、子、集等，範圍是非常廣泛的。廣義的「國學經典」，包括一些著名的蒙學讀物、詩詞曲賦、志怪小說、世情小說、歷史演義等。這些著作，不少是經過時間淘漉和歷史沉澱的文化精品，是傳統文化的精華。由優秀傳統文化結晶形成的文化寶庫，不僅是中華民族屹立於世界民族之林的獨特標識，也是今天實現偉大復興強國夢取之不盡、用之不竭的智慧之源。

中華優秀傳統文化或者說國學經典的傳承，不應該只是文史領域少數專家學者的孤芳自賞，至少應包括兩個主要的內容。一是各級領導幹部要帶頭學國學，以學益智、以學修身、學以致用、身體力行；二是要培養全民族特別是青少年研習國學經典的興趣，藉助於誦讀經典，提高全民族的國學素養，激發青少年熱愛中華文化的拳拳之心和殷殷之情。

近年來，由於黨和國家的高度重視，一股學國學、講國學，注重吸取優秀傳統文化滋養的良好風尚正在形成。不過，就整體而言，國學經典的普及與推廣還面臨不少障礙：一是一些人墨守過去大批判的思路，對中國傳統文化採取一概排斥、一棍子打死的態度；二是大眾古文和傳統文化基礎知識薄弱；三是網路時代速食文化盛行，大量擠佔公眾閱讀的空間與時間。

對待歷史虛無主義，最好的辦法是讓人們通過閱讀國學經典，從中汲取和提煉修身處世、治國理政的智慧，養浩然之氣，塑高尚人格，不斷提高人文素養和精神境界。面對國學基礎薄弱和速食文化盛行的挑戰，則必須考慮在經典傳播表達方式上大膽突破創新。

研讀國學經典是一種高含金量的文化閱讀，除需要一定的古文功底，還需涉獵大量的歷史典故知識。要營造全民學國學、講國學的文化氛圍，就必須在國學經典的大眾化、通俗化和趣味性方面做文章。這方面，先秦諸子百家早已為我們樹立了榜樣。他們在表達自己的政治觀點和學術主張時，從來不是長篇大論和空洞說教，而是巧借通俗生動的寓言故事，來闡發修身齊家治國平天下的大智慧。面對網路時代閱讀形態、閱讀人群和閱讀終端的新變化，國學經典的傳播不能沿襲傳統的表達和傳播方式，必須在創新上狠下功夫。習近平總書記提出要「推動中華優秀傳統文化創造性轉化、創新性發展」。我以為，傳統文化創造性轉化和創新性發展的一個重要方面，就是國學傳播方式的現代表達。中央電視臺《中國詩詞大會》節目大獲成功就是一個重要例證。

以往的國學經典傳播，大多是「原文＋註解＋翻譯＋點評」的模式。一些研究性著述引經據典，章節繁複，不厭其詳，未能考慮網路時代「90後」「00後」讀者的感受。與傳統的國學經典表達和傳播方式相比，萬安培先生主編的這套《國學經典故事》，至少具有以下三個特點：

第一是短小精悍，通俗易懂。從國學經典中選取情節精彩的篇章，以短小精悍的故事形式呈現，既保留了國學精華，又便於閱讀記憶，還可進一步培養讀者閱讀經典原著的興趣。

第二是系統全面。這套叢書上起先秦，下迄清末，含括了中國上下數千年主要國學經典著作，計劃收錄故事兩萬個以上。從目前已完成的春秋戰國卷約兩千八百個故事來看，這應該是一個較大的系統工程。《國學經典故事》的出版問世，將是國學經典普及的大事和幸事。

第三是生動活潑，寓教於樂。《國學經典故事》致力於發掘國學經典中膾炙人口、發人深省的內容，以講故事的形式傳播國學，實施倫理道德教化，受眾面更寬，能充分發揮優秀傳統文化滋養社會主義核心價值觀的功能。以往一說起國學經典，人們很自然聯想到枯燥的「之乎者也」，現在改為輕鬆快樂講故事，各個年齡層次和文化結構的人應該都會喜聞樂見。

二〇一七年一月二十五日，中共中央辦公廳和國務院辦公廳聯合印發了《關於實施中華優秀傳統文化傳承發展工程的意見》，其中特別提到要深入闡發中華優秀文化精髓，創新表達方式，編纂出版系列文化經典，綜合運用大眾傳播、群體傳播、人際傳播等方式，構建全方位、多層次、寬領域的中華文化傳播格局，推動中外文化交流，助推中華優秀傳統文化的國際傳播。萬安培先生策劃推出的《國學經典故事》系列，與該意見精神高度吻合。目前他們正策劃將國學經典故事精華譯成外文出版，爭取將其作為中外文化交流的禮品書，期待國學經典像《格林童話》《安徒生童話》《伊索寓言》一樣傳遍世界，造福全人類。相信廣大讀者對這類助推中華優秀傳統文化國際傳播的嘗試和努力，一定會給予充分肯定和大力支持。

萬安培先生是經濟學專業博士，長期在金融部門工作，但他醉心文史，嘗試國學經典傳播方式的現代表達。二〇一六年四月他推出「楚楚動人網」微信公眾號，每天發表以國學經典故事為背景的短論，很受讀者歡迎。作為企業界人士，能在繁忙的工作之餘堅持國學研究，專注於經典傳播，其精神令人感動，而他這種創新的國學經典傳播方式也值得稱許，這也是我很樂意為叢書作序的原因所在。衷心希望這套叢書能得到社會各界人士的喜愛，達到編纂者所希望的效果。

是為序。

郭齊勇

二〇一八年二月二十三日

目錄

◈ 序言

◈ 鄭國卷 001

❖衛國卷 171

◈宋國卷 259

鄭國卷

鄭國是周朝宣王時期分封的姬姓諸侯國，伯爵。西元前八〇六年，宣王封弟姬友於鄭，為鄭桓公。周幽王時，桓公在抵禦犬戎的戰鬥中犧牲。繼位的鄭武公利用周平王東遷及出任司徒、卿士的機會，相繼滅掉鄶、虢、胡等國，把國都由今陝西華縣遷到鄶地，改名新鄭。鄭國的開國國君桓公及繼任的武公、莊公均很有作為，鄭國也因此成為春秋初期的強國，居於相當於霸主的地位。莊公死後，鄭國陷入內亂。此後，在長達數百年的時期內，只有鄭簡公、定公朝的國相子產值得一提。如果不是信奉「在德不在鼎」的楚莊王慈悲為懷，鄭國早在西元前五九七年已為楚國所滅。西元前三七五年，鄭國為韓國所滅。自西元前八〇六年姬友立國，到西元前三七五年康公為韓所滅，鄭國共傳二十三君，計四百三十一年。除雄才大略的鄭莊公和勤政愛民的子產外，淡泊名利的列子、機智愛國的商人弦高，也是鄭國的驕傲。

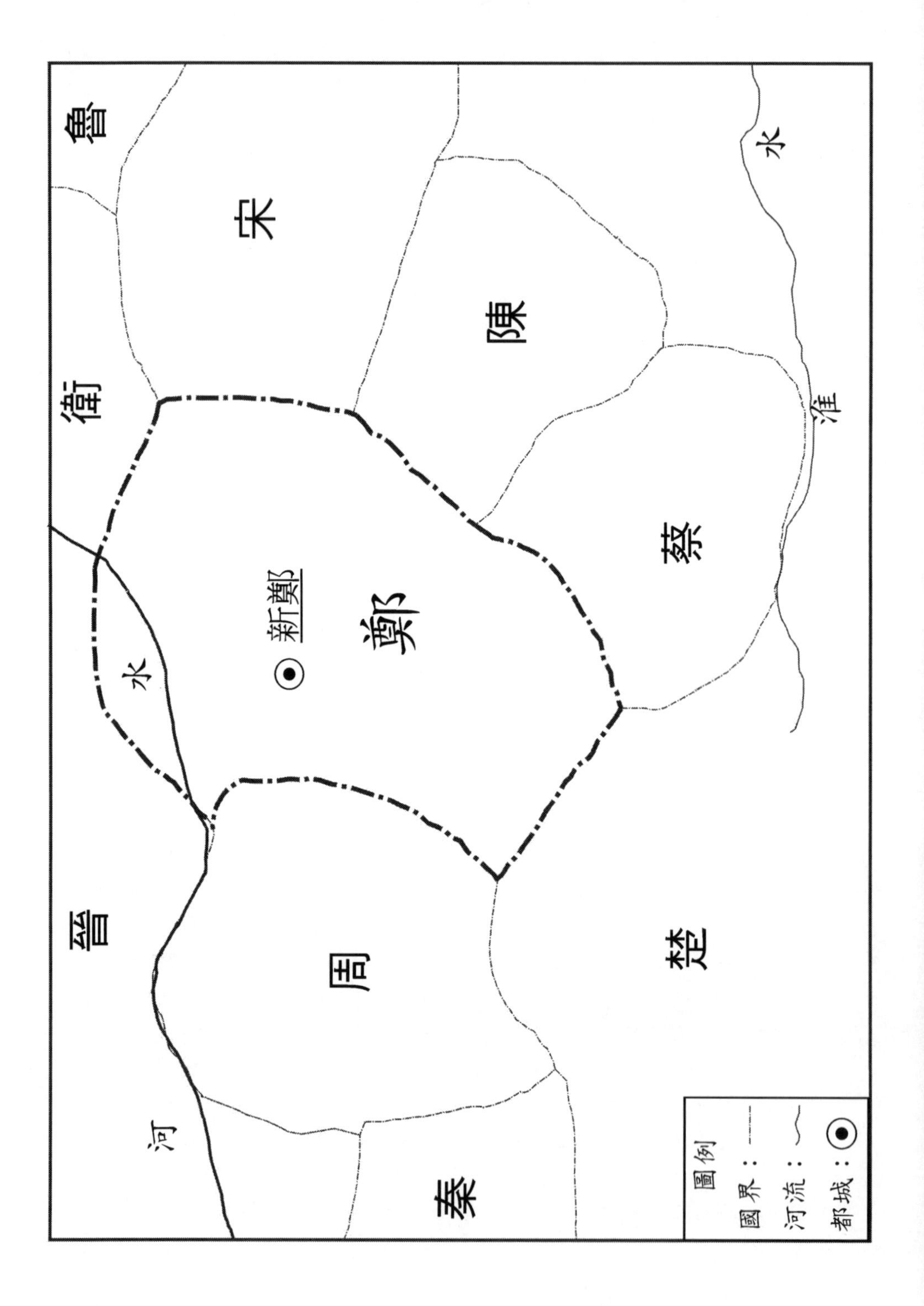
魯
宋
衛
陳
新鄭
鄭
蔡
水
淮
晉
周
楚
河
秦
水
圖例
國界：
河流：
都城：

會封於鄭

鄭桓公前往東方接受天子的封地，天黑時住在宋國都城東邊的旅舍裡。旅舍的老頭從外邊回來，問他說：「客人要去哪裡？」鄭桓公回答說：「到鄭地接受天子的分封。」老頭說：「我聽說，機會難得而又易失。如今客人食宿從容，怕不是去接受封地吧？」鄭桓公聽了，拉過韁繩，親自駕車，僕人將已淘好的米從水裡撈起來裝在車上，一連走了十天十夜才趕到。當時釐何與鄭桓公爭奪封地，雖然鄭桓公很賢能，但若不是旅舍老頭的及時提醒，幾乎得不到封地。

【出處】

鄭桓公東會封於鄭，暮舍於宋東之逆旅，逆旅之叟從外來，曰：「客將焉之？」曰：「會封於鄭。」逆旅之叟曰：「吾聞之，時難得而易失也。今客之寢安，殆非會封者也。」鄭桓公聞之，援轡自駕，其僕接淅而載之，行十日夜而至。釐何與之爭封，以鄭桓公之賢，微逆旅之叟，幾不會封也。（《說苑》〈權謀〉）

釁之以猳

鄭桓公準備襲擊鄶國，派人事先打探到鄶國有名望的能人智士，寫下他們的姓名，選擇鄭國的良田賜予他們，並把封賞的官職爵位名稱批註於後，而後在城門外建造高壇，並將名單掩埋於內，最後以公豬的血來祭壇，好像歃血盟誓的樣子。鄶君為鄭人所惑，以為這些鄶人要製造內亂，就將名單上的良臣智士全部處死了。鄭桓公乘機偷襲，於是滅掉了鄶國。

【出處】

鄭桓公將欲襲鄶，先問鄶之辨智果敢之士，書其名姓，擇鄶之良臣而與之，為官爵之名而書之，因為設壇於門外而埋之。釁之以猳，若盟狀。鄶君以為內難也，盡殺其良臣。桓公因襲之，遂取鄶。(《說苑》〈權謀〉)

鄭人襲胡

鄭武公想攻打胡國，先把自己的女兒嫁給胡國君主。一天，武公問大臣們說：「我想出兵，應該攻打哪個國家？」關其思回答說：「可以攻打胡國。」武公發怒說：「胡國是我們的兄弟之國，你說攻打它，什麼居心？」讓人把關其思推出去殺了。胡國君主聽說這件事，認為鄭國君主是自己的親人，於是放鬆了警惕。鄭國乘機偷襲，滅掉了胡國。

【出處】

昔者鄭武公欲伐胡，乃以其子妻之。因問群臣曰：「吾欲用兵，誰可伐者？」關其思曰：「胡可伐。」乃戮關其思，曰：「胡，兄弟之國也，子言伐之，何也？」胡君聞之，以鄭為親己而不備鄭。鄭人襲胡，取之。(《史記》〈老子韓非列傳〉)

多行不義必自斃

鄭武公娶申侯女兒武姜為妻。武姜生太子寤生的時候難產，因此不喜歡寤生。後來又生下小兒子共叔段，是順產，因而十分喜愛。武公病重時，夫人向武公請求，提出立共叔段為太子，武公沒有答應。武公去世後寤生即位，這就是鄭莊公。姜氏先請求以制地作為共叔段的封邑，莊公不肯，姜氏又改求京城，莊公於是把共叔段封到京城，稱他為「京城大叔」。祭仲說：「京城大於國都，不可以封給弟弟。」莊公說：「這是母親的主意，我不敢反對。」祭仲說：「姜氏哪裡會得到滿足？不如及早安排，不要讓共叔段滋生事端。蔓延的野草尚且難以剷除，何況是您尊貴的弟弟呢？」莊公說：「多行不義，必自斃，姑且等著吧。」不久，大叔命令西部和北部邊境既服從莊公的命令，又聽命於自己。公子呂向莊公進諫說：「國家怎能容忍這種兩面聽命的狀況！您要把君位讓給大叔，下臣就去侍奉他；如果不給，那就除掉他，不要讓老百姓心生雜念啊。」莊公說：「用不著，他會自食其果的。」大叔繼續把封邑擴大到廩延。公子呂說：「可以動手了。勢力大了會爭得民心的。」莊公說：「大叔不講群臣之義，不親近人，勢力大反而會垮臺。」大叔加緊戰備，與母親武姜暗中密謀，準備襲擊鄭都。莊公得知大叔起兵的日期，這才說：「可以了。」於是命令公子呂率領二百輛戰車進攻京城。京城民眾倒戈反對大叔。大叔無奈，最終逃往共國。

【出處】

初，鄭武公娶於申，曰武姜，生莊公及共叔段。莊公寤生，驚姜氏，故名曰「寤生」，遂惡之。愛共叔段，欲立之。亟請於武公，公弗許。及莊公即位，為之請制。公曰：「制，岩邑也，虢叔死焉，佗邑唯命。」請京，使居之，謂之京城大叔。祭仲曰：「都，城過百雉，國之害也。先王之制：大都，不過參國之一；中，五之一；小，九之一。今京不度，非制也，君將不堪。」公曰：「姜氏欲之，焉辟害？」對曰：「姜氏何厭之有？不如早為之所，無使滋蔓！蔓，難圖也。蔓草猶不可除，況君之寵弟乎？」公曰：「多行不義，必自斃，子姑待之。」既而大叔命西鄙、北鄙貳於己。公子呂曰：「國不堪貳，君將若之何？欲與大叔，臣請事之；若弗與，則請除之。無生民心。」公曰：「無庸，將自及。」大叔又收貳以為己邑，至於廩延。子封曰：「可矣，厚將得眾。」公曰：「不義不暱，厚將崩。」大叔完聚，繕甲兵，具卒乘，將襲鄭，夫人將啟之。公聞其期，曰：「可矣！」命子封帥車二百乘以伐京。京叛大叔段，段入於鄢，公伐諸鄢。五月辛丑，大叔出奔共。（《左傳》〈隱公元年〉）

不至黃泉勿相見

莊公的母親武姜一直暗中袒護莊公的弟弟共叔段。莊公二十二年，共叔段以武姜為內應，準備對鄭都發動襲擊。莊公沉著應對，在京城打敗共叔段，迫使共叔段從鄢城逃往共國。莊公把母親武姜遷徙到城潁，發誓說：「不到黃泉，再不與她見面。」過了一年多，莊公後悔發誓過重，很想念母親。潁考叔聽說這件事，就藉故到都城拜見莊公。吃飯的時候，潁考叔故意留下肉不吃。莊公問他為什麼，答說：「小人有老母，想把國君的肉羹帶給她嘗嘗。」莊公說：「你有母親可送，唯獨我沒有！」考叔說：「您憂傷什麼呢？如果從地下開條隧道，一直挖到有泉水的地方，母子不就可以相見了嗎？」莊公聽從潁考叔的建議，終於在隧道裡見到了母親。

【出處】

莊公元年，封弟段於京，號大叔。祭仲曰：「京大於國，非所以封庶也。」莊公曰：「武姜欲之，我弗敢奪也。」段至京，繕治甲兵，與其母武姜謀襲鄭。二十二年，段果襲鄭，武姜為內應。莊公發兵伐段，段走。伐京，京人畔段，段出走鄢。鄢潰，段出奔共。於是莊公遷其母武姜於城潁，誓言曰：「不至黃泉，毋相見也。」居歲餘，已悔思母。潁谷之考叔有獻於公，公賜食。考叔曰：「臣有母，請君食賜臣母。」莊公曰：「我甚思母，惡負盟，奈何？」考叔曰：「穿地至黃泉，則相見矣。」於是遂從之，見母。（《史記》〈鄭世家〉）

言不由衷

「言不由衷」出自《左傳》〈隱公三年〉：「信不由中，質無益也。」形容心裡想的與口裡說的不相符合，虛詞敷衍，說假話。周平王東遷洛陽後，一方面依靠鄭莊公掌管朝政，暗地裡又信任虢公忌父，想讓他取代鄭莊公執掌朝政。莊公知道後非常生氣，軟弱的周平王趕緊向鄭莊公解釋說，自己並沒有讓忌父取代鄭莊公的想法。為了取得莊公的信任，又主動提出與莊公互換人質，讓周太子狐到鄭國去作人質，鄭國也派公子忽到周朝做人質。君子評論此事說：「誠意不發自內心，即使交換人質也沒有用處。假如有誠意，即使是山溝、池塘裡生長的雜草野菜，一般的竹器和金屬器皿，都可以用來祭祀鬼神，敬獻王公。設身處地為對方著想，大家都按禮儀辦事，哪裡還用得著人質？即便沒有人質，又有誰能離間他們？」

【出處】

鄭武公、莊公為平王卿士。王貳於虢，鄭伯怨王，王曰「無之」。故周、鄭交質。王子狐為質於鄭，鄭公子忽為質於周。王崩，周人將畀虢公政。四月，鄭祭足帥師取溫之麥。秋，又取成周之禾。周、鄭交惡。君子曰：「信不由中，質無益也。」明恕而行，要之以禮，雖無有質，誰能間之？苟有明信，澗溪沼沚之毛，蘋蘩薀藻之菜，筐筥錡釜之器，潢污行潦之水，可薦於鬼神，可羞於王公，而況君子結二國之信。行之以禮，又焉用質？（《左傳》〈隱公三年〉）

絕其本根

春秋初期，新入中原的鄭國國力不強，臨近的陳國很瞧不起鄭國。魯隱公六年，陳國聯合衛國討伐鄭國，鄭莊公想與陳桓公講和，桓公不答應，他弟弟五父勸諫說：「親近仁義，與鄭國友好，這是國家的法寶，還是與鄭國講和吧！」陳桓公堅持攻打鄭國。兩年後，強大起來的鄭國派兵反擊陳國，把陳國打得大敗，鄰國畏於鄭國的強大坐視不救。鄭莊公俘獲了大批俘虜和財物，陳桓公不得不吞下了自釀之苦果。君子評論此事說：「善不可失，惡不可長，說的就是陳桓公吧！《商書》上說，做惡事容易，就如同燎原的烈火一樣燃燒起來，不可靠近，也無法撲滅。周朝的周任說過，治理國家，對待惡事，應該像農夫除去雜草一樣，連根挖掉，不讓它再繁殖起來。」

【出處】

五月庚申，鄭伯侵陳，大獲。往歲，鄭伯請成於陳，陳侯不許。五父諫曰：「親仁善鄰，國之寶也。君其許鄭。」陳侯曰：「宋、衛實難，鄭何能為？」遂不許。君子曰：「善不可失，惡不可長，其陳桓公之謂乎！長惡不悛，從自及也。雖欲救之，其將能乎？《商書》曰：『惡之易也，如火之燎於原，不可鄉邇，其猶可撲滅？』周任有言曰：『為國家者，見惡如農夫之務去草焉，芟夷蘊崇之，絕其本根，勿使能殖，則善者信矣。』」（《左傳》〈隱公六年〉）

先配而後祖

鄭公子忽到陳國迎娶妻子嬀氏，先結婚而後告祭祖廟。針子評論說：「這不合禮，不能算正規夫妻，欺騙祖先，失於禮。子孫怎麼能繁衍興旺呢？」

【出處】

四月甲辰，鄭公子忽如陳逆婦嬀。辛亥，以嬀氏歸。甲寅，入於鄭。陳鍼子送女。先配而後祖。鍼子曰：「是不為夫婦。誣其祖矣，非禮也，何以能育？」（《左傳》〈隱公八年〉）

行出犬雞

鄭莊公準備攻打許國，在太祖廟內分發武器。號稱春秋第一美男的公孫閼（子都）與穎考叔為出任先鋒發生爭執，穎考叔佔得上風。在攻打許國的戰鬥中，穎考叔手持鄭莊公授予的「蝥弧」大旗率先登上城牆，忌恨在心的子都從身後射出一支利箭，直透穎考叔後心，穎考叔頓時從城牆上栽倒下來。攻下許都後，鄭莊公發現穎考叔是後背中箭而亡，認定為暗箭所傷，於是讓所有參加攻打許國的將士拿出豬、狗、雞等祭品，由巫師率領，一起詛咒射死穎考叔的兇手。

【出處】

鄭伯將伐許，五月甲辰，授兵於大宮。公孫閼與穎考叔爭車，穎考叔挾輈以走，子都拔棘以逐之，及大逵，弗及，子都怒。秋七月，公會齊侯、鄭伯伐許。庚辰，傅於許，穎考叔取鄭伯之旗蝥弧以先登。子都自下射之，顛。瑕叔盈又以蝥弧登，周麾而呼曰：「君登矣！」鄭師畢登。……鄭伯使卒出豭，行出犬雞，以詛射穎考叔者。（《左傳》〈隱公十一年〉）

相時而動

魯隱公十一年，鄭莊公以許國不向天子交納貢品為由，聯合齊國、魯國進攻許國。得勝之後，齊、魯兩國均不肯侵佔許國的土地。鄭莊公考慮到鄭國的實力還不足以吞併許國，於是挑選許國大夫百里侍奉許莊公的弟弟叔，住在許都的東部邊邑，又安排鄭國大夫公孫獲率兵駐紮在許城的西部邊境，將許國君臣完全置於鄭國的監控之下。這樣既保持了許國的社稷奉祀，又鞏固了鄭國邊防。君子評價此事說：「許國違背禮法，鄭莊公率兵討伐，許國服罪後就寬恕他們。衡量自己的德行能否服人，估計自己的能力是否勝任，看準了時機再採取行動，做出的決定不連累後人，鄭莊公可以說是很有水準了。」

【出處】

齊侯以許讓公。公曰：「君謂許不共，故從君討之。許既伏其罪矣，雖君有命，寡人弗敢與聞。」乃與鄭人。鄭伯使許大夫百里奉許叔以居許東偏，曰：「天禍許國，鬼神實不逞於許君，而假手於我寡人。寡人唯是一二父兄不能共億，其敢以許自為功乎？寡人有弟，不能和協，而使餬其口於四方，其況能久有許乎？吾子其奉許叔以撫柔此民也，吾將使獲也佐吾子。若寡人得沒於地，天其以禮悔禍於許？無寧茲許公復奉其社稷。唯我鄭國之有請謁焉，如舊昏媾，其能降以相從也。無滋他族，實逼處此，以與我鄭國爭此土也。吾子孫其覆亡之不暇，而況能禋祀許乎？寡人之使吾子處此，不唯許國之為，亦聊以固吾圉也。」乃使公孫獲處許西偏，曰：「凡而器用財賄，無置於

相時而動

許。我死，乃亟去之。吾先君新邑於此，王室而既卑矣，周之子孫日失其序。夫許，大岳之胤也，天而既厭周德矣，吾其能與許爭乎？」君子謂：「鄭莊公於是乎有禮。禮，經國家，定社稷，序民人，利後嗣者也。許無刑而伐之，服而舍之，度德而處之，量力而行之，相時而動，無累後人，可謂知禮矣。」（《左傳》〈隱公十一年〉）

王卒大敗

鄭莊公率鄭軍攻打周天子，雙方在繻葛交戰。蔡、衛、陳國的軍隊敗退奔逃，周軍也陷入混亂。祝聃射中了周桓王的肩膀，請求乘勝追擊，鄭莊公說：「君子不應該欺人太甚，何況他是天子呢？只要能挽救自己，國家不至危亡，就足夠了。」於是停止追擊。當晚，莊公派祭足前往探望桓王的箭傷。諸侯與天子交戰並射中天子的肩膀，這在當時是震驚列國的大事件。

【出處】

戰於繻葛，命二拒曰：「旝動而鼓。」蔡、衛、陳皆奔，王卒亂，鄭師合以攻之，王卒大敗。祝聃射王中肩，王亦能軍。祝聃請從之。公曰：「君子不欲多上人，況敢陵天子乎！苟自救也，社稷無隕，多矣。」夜，鄭伯使祭足勞王，且問左右。（《左傳》〈桓公五年〉）

齊大非吾偶

齊僖公想把女兒文姜嫁給鄭國的太子忽為妻，太子忽推辭了。祭仲勸太子答應這門親事，太子說：「每個人都有各自適合的配偶。齊是大國，齊國君主的女兒不適合做我的配偶。《詩經》上說：『自己祈求多福。』靠我自己就是了。」不久戎人進攻齊國，齊國請求鄭國出兵相助，太子忽率兵援齊，大敗戎軍。齊君再次提出來要把女兒文姜嫁給他，太子忽再次推辭了。問他原因，回答說：「沒有為齊國做事的時候，我尚且不敢答應這門親事；現在奉國君之命急人所難，如果答應婚事，人們豈不認為我此次出師是為了求婚？鄭國的百姓將會怎樣議論我呢？」

【出處】

齊欲妻鄭太子忽，太子忽辭，人問其故，太子曰：「人各有偶，齊大，非吾偶也。《詩》云：『自求多福。』[1]在我而已矣。」後戎伐齊，齊請師於鄭。鄭太子忽率師而救齊，大敗戎師，齊又欲妻之。太子固辭，人問其故。對曰：「無事於齊，吾猶不敢。今以君命救齊之急，受室以歸，人其以我為師婚乎？」終辭之。（《說苑》〈權謀〉）

1. 「自求多福」，出自《詩經》〈大雅・文王〉。

人盡可夫

成語「人盡可夫」用以形容女性淫蕩糜爛的私生活，但它的出處原本講的是血緣關係。鄭厲公的時候，祭仲專權，鄭厲公心裡很不舒服，暗中指派祭仲的女婿雍糾除掉他。雍糾策劃在郊外宴請祭仲時下手。雍姬察覺後，回家問母親說：「父親與丈夫哪一個更親近？」母親說：「任何男子都可能成為女子的丈夫，父親卻只有一個，這怎麼能相比呢？」於是雍姬告訴父親說：「雍氏在郊外宴請您，我懷疑這件事背後有陰謀，所以趕回來告訴您。」祭仲果斷地採取反制措施，殺死了雍糾，把屍體扔在周氏的池塘邊。鄭厲公裝載雍糾的屍體逃離鄭國，感嘆說：「大事和婦人商量，死得活該。」

【出處】

祭仲專，鄭伯患之，使其婿雍糾殺之。將享諸郊。雍姬知之，謂其母曰：「父與夫孰親？」其母曰：「人盡夫也，父一而已，胡可比也？」遂告祭仲曰：「雍氏舍其室而將享子於郊，吾惑之，以告。」祭仲殺雍糾，屍諸周氏之汪。公載以出，曰：「謀及婦人，宜其死也。」夏，厲公出奔蔡。（《左傳》〈桓公十五年〉）

渠彌為卿

鄭昭公做太子的時候，父親莊公想拜高渠彌為上卿，太子忽討厭高渠彌，提出異議。莊公沒有採納太子的意見，仍然拜高渠彌為上卿。昭公即位不久，君位被公子突（厲公）所奪，後來復位為君，兩次在位都沒有提防高渠彌。高渠彌卻陰蓄死士，乘昭公冬行蒸祭之機，將昭公殺死於路途，假稱為盜賊所害，改奉昭公的弟弟子亹為君。

【出處】

昭公二年，自昭公為太子時，父莊公欲以高渠彌為卿，太子忽惡之，莊公弗聽，卒用渠彌為卿。及昭公即位，懼其殺己，冬十月辛卯，渠彌與昭公出獵，射殺昭公於野。祭仲與渠彌不敢入厲公，乃更立昭公弟子亹為君，是為子亹也，無謚號。（《史記》〈鄭世家〉）

不謝齊侯

子亹取代昭公繼位不久，齊襄公在首止約會諸侯。祭仲勸諫子亹不要前往。子亹說：「齊國強大，厲公又住在櫟地，我若不去，齊國就會率領諸侯攻打鄭國，並讓厲公回到國都。再說齊國為什麼一定要羞辱我？事情不至於糟糕到您形容的地步吧。」祭仲稱病不肯隨行，於是子亹由高渠彌陪同前往。齊襄公做公子時，子亹曾經與他相鬥，雙方因此結仇。子亹到了首止，並未向齊侯道歉，齊侯十分生氣，就設下伏兵殺死子亹。高渠彌逃亡回國，與祭仲到陳國迎接子亹的弟弟公子嬰回國繼位，是為鄭子嬰。

【出處】

子亹元年七月，齊襄公會諸侯於首止，鄭子亹往會，高渠彌相，從，祭仲稱疾不行。所以然者，子亹自齊襄公為公子之時，嘗會鬥，相仇，及會諸侯，祭仲請子亹無行。子亹曰：「齊彊，而厲公居櫟，即不往，是率諸侯伐我，內厲公。我不如往，往何遽必辱，且又何至是！」卒行。於是祭仲恐齊並殺之，故稱疾。子亹至，不謝齊侯，齊侯怒，遂伏甲而殺子亹。高渠彌亡歸，歸與祭仲謀，召子亹弟公子嬰於陳而立之，是為鄭子。(《史記》〈鄭世家〉)

妖由人興

鄭厲公率兵從櫟地侵入鄭國，到達大陵，俘虜了傅瑕。傅瑕說：「如果饒我不死，我能使君王回國重登君位。」鄭厲公和他盟誓之後把他放了。傅瑕返回國都，果然殺死鄭國君主和他的兩個兒子，迎接厲公回國。在此之前，有人看見鄭國國都南門口有兩條蛇相互纏鬥，結果門內的蛇被門外的蛇咬死。魯莊公得知厲公回國，問申繻說：「厲公的回國與妖蛇有關嗎？」申繻回答說：「妖孽因人而興。一身正氣，沒有毛病，妖孽就難以興風作浪；丟棄正道，心有邪念，妖孽就會隨之而來。」

【出處】

鄭厲公自櫟侵鄭，及大陵，獲傅瑕。傅瑕曰：「苟舍我，吾請納君。」與之盟而赦之。六月甲子，傅瑕殺鄭子及其二子而納厲公。

初，內蛇與外蛇鬥於鄭南門中，內蛇死。六年而厲公入。公聞之，問於申繻曰：「猶有妖乎？」對曰：「人之所忌，其氣焰以取之，妖由人興也。人無釁焉，妖不自作。人棄常則妖興，故有妖。」（《左傳》〈莊公十四年〉）

臣無二心

鄭厲公回國後，殺死了迎他回國的傅瑕，派人對原繁說：「傅瑕對國君有二心，周朝有懲處這類奸臣的刑罰，現在傅瑕已經伏法。幫助我回國而沒有二心的人，我都答應給他上大夫的職位，我願意跟伯父一起商量。我流亡在外，伯父沒有告訴我國內的情況，回國後也不親附我，對此我深感遺憾。」原繁回答說：「先君桓公命令我的先祖管理宗廟列祖列宗的尊位，社稷有主，國內的臣民都應忠於國君，不能有二心，這是天經地義的道理。子儀擔任國君十四年了，有人謀劃召請君主回國，這難道不是二心嗎？莊公的兒子還有八個，如果都以官爵為誘餌策劃回國，君王該怎麼辦？下臣知道君王的意思了。」原繁於是上吊而死。

【出處】

厲公入，遂殺傅瑕。使謂原繁曰：「傅瑕貳，周有常刑，既伏其罪矣。納我而無二心者，吾皆許之上大夫之事，吾願與伯父圖之。且寡人出，伯父無裡言，入，又不念寡人，寡人憾焉。」對曰：「先君桓公命我先人典司宗祏。社稷有主而外其心，其何貳如之？苟主社稷，國內之民其誰不為臣？臣無二心，天之制也。子儀在位十四年矣，而謀召君者，庸非二乎。莊公之子猶有八人，若皆以官爵行賂勸貳而可以濟事，君其若之何？臣聞命矣。」乃縊而死。（《左傳》〈莊公十四年〉）

哀樂失時，殃咎必至

王子頹攆走周惠王後，設享禮招待五位大夫，奏樂時遍及各個時代的舞樂。鄭厲公得知此事後會見虢叔說：「我聽說悲哀或高興若不合時宜，往往伴有災禍。現在王子頹觀賞歌舞樂此不疲，這是以禍患為高興啊。司寇殺人，國君尚且要減膳撤樂，何況以禍患為高興呢？沒有比篡奪天子之位更大的禍患了，王子頹卻樂而忘憂，何不讓天子復位呢？」虢公說：「這也是我的願望。」

【出處】

二十年冬，王子頹享五大夫，樂及遍舞。鄭伯聞之，見虢叔，曰：「寡人聞之，哀樂失時，殃咎必至。今王子頹歌舞不倦，樂禍也。夫司寇行戮，君為之不舉，而況敢樂禍乎！奸王之位，禍孰大焉？臨禍忘憂，憂必及之。盍納王乎？」虢公曰：「寡人之願也。」（《左傳》〈莊公二十年〉）

循海而歸

齊桓公與楚大夫屈完在召陵訂立盟約後回國。陳國的轅濤涂對鄭國的申侯說：「軍隊經陳國和鄭國返回，會給兩國增加不少麻煩。不如勸齊國人向東走，藉以向東夷炫耀武力，沿著海道回國，陳鄭兩國就免受騷擾了。」申侯說：「好。」轅濤涂就把這個主意告訴齊桓公，齊桓公同意了。申侯進見齊桓公說：「軍隊在外頭久了，如果往東走遇到敵人，恐怕不能打硬仗。如果取道陳國和鄭國回國，由兩國供給糧食和物資，就很方便。」齊桓公很高興，將虎牢賞給申侯，而把轅濤涂抓了起來。

【出處】

陳轅濤涂謂鄭申侯曰：「師出於陳、鄭之間，國必甚病。若出於東方，觀兵於東夷，循海而歸，其可也。」申侯曰：「善。」濤涂以告，齊侯許之。申侯見，曰：「師老矣，若出於東方而遇敵，懼不可用也。若出於陳、鄭之間，共其資糧屝屨，其可也。」齊侯說，與之虎牢。執轅濤涂。（《左傳》〈僖公四年〉）

鄭殺申侯

齊桓公和魯僖公、宋桓公、陳宣公、衛文公、鄭文公、許僖公、曹昭公等在首止相會。轅宣仲（濤涂）怨恨申侯曾在召陵出賣他，故意勸申侯在所賜的封邑內築城說：「把城築得美觀，名聲就大些，子孫不會忘記。我幫助您請求。」就為申侯向諸侯請求幫忙築城，城築好後，非常壯觀。轅宣仲就在鄭文公面前進讒言說：「把所賜封邑的城牆築得那麼美觀，恐怕是準備將來據以叛亂的吧。」兩年之後，鄭文公殺死申侯以取悅於齊，讒言同樣來自於陳國的轅濤涂。

【出處】

會於首止，會王大子鄭，謀寧周也。陳轅宣仲怨鄭申侯之反己於召陵，故勸之城其賜邑，曰：「美城之，大名也，子孫不忘。吾助子請。」乃為之請於諸侯而城之，美。遂譖諸鄭伯，曰：「美城其賜邑，將以叛也。」申侯由是得罪。（《左傳》〈僖公五年〉）僖公七年夏，鄭殺申侯以說於齊，且用陳轅濤涂之譖也。（《左傳》〈僖公七年〉）

朝不及夕

魯僖公七年春季，齊國進攻鄭國。鄭國大夫孔叔對鄭文公說：「俗語說：『心志若不夠堅強，又怎能擔當屈辱？』既不敢向對方示強，又不願意向對方示弱，就只有死路一條。國家已經很危險了，請您還是向齊國屈服以拯救國家吧。」鄭文公說：「我知道他們為什麼而來，稍稍給我點時間來處理吧。」孔叔回答說：「國家已經朝不保夕，哪還有時間等您呢？」

【出處】

七年春，齊人伐鄭。孔叔言於鄭伯曰：「諺有之曰：『心則不競，何憚於病。』既不能強，又不能弱，所以斃也。國危矣，請下齊以救國。」公曰：「吾知其所由來矣。姑少待我。」對曰：「朝不及夕，何以待君？」（《左傳》〈僖公七年〉）

天之所啟

晉公子重耳從宋國流亡到鄭國，鄭文公未加禮遇。叔詹勸諫鄭文公說：「臣聽說老天爺要幫助的人，他人是阻止不了的。有三條徵兆預示晉公子有可能成為國君，您最好對他以禮相待。男女同姓，子孫難得昌盛，晉公子是姬姓女子所生，卻能活到今天，這是一；公子長年逃亡在外，晉國卻長久不得安寧，這不是老天爺在幫助他嗎？此其二；有三位賢人足以高居他人之上，卻一直跟隨他，這是三。晉國和鄭國輩分相同，他們的子弟路過本應當以禮相待，何況是老天爺垂青的人呢？」鄭文公沒有聽從叔詹的勸諫。

【出處】

及鄭，鄭文公亦不禮焉。叔詹諫曰：「臣聞天之所啟，人弗及也。晉公子有三焉，天其或者將建諸，君其禮焉。男女同姓，其生不蕃。晉公子，姬出也，而至於今，一也。離外之患，而天不靖晉國，殆將啟之，二也。有三士足以上人而從之，三也。晉、鄭同儕，其過子弟，固將禮焉，況天之所啟乎？」弗聽。（《左傳》〈僖公二十三年〉）

好聚鷸冠

鄭國子華的兄弟子臧逃亡到宋國，他喜歡收集鷸毛做的帽子。鄭文公聽說後很討厭他，指使殺手騙他出來，將他殺死在陳宋兩國交界的地方。君子說：「不合身的衣服會帶來災禍。《詩》中說：『看那邊走來的人，和他的服飾很不相稱。』子臧之死，就是服飾不相稱惹的禍啊。」

【出處】

鄭子華之弟子臧出奔宋，好聚鷸冠。鄭伯聞而惡之，使盜誘之。八月，盜殺之於陳、宋之間。君子曰：「服之不衷，身之災也。《詩》曰：『彼己之子，不稱其服。』[2]子臧之服，不稱也夫。」（《左傳》〈僖公二十四年〉）

東道主

因為鄭文公當初對重耳無禮，並且心向楚國，所以重耳繼位之後，聯合秦穆公攻打鄭國。晉軍駐紮在函陵，秦軍駐紮在氾南。佚之狐對鄭文公說：「形勢非常危急。假若派燭之武去拜見秦君，一定可以使秦國退軍。」鄭文公於是請燭之武出馬，燭之武推辭說：「下臣年輕的時候尚且不如別人，現在老了，更沒用了。」鄭文公說：「我

2. 「彼己之子，不稱其服」，出自《詩經》〈曹風・候人〉。

沒有及早任用您，現在情況緊急才想到您，這是我的過錯。然而鄭國滅亡，對您也沒有好處啊。」燭之武答應了，夜裡用繩子從城上吊下到城外，進見秦穆公說：「秦、晉兩國包圍鄭國，鄭國知道要亡國了。如果鄭國滅亡對君王有好處，那就煩請君王動手吧。越過別國把遠方的土地作為邊邑，君王知道這是很難的，何必要滅亡鄭國來增加鄰國的土地呢？鄰國的實力增強，就等於君王實力的削弱。如果秦國寬恕鄭國，讓他做東道的主人，為秦國往來的外交使臣提供方便，這對君王並沒有害處啊。再說，君侯曾經給過晉君恩賜，晉君答應給君侯焦、瑕兩地，可他早晨渡河回國，晚上就開始構築防禦工事，君侯難道忘記了嗎？晉國的貪欲哪有滿足的時候？此時在東邊向鄭國開拓土地，接下來肯定也會肆意擴大西邊的領土。如果不西侵秦國，它到哪兒去獲得土地？損害秦國而有利於晉國的事，請君王斟酌。」秦穆公很高興燭之武的提醒，於是和鄭國結盟，派杞子、逢孫、揚孫戍守鄭國，然後撤兵回國。

【出處】

九月甲午，晉侯、秦伯圍鄭，以其無禮於晉，且貳於楚也。晉軍函陵，秦軍氾南。佚之狐言於鄭伯曰：「國危矣，若使燭之武見秦君，師必退。」公從之。辭曰：「臣之壯也，猶不如人，今老矣，無能為也已。」公曰：「吾不能早用子，今急而求子，是寡人之過也。然鄭亡，子亦有不利焉。」許之，夜縋而出，見秦伯，曰：「秦、晉圍鄭，鄭既知亡矣。若亡鄭而有益於君，敢以煩執事。越國以鄙遠，君知其難也，焉用亡鄭以陪鄰。鄰之厚，君之薄也。若舍鄭以為東道主，行李之往來，共其乏困，君亦無所害。且君嘗為晉君賜矣，許君焦、瑕，朝濟而夕設版焉，君之所知也。夫晉何厭之有？既東封鄭，又欲肆其西封，不闕秦，將焉取之？闕秦以利晉，唯君圖之。」秦伯說，與鄭人盟，使杞子、逢孫、揚孫戍之，乃還。（《左傳》〈僖公三十年〉）

厲兵秣馬

鄭文公去世後，駐紮在鄭國都城的秦國將領杞子給秦穆公寫信，說自己掌管鄭國北門的鑰匙，如果派兵來襲，裡應外合，一定可以成功。秦穆公很高興，於是派孟明視、西乞術、白乙丙三名大將率兵前往偷襲鄭國。秦國與鄭國相距千里，中間隔著周、晉、滑等國。鄭國商人弦高與蹇他在滑國做生意，見到秦國軍隊路過，思索說：「看秦軍的勢頭，一定是去襲擊鄭國。大凡偷襲別國的，都是趁別國沒有防備。如果讓他們看出我國已得知軍情，他們一定不敢繼續前進。」於是弦高讓蹇他火速趕回鄭國傳遞消息，他自己則趕著十二頭牛迎上秦軍，對秦軍將領孟明視說：「我們國君聽說您率領軍隊，要途經我國去遠征作戰，特意讓我帶上皮革和肥牛前來慰勞您和同行將士。秦鄭兩國是互駐使臣的友好國家，鄭國雖然不太富足，但也特意做好了相關準備。軍隊駐紮一天，就供給一天的糧草；駐守一夜，也會安排好守衛哨兵。」孟明視以為鄭國已得知消息，就與西乞術和白乙丙商量說：「大凡偷襲別人，一定乘別人不知情。現在鄭國肯定已做好防備，進兵不能取勝，不如回去。」於是順手滅掉滑國，班師回國。鄭穆公派人去探看杞子等人的動靜，發現他們已經裝束完畢、磨利武器、餵飽馬匹。於是讓皇武子去下逐客令說：「大夫們久住於此，敝邑已有些供應不及，鄭國的原圃，就如同秦國的具圃，大夫們何妨自己去獵取麋鹿呢？」[3]杞子知道消息敗露，於是逃往齊國。鄭穆公接見弦高，想給予重賞，弦高堅辭說：「保衛國家，人人有責。我只是做了該做的事情。」

【出處】

三十三年春，秦師過周北門，左右免冑而下。超乘者三百乘。王孫滿尚幼，觀之，言於王曰：「秦師輕而無禮，必敗。輕則寡謀，無禮則脫。入險而脫。又不能謀，能無敗乎？」及滑，鄭商人弦高將市於周，遇之。以乘韋先，牛十二犒師，曰：「寡君聞吾子將步師出於敝邑，敢犒從者，不腆敝邑，為從者之淹，居則具一日之積，行則備一夕之衛。」且使遽告於鄭。則束載、厲兵、秣馬矣。使皇武子辭焉，曰：「吾子淹久於敝邑，唯是脯資餼牽竭矣。為吾子之將行也，鄭之有原圃，猶秦之有具囿也。吾子取其麋鹿以閒敝邑，若何？」杞子奔齊，逢孫、揚孫奔宋。孟明曰：「鄭有備矣，不可冀也。攻之不克，圍之不繼，吾其還也。」滅滑而還。（《左傳》〈僖公三十三年〉）

言聽道行

鄭穆公問被瞻說：「聽說您主張是不為君主獻身，不為君主出逃，有這回事嗎？」被瞻回答說：「有的。如果言論不被聽從，主張

3. 原圃，鄭國畜養禽獸的園林；具圃，秦國畜養禽獸的園林。

不被實行，這本來就不算侍奉君主；假如言論被聽從，主張被採納，君主自然身安，又哪裡用得著去死、去逃亡呢？」所以說：被瞻所謂不為君主獻身、不為君主逃亡，比那些為君主獻身和逃亡的人更為賢能。

【出處】

鄭君問於被瞻曰：「聞先生之義，不死君，不亡君，信有之乎？」被瞻對曰：「有之。夫言不聽，道不行，則固不事君也。若言聽道行，又何死亡哉？」故被瞻之不死亡也，賢乎其死亡者也。（《呂氏春秋》〈士容論・務大〉）

鋌而走險

魯文公十七年，晉靈公拒絕會見鄭穆公，認為他背晉親楚。鄭國的子家於是寫了一封信，派使者前往晉國送給趙宣子，信中說：「鄭國是個小國，對待貴國一直小心翼翼，很有誠意。如今大國說：『你沒有讓我稱心如意。』鄭國除了等死，還能再說什麼呢？古人說：『怕頭怕尾，身體還有幾分屬於自己？』又說：『鹿臨死的時候，顧不上選擇庇護的地方。』小國侍奉大國，大國如果以德相待，小國也會以人道侍奉；如果不能以德相待，小國就會像鹿一樣狂奔走險，急迫的時候，哪裡還顧得上選擇地方呢？貴國的命令沒有止境，我們也知道面臨滅亡，只好派出鄭國的全部士兵在鯈地等待，該怎麼辦，就聽憑您的命令吧！鄭國處於大國之間，不得不屈從於強國的命令，這難道是我們的罪過嗎？」

【出處】

於是，晉侯不見鄭伯，以為貳於楚也。鄭子家使執訊而與之書，以告趙宣子，曰：「寡君即位三年，召蔡侯而與之事君。九月，蔡侯入於敝邑以行。敝邑以侯宣多之難，寡君是以不得與蔡侯偕。十一月，克滅侯宣多而隨蔡侯以朝於執事。十二年六月，歸生佐寡君之嫡夷，以請陳侯於楚而朝諸君。十四年七月，寡君又朝，以蕆陳事。十五年五月，陳侯自敝邑往朝於君。往年正月，燭之武往朝夷也。八月，寡君又往朝。以陳、蔡之密邇於楚而不敢貳焉，則敝邑之故也。雖敝邑之事君，何以不免？在位之中，一朝於襄，而再見於君。夷與孤之二三臣相及於絳，雖我小國，則蔑以過之矣。今大國曰：『爾未逞吾志。』敝邑有亡，無以加焉。古人有言曰：『畏首畏尾，身其餘幾。』又曰：『鹿死不擇音。』小國之事大國也，德，則其人也；不德，則其鹿也，鋌而走險，急何能擇？命之罔極，亦知亡矣。將悉敝賦以待於鯈，唯執事命之。文公二年六月壬申，朝於齊。四年二月壬戌，為齊侵蔡，亦獲成於楚。居大國之間而從於強令，豈其罪也。大國若弗圖，無所逃命。」晉鞏朔行成於鄭，趙穿、公婿池為質焉。（《左傳》〈文公十七年〉）

察其所以

列子射中了目標，去向關尹子報告。關尹子問他說：「你知道你是怎麼射中的嗎？」列子回答說：「不知道。」關尹子說：「那還不行。」列子回去繼續練習，三年後又去請教。關尹子問：「你知道你是怎麼射中的嗎？」列子說：「知道了。」關尹子說：「可以了，這個道理你要牢記在心而不要忘記。」不只射箭如此，國家的生死存亡，人的賢能不肖，都各有原因。聖人不去考察生死存亡、賢能不肖本身，而往往重在考察這些現象形成的原因。

【出處】

子列子常射中矣，請之於關尹子。關尹子曰：「知子之所以中乎？」答曰：「弗知也。」關尹子曰：「未可。」退而習之三年，又請。關尹子曰：「子知子之所以中乎？」子列子曰：「知之矣。」關尹子曰：「可矣，守而勿失。」非獨射也，國之存也，國之亡也，身之賢也，身之不肖也，亦皆有以。聖人不察存亡、賢不肖，而察其所以也。（《呂氏春秋》〈季秋紀・審己〉）

再拜而辭

列子生活貧困，面有饑色。有位門客對相國子陽說：「列禦寇是德高望重的人，居住在您的國家卻生活貧困，是您不喜歡賢士嗎？」子陽於是讓手下的官員送給列子很多糧食，列子禮貌地謝絕了。官員離開後，列子的妻子捶胸埋怨說：「我聽說有大道的人，妻子兒女都能過上安逸的生活。現在你的老婆孩子都面有菜色，相國派人送來糧食，你又推辭不收，是我們命該如此嗎？」列子笑著說：「相國自己並不瞭解我，是聽了別人的勸告才送糧食來，以後他也會聽別人的話加罪於我，這就是我不願意接受餽贈的原因。而且接受別人的供養，人家有了災難不去赴死就是不義；如果為暴虐的人效命赴死，這能叫義嗎？」過後不久，百姓果然發生暴亂殺死了子陽。

【出處】

子列子窮容貌，有饑色。客有言於鄭子陽者曰：「子列子禦寇，蓋有道之士也，居君之國而窮，君乃為不好士乎？」子陽令官遺之粟數十秉，子列子出見使者，再拜而辭。使者去，子列子入，其妻望而拊心曰：「聞為有道者，妻子皆佚樂，今妻皆有饑色矣，君過而遺先生食，先生又辭，豈非命也哉！」子列子笑而謂之曰：「君非自知我者也，以人之言而知我，以人之言以遺我粟也，其罪我也，又將以人之言，此吾所以不受也。且受人之養，不死其難，不義也；死其難，是死無道之人，豈義哉！」其後，民果作難，殺子陽。（《新序》〈節士第七〉）

失禮違命

魯宣公二年春季，鄭國聽命於楚國攻打宋國，兩國在大棘交戰。宋國大夫狂狡十分強悍，混戰中駕著戰車衝擊鄭軍，將一輛戰車撞翻，車上的鄭國士兵滾下車來，跌入邊上的一口水井。狂狡穩住戰車上前查看，只見鄭國士兵在井水中掙扎，於是把長戟倒過來，讓鄭國士兵抓住戟柄拉他上來。鄭國士兵出井後，趁勢奪過戰戟，架在狂狡的脖子上將其俘虜。君子評論說：「丟掉禮而違背命令，狂狡活該被俘。打仗時，發揚果敢剛毅的精神以服從命令叫作禮。英勇殺敵就是果敢，保持果敢的行為就是剛毅。如果反過來，就會被殺戮。」

【出處】

二年春，鄭公子歸生受命於楚，伐宋。宋華元、樂呂御之。二月壬子，戰於大棘，宋師敗績，囚華元，獲樂呂，及甲車四百六十乘，俘二百五十人，馘百人。狂狡輅鄭人，鄭人入於井，倒戟而出之，獲狂狡。君子曰：「失禮違命，宜其為禽也。戎，昭果毅以聽之之謂禮，殺敵為果，致果為毅。易之，戮也。」（《左傳》〈宣公二年〉）

蘭有國香

當初，鄭文公有個賤妾，名叫燕姞，夢見天使給她一枝蘭花，對她說：「我是伯鯈，是你的祖先，把蘭作為你的兒子。因為蘭花的香味全國第一，佩戴它，別人就會像愛它一樣愛你。」文公讓燕姞侍寢，送給她一枝蘭花。燕姞對文公說：「我地位低賤，僥倖懷了孩子，怕別人不肯相信，請以蘭花為信物。」文公說：「好。」後來生下兒子，取名叫蘭。鄭文公即位後盡逐公子，公子蘭逃到晉國，晉文公約秦攻鄭，欲以公子蘭為嚮導，公子蘭說：「臣聽說：君子雖在他鄉，不忘父母祖國。君主伐鄭，臣不敢參與其事。」文公自此有扶持他為鄭君的想法。鄭文公去世後，鄭國大夫石癸說：「我聽說姬、姞兩姓婚配，子孫一定蕃衍。『姞』是吉人的意思，是后稷的嫡妻。現在公子蘭是姞氏的外甥，上天或許要使姞姓光大。如果他做了國君，後代一定昌盛。如果先接納他為國君，就可以得到他的寵信。」於是和孔將鉏、侯宣多從晉國請回公子蘭，在大宮裡盟誓之後立為國君，這就是鄭穆公。鄭穆公在位二十二年，病危的時候說：「蘭花死了，我也許要死了吧，我是靠它出生的。」割掉了蘭花，鄭穆公果然死了。

【出處】

初，鄭文公有賤妾曰燕姞，夢天使與己蘭，曰：「余為伯鯈。余，而祖也，以是為而子。以蘭有國香，人服媚之如是。」既而文公見之，與之蘭而御之。辭曰：「妾不才，幸而有子，將不信，敢徵蘭乎。」公曰：「諾。」生穆公，名之曰蘭。文公報鄭子之妃，曰陳嬀，生子華、子臧。子臧得罪而出。誘子華而殺之南里，使盜殺子臧於陳、宋之間。又娶於江，生公子士。朝於楚，楚人鴆之，及葉而死。又娶於蘇，生子瑕、子俞彌。俞彌早卒。洩駕惡瑕，文公亦惡之，故不立也。公逐群公子，公子蘭奔晉，從晉文公伐鄭。石癸曰：「吾聞姬、姞耦，其子孫必蕃。姞，吉人也，后稷之元妃也，今公子蘭，姞甥也。天或啟之，必將為君，其後必蕃，先納之可以亢寵。」與孔將鉏、侯宣多納之，盟於大宮而立之。以與晉平。穆公有疾，曰：「蘭死，吾其死乎，吾所以生也。」刈蘭而卒。（《左傳》〈宣公三年〉）

染指於鼎

楚國人獻給鄭靈公一隻大甲魚，產於漢江，重二百餘斤。靈公召見公子宋和子家。走到半路，公子宋的食指忽然動起來，於是伸給子家看說：「以往遇到這種情況，就表示要嘗到美味。」進宮之後，果然看見廚師在殺甲魚，兩人相視而笑。靈公問笑什麼，子家就把公子宋食指異動的事告訴靈公。甲魚端上來的時候，靈公故意讓公子宋坐在一邊，不給他吃。公子宋發怒，上前用手指頭在鼎裡蘸了蘸，嘗到味道後離去。靈公想殺死公子宋。公子宋商量子家想先下手。子家猶豫說：「牲口老了尚不忍殺，何況國君呢？」公子宋威脅誣陷子家謀反。子家害怕，只好跟著他幹，於是殺死鄭靈公，立公子堅為君，是為鄭襄公。不久公子棄疾追究「染指」一事，殺死公子宋暴屍於朝。子家已死，也斫其棺木，盡逐其族。

【出處】

楚人獻黿於鄭靈公。公子宋與子家將見。子公之食指動，以示子家，曰：「他日我如此，必嘗異味。」及入，宰夫將解黿，相視而笑。公問之，子家以告，及食大夫黿，召子公而弗與也。子公怒，染指於鼎，嘗之而出。公怒，欲殺子公。子公與子家謀先。子家曰：「畜老，猶憚殺之，而況君乎？」反譖子家，子家懼而從之。夏，弒靈公。書曰：「鄭公子歸生弒其君夷。」權不足也。（《左傳》〈宣公四年〉）

無德而貪

鄭國的公子曼滿對王子伯廖說：「我想要做卿。」伯廖告訴別人說：「沒有德行而又貪婪，必有不測。」過了一年，公子曼滿就被鄭國人殺死。

【出處】

鄭公子曼滿與王子伯廖語，欲為卿。伯廖告人曰：「無德而貪，其在《周易》豐☳☲之離☲☲，弗過之矣。」間一歲，鄭人殺之。（《左傳》〈宣公六年〉）

是國之災

楚莊王為了厲地戰役的緣故，率兵攻打鄭國。晉國派郤缺率兵救援鄭國。鄭襄公在柳棼打敗楚軍。國人都很高興，只有子良（公子棄疾）面有憂慮，嘆息說：「這是國家的災難，我離死期不遠了。」

【出處】

楚子為厲之役故，伐鄭。晉郤缺救鄭，鄭伯敗楚師於柳棼。國人皆喜，唯子良憂曰：「是國之災也，吾死無日矣。」（《左傳》〈宣公九年〉）

肉袒牽羊

魯宣公十二年春季，楚軍包圍鄭國十七天。鄭國人占卜求和，不吉利；占卜在太廟號哭和出車於街巷，吉利。於是城裡的人到太廟放聲大哭，守城的將士在城牆上大哭。都城的城牆垮塌了，莊王退兵讓鄭國人修好城牆，然後再次進軍包圍，三個月後攻克鄭國。楚軍從皇門進入。鄭襄公裸露上身，牽著羊迎接楚莊王，下跪說：「我不能遵從天意，侍奉君主，使君主發怒而來到敝邑，這是我的罪過。豈敢不唯命是聽？即便把我送到江南，流放到海邊，也聽憑君王的吩咐。要滅亡鄭國，把鄭地賜給諸侯，讓鄭國人做奴隸，也悉聽尊便。如果君王開恩，顧念從前的友好，看在鄭國列祖列宗的面子上，不滅鄭國，即便讓鄭國等同於楚國的縣邑，也是君王的恩賜，我不敢奢望。」隨同莊王出征的大臣們說：「我們千里迢迢來到這裡，官兵們如此辛勞，佔領國家又放棄，為什麼？」莊王說：「我們之所以出兵，是要討伐不馴服的國君。人家已經服服帖帖，還能要求什麼呢？」於是退後三十里，允許鄭國講和。潘尪進入鄭國結盟，鄭國派子良到楚國做人質。

【出處】

十二年春，楚子圍鄭。旬有七日，鄭人卜行成，不吉。卜臨於大宮，且巷出車，吉。國人大臨，守陴者皆哭。楚子退師，鄭人修城，進復圍之，三月克之。入自皇門，至於逵路。鄭伯肉袒牽羊以逆，曰：「孤不天，不能事君，使君懷怒以及敝邑，孤之罪也。敢不唯命是聽。其俘諸江南以實海濱，亦唯命。其翦以賜諸侯，使臣妾之，亦唯命。若惠顧前好，徼福於厲、宣、桓、武，不泯其社稷，使改事君，夷於九縣，君之惠也，孤之願之，非所敢望也。敢布腹心，君實圖之。」左右曰：「不可許也，得國無赦。」王曰：「其君能下人，必能信用其民矣，庸可幾乎？」退三十里而許之平。潘尪入盟，子良出質。（《左傳》〈宣公十二年〉）

鄭伯其死

魯成公六年春季，鄭悼公到晉國去拜謝講和，子游隨行，在東楹的東邊舉行授玉儀式。士貞伯說：「鄭悼公要死了嗎？自己不尊重自己。目光左顧右盼，走路不肯放慢腳步，坐著也不安穩，大概不會活多久了。」夏季六月，鄭悼公果然去世了。

【出處】

六年春，鄭伯如晉拜成，子游相，授玉於東楹之東。士貞伯曰：「鄭伯其死乎？自棄也已！視流而行速，不安其位，宜不能久。」……六月，鄭悼公卒。（《左傳》〈成公六年〉）

小國之道

魯襄公八年冬季，楚國的子囊率兵討伐鄭國。子駟、子國、子耳想歸順楚國，子孔、子蟜、子展想等待晉國救援。子駟說：「《周詩》

裡說：『等待黃河澄清，人壽能有幾何？占卜太多，等於自結網羅。』跟很多人商量，主意太多，民眾無所適從，事情更難成功。情況緊急了，姑且順從楚國，以舒緩百姓的苦難；晉國軍隊到了，我們再歸順晉國。恭恭敬敬地準備財貨，以等待大國前來，這就是小國的生存之道。」子展說：「小國以信用侍奉大國。小國缺乏信用，戰爭和禍亂每天都有，很快就要滅亡。與晉國五次盟會的信用，如今卻打算背棄，雖然楚國承諾保護我們，又有什麼用處？楚國一直想把我國變成他們的縣邑，不能順從他們。不如等待晉國。晉國的國君賢明，四軍完備，八卿和睦，肯定不會拋棄鄭國。楚軍遠征，糧食吃完了就會回去，怕什麼？我聽說：『仗恃不如守信。』加強守備等待楚軍疲憊，依靠信用等待晉軍救援，不也很好嗎？」子駟反駁說：「《詩》說：『出主意的人太多，就不知聽誰的好；發言的人擠滿庭院，誰敢對結果負責？一邊走路一邊和路人商量，事情不可能有結果。』請順從楚國，我來承擔責任。」於是和楚國講和，同時派王子伯駢向晉國報告說：「君王命令敝邑討伐蔡國，俘虜了司馬燮，奉獻於邢丘的盟會。現在楚國來興師問罪，焚燒我國郊外的城堡，攻打我國的城郭。敝邑的全民百姓倉皇中互相救援。國家將要傾覆卻投訴無門。百姓流離失所，人人自危，不知道哪兒可以依靠，無奈只得接受楚國的盟約。此種情景，不敢不報告。」

【出處】

冬，楚子囊伐鄭，討其侵蔡也。子駟、子國、子耳欲從楚，子孔、子蟜、子展欲待晉。子駟曰：「《周詩》有之曰：『俟河之清，人壽幾何？兆云詢多，職競作羅。』謀之多族，民之多違，事滋無成。

民急矣，姑從楚以紓吾民。晉師至，吾又從之。敬共幣帛，以待來者，小國之道也。犧牲玉帛，待於二竟，以待強者而庇民焉。寇不為害，民不罷病，不亦可乎？」子展曰：「小所以事大，信也。小國無信，兵亂日至，亡無日矣。五會之信，今將背之，雖楚救我，將安用之？親我無成，鄙我是欲，不可從也。不如待晉。晉君方明，四軍無闕，八卿和睦，必不棄鄭。楚師遼遠，糧食將盡，必將速歸，何患焉？舍之聞之：『杖莫如信。』完守以老楚，杖信以待晉，不亦可乎？」子駟曰：「《詩》云：『謀夫孔多，是用不集。發言盈庭，誰敢執其咎？如匪行邁謀，是用不得於道。』請從楚，騑也受其咎。」乃及楚平。使王子伯駢告於晉，曰：「君命敝邑：『修而車賦，儆而師徒，以討亂略。』蔡人不從，敝邑之人，不敢寧處，悉索敝賦，以討於蔡，獲司馬燮，獻於邢丘。今楚來討曰：『女何故稱兵於蔡？』焚我郊保，馮陵我城郭。敝邑之眾，夫婦男女，不皇啟處，以相救也。翦焉傾覆，無所控告。民死亡者，非其父兄，即其子弟，夫人愁痛，不知所庇。民知窮困，而受盟於楚，狐也與其二三臣不能禁止。不敢不告。」知武子使行人子員對之曰：「君有楚命，亦不使一介行李告於寡君，而即安於楚。君之所欲也，誰敢違君？寡君將帥諸侯以見於城下，唯君圖之！」（《左傳》〈襄公八年〉）

為人國相

景差做了鄭國國相。鄭國有人冬天蹚水過河，出水後感到小腿寒冷，恰好景差經過，就讓侍衛下車載上蹚水過河的人，並脫下自己的上衣給他蓋上。晉國的叔向知道此事後說：「景差身為相國，這樣做豈不是太鄙陋了嗎？我聽說優秀的官吏居官三個月就會修好溝渠，十個月就會架好橋梁，六畜都不會因此濕足，何況人呢？」

【出處】

景差相鄭，鄭人有冬涉水者，出而脛寒，後景差過之，下陪乘而載之，覆以上衽，晉叔向聞之曰：「景子為人國相，豈不固哉！吾聞良吏居之，三月而溝渠修，十月而津樑成，六畜且不濡足，而況人乎？」（《說苑》〈政理〉）

禍莫大焉

魯襄公八年夏季，鄭國的子國、子耳入侵蔡國，俘虜了蔡國的司馬公子燮。鄭國人興高采烈，十五歲的子產卻不肯隨聲附和，說：「小國沒有文德卻有武功，沒有比這更大的禍患了。楚國人前來征討，能不順從他們嗎？順從楚國，晉國的軍隊必然到來。晉、楚兩國進攻鄭國，從今往後，鄭國至少四五年內不得安寧。」子國怒斥他說：「你知道什麼！國家的重大決策，有執政的卿在那裡，小孩子插嘴，要被殺頭的！」

【出處】

庚寅，鄭子國、子耳侵蔡，獲蔡司馬公子燮。鄭人皆喜，唯子產不順，曰：「小國無文德，而有武功，禍莫大焉。楚人來討，能勿從乎？從之，晉師必至。晉、楚伐鄭，自今鄭國不四五年，弗得寧矣。」子國怒之曰：「爾何知？國有大命，而有正卿。童子言焉，將為戮矣。」（《左傳》〈襄公八年〉）

要人以盟

鄭國與晉國在戲地舉行盟會。鄭國的六卿公子騑、公子發、公子嘉、公孫輒、公孫蠆、公孫舍之以及他們的大夫、卿的嫡子，都隨鄭簡公赴會。晉國的士莊子製作盟書說：「今天盟誓以後，鄭國如果對晉國不唯命是聽，或者有別的想法，有如此盟。」公子騑快步走上前說：「上天降禍鄭國，讓我國夾在兩個大國之間。大國不賜給我們友好的話語，反而發動戰亂要挾我們，讓我們的鬼神得不到祭祀，民眾不能享受土地上的物產，夫婦辛苦奔波，痛苦沒有地方可以訴說。今日盟誓以後，鄭國如果不服從有禮儀的強國來保護我們的國家，而敢有其他想法的，有如此盟。」荀偃說：「修改這篇盟辭！」公孫舍之說：「已經昭示神靈了。盟辭如果可以修改，大國也可以背叛了。」知武子對荀偃說：「實在是我們不道德，要挾別人盟誓，這哪裡合乎禮儀呢？不合禮儀，兩國用什麼主盟？我們姑且結盟退兵，厚積德行、休整軍隊以後再來，最終必然贏得鄭國的信賴，又何必在乎今天？」

【出處】

十一月己亥，同盟於戲，鄭服也。將盟，鄭六卿公子騑、公子

禍莫大焉

發、公子嘉、公孫輒、公孫蠆、公孫舍之及其大夫、門子皆從鄭伯。晉士莊子為載書，曰：「自今日既盟之後，鄭國而不唯晉命是聽，而或有異志者，有如此盟。」公子騑趨進曰：「天禍鄭國，使介居二大國之間。大國不加德音而亂以要之，使其鬼神不獲歆其禋祀，其民人不獲享其土利，夫婦辛苦墊隘，無所底告。自今日既盟之後，鄭國而不唯有禮與強可以庇民者是從，而敢有異志者，亦如之。」荀偃曰：「改載書。」公孫舍之曰：「昭大神，要言焉。若可改也，大國亦可叛也。」知武子謂獻子曰：「我實不德，而要人以盟，豈禮也哉！非禮，何以主盟？姑盟而退，修德息師而來，終必獲鄭，何必今日？我之不德，民將棄我，豈唯鄭？若能休和，遠人將至，何恃於鄭？」乃盟而還。晉人不得志於鄭，以諸侯復伐之。（《左傳》〈襄公九年〉）

眾怒難犯，專欲難成

子孔掌握鄭國朝政。他製作盟書，規定官員各守其位，聽從他的命令。有些大夫和將領卻不肯順從。子孔準備殺掉他們。子產前來勸阻，請求燒掉盟書。子孔不同意說：「製作盟書是為了安定國家，大家發怒就燒燬它，就變成了大眾當政，國家不是很為難嗎？」子產說：「眾人的憤怒不可冒犯，專權的願望不可成功。把兩件難辦的事情合在一起來安定國家，這是危險的做法，不如燒掉盟書來安定人心。這樣，您得到了您需要的東西，大家也能夠安定，不也很好嗎？專權的願望不會成功，觸犯眾怒會發生禍亂。您一定要聽我的。」子孔於是在倉門外當眾燒掉了盟書，於是鄭國才安定下來。

【出處】

子孔當國，為載書，以位序，聽政辟。大夫、諸司、門子弗順，將誅之。子產止之，請為之焚書。子孔不可，曰：「為書以定國，眾怒而焚之，是眾為政也，國不亦難乎？」子產曰：「眾怒難犯，專欲難成，合二難以安國，危之道也。不如焚書以安眾，子得所欲，眾亦得安，不亦可乎？專欲無成，犯眾興禍，子必從之。」乃焚書於倉門之外，眾而後定。（《左傳》〈襄公十年〉）

模棱兩可

洧水上漲，鄭國的一個富人被淹死了，有人打撈起他的屍體。富人的家人請求贖回屍體，撈屍體的人索要高價。富人的家人把這件事告訴鄧析，鄧析說：「放心吧，沒別的人會贖這具屍體的。」撈到屍體的人害怕了，也去問鄧析，鄧析回答說：「安心吧，他們在別的地方買不到這具屍體的。」《呂氏春秋》據此評價說：那些詆毀忠臣的人與此類似。忠臣沒有立功，詆毀者就會以沒有立功得不到民眾擁護去詆毀忠臣；如果忠臣建功立業，得到百姓擁護，詆毀者又會以威脅到君主的威望與地位來中傷忠臣。那些缺乏是非判斷的君主不懂得這個道理，不也是很可悲嗎？比干、萇弘因此被陷害致死，箕子、商容也因此走投無路，周公、召公因此招致懷疑；范蠡、伍子胥因此被迫流落世間。生死、存亡、安危的結果，都是從這裡產生的。

【出處】

洧水甚大，鄭之富人有溺者，人得其死者。富人請贖之，其人求金甚多。以告鄧析，鄧析曰：「安之。人必莫之賣矣。」得死者患之，以告鄧析，鄧析又答之曰：「安之。此必無所更買矣。」夫傷忠臣者有似於此也。夫無功不得民，則以其無功不得民傷之；有功得民，則又以其有功得民傷之。人主之無度者，無以知此，豈不悲哉？比干、萇弘以此死，箕子、商容以此窮，周公、召公以此疑，范蠡、子胥以此流，死生存亡安危，從此生矣。（《呂氏春秋》〈審應覽・離謂〉）

應之無窮

子產頒布新法，鄭國很多人把新法懸掛起來，子產命令不得懸掛，鄧析就對新法加以修飾。子產不允許修飾新法，鄧析又改用別的方法曲解新法。無論子產下達什麼命令，鄧析都想方設法作對。這樣一來，是非就失去了標準，以缺乏是非判斷的法令去施行賞罰，反而加劇了混亂。

【出處】

鄭國多相縣以書者，子產令無縣書，鄧析致之。子產令無致書，鄧析倚之。令無窮，則鄧析應之亦無窮矣。是可不可無辨也。可不可無辨，而以賞罰，其罰愈疾，其亂愈疾。此為國之禁也。故辨而不當理則偽，知而不當理則詐。詐偽之民，先王之所誅也。理也者，是非

之宗也。(《呂氏春秋》〈審應覽・離謂〉)

誅殺鄧析

子產治理鄭國,鄧析極力刁難他,跟有訴訟的人約定:大的訴訟須送上衣一件,小的訴訟須送短衣一件。前往獻衣求訟的人不可勝數。以錯為對,以對為錯,對錯沒有統一的標準,可以不可以每天都在改變。想讓人勝訴就讓人勝訴,想讓人獲罪就讓人獲罪。鄭國大亂,人心惶惶。子產深以為患,於是殺死鄧析陳屍示眾,民心才得以順服,是非才明確標準,法律才得施行。如今的統治者,大都想治理好國家,卻不肯剷除鄧析之類的人,這就是想治反而更亂的原因啊。[4]

【出處】

子產治鄭,鄧析務難之,與民之有獄者約:大獄一衣,小獄襦袴。民之獻衣襦袴而學訟者,不可勝數。以非為是,以是為非,是非無度,而可與不可日變。所欲勝因勝,所欲罪因罪。鄭國大亂,民口喧嘩。子產患之,於是殺鄧析而戮之,民心乃服,是非乃定,法律乃行。今世之人,多欲治其國,而莫之誅鄧析之類,此所以欲治而愈亂也。(《呂氏春秋》〈審應覽・離謂〉)

---

4. 《左傳》〈定公九年〉認為鄧析為駟歂所殺。

子產相鄭

子產在鄭國為相，去見壺丘子林，跟他的弟子們坐在一起，一定按年齡就座，這是把相位的尊貴放在一邊。身為大國之相，卻能丟掉相國的架子，與大家推心置腹地談論思想，議論品行，大概只有子產能做到吧。子產在鄭國做了十八年相國，僅僅處罰了三個人，處死了兩人。桃李下垂到路邊，也沒有誰去摘；刀具丟棄在路上，也沒有人拾取。

【出處】

子產相鄭，往見壺丘子林，與其弟子坐必以年，是倚其相於門也。夫相萬乘之國而能遺之，謀志論行而以心與人相索，其唯子產乎！故相鄭十八年，刑三人，殺二人。桃李之垂於行者，莫之援也；錐刀之遺於道者，莫之舉也。（《呂氏春秋》〈慎大覽・下賢〉）

何故無人

鄭國的樂師師慧經過宋國朝廷，打算小便。扶他的人提醒他說：「這兒是朝廷。」師慧說：「沒人啊。」扶他的人說：「朝廷上怎麼會沒人呢？」師慧說：「一定是沒人。如果有人，又怎麼會用千乘之國的相國去換一個演唱淫樂的瞎子呢？」宋國的子罕聽到後，於是向宋平公請求讓師慧返回了鄭國。

【出處】

師慧過宋朝，將私焉。其相曰：「朝也。」慧曰：「無人焉。」相曰：「朝也，何故無人？」慧曰：「必無人焉。若猶有人，豈其以千乘之相易淫樂之矇？必無人焉故也。」子罕聞之，固請而歸之。（《左傳》〈襄公十五年〉）

子產仁人

鄭簡公不滿國相子孔專權，殺死子孔，以子產為卿。魯襄公二十六年，簡公把六個城邑封給子產，子產辭讓，只接受了三個。魯襄公二十九年，吳國派延陵季子訪問鄭國，子產與他一見如故。季子對子產說：「鄭國的執政者頗多邪行，災難就要來臨，大權會落到你手中。你如果當政，一定要按禮儀治國；否則，鄭國將要敗亡。」子產厚待季子。季子剛走，鄭國的公子們就開始競相殘殺，也想殺死子產，有公子諫阻說：「子產是仁愛之人，鄭國能生存多虧子產，千萬不要殺死他！」公子們終於沒有對子產下手。

【出處】

簡公十二年，簡公怒相子孔專國權，誅之，而以子產為卿。十九年，簡公如晉請衛君還，而封子產以六邑。子產讓，受其三邑。二十二年，吳使延陵季子於鄭，見子產如舊交，謂子產曰：「鄭之執政者侈，難將至，政將及子。子為政，必以禮；不然，鄭將敗。」子產厚遇季子。二十三年，諸公子爭寵相殺，又欲殺子產。公子或諫曰：

「子產仁人，鄭所以存者子產也，勿殺！」乃止。(《史記》〈鄭世家〉)

無日不惕

襄公二十年夏季，晉國讓鄭國前往朝見。鄭國派少正子產前往。子產不客氣地對晉國人說：「貴國先君悼公九年的時候，我們的國君剛剛即位八個月，就由先大夫子駟陪同前來朝見，因為得不到應有的尊重，不得已轉向了楚國。楚國雖然強大，但對我國還算尊重。晉國因此數次攻打我國。我國靠近貴國，貴國是草木，我們不過是草木散發出來的氣味，哪裡敢有些許差錯。楚國逐漸衰弱，我們國君拿出全部物產，加上宗廟的禮器，來接受貴國的盟約。我國的子侯和石盂偏向楚國，我們國君返回之後就討伐他們。溴梁會盟的第二年，子蟜已經告老退休，於是由公孫夏陪同國君來朝見貴國。隔了兩年，聽說貴國要平定東方，於是又來貴國朝見聽取結盟的日期。沒有朝見的時候，也是每年聘問，事事跟從。然而大國的政令反覆無常，敝國因此疲憊不堪。意外的事情總在發生，每一天都忐忑不安。即便如此，也未敢忘記自己的職責。大國如果能安定小國，我們自然會來朝見，哪裡用得著命令？如果不體恤小國的難處，反而作為處罰小國的藉口，那我們就恐怕不能忍受大國的命令，而要被大國丟棄，成為仇敵了。」

【出處】

夏，晉人徵朝於鄭。鄭人使少正公孫僑對曰：「在晉先君悼公九年，我寡君於是即位。即位八月，而我先大夫子駟從寡君以朝於執事。執事不禮於寡君。寡君懼，因是行也，我二年六月朝於楚，晉是以有戲之役。楚人猶競，而申禮於敝邑。敝邑欲從執事而懼為大尤，曰晉其謂我不共有禮，是以不敢攜貳於楚。我四年三月，先大夫子蟜又從寡君以觀釁於楚，晉於是乎有蕭魚之役。謂我敝邑，邇在晉國，譬諸草木，吾臭味也，而何敢差池？楚亦不競，寡君盡其土實，重之以宗器，以受齊盟。遂帥群臣隨於執事以會歲終。貳於楚者，子侯、石盂，歸而討之。湨梁之明年，子蟜老矣，公孫夏從寡君以朝於君，見於嘗酎，與執燔焉。間二年，聞君將靖東夏，四月又朝，以聽事期。不朝之間，無歲不聘，無役不從。以大國政令之無常，國家罷病，不虞薦至，無日不惕，豈敢忘職？大國若安定之，其朝夕在庭，何辱命焉？若不恤其患，而以為口實，其無乃不堪任命，而翦為仇讎，敝邑是懼。其敢忘君命？委諸執事，執事實重圖之。」（《左傳》〈襄公二十二年〉）

生在敬戒，不在富

魯襄公二十二年九月，鄭國公孫黑肱病重，提出把封邑歸還鄭簡公，召集家族宗人立段為後嗣，叮囑他減省家臣、祭祀從簡。留下可供祭祀的土地，其餘的全部歸還朝廷。遺囑說：「我聽說，生當亂世，地位尊貴卻安於守貧，較少欲求，才能久享平安，恭敬地侍奉國君和諸位大夫。生存在於謹慎，而不在富有。」君子評論說：「公孫黑肱能時刻保持清醒的頭腦。《詩經》中說：『謹慎地守住侯爵的地位，時刻告誡自己才能確保無憂。』鄭國的公孫黑肱應該做到了吧。」

【出處】

九月，鄭公孫黑肱有疾，歸邑於公。召室老、宗人立段，而使黜官、薄祭。祭以特羊，殷以少牢。足以共祀，盡歸其餘邑。曰：「吾聞之，生於亂世，貴而能貧，民無求焉，可以後亡。敬共事君，與二三子。生在敬戒，不在富也。」己巳，伯張卒。君子曰：「善戒。《詩》曰：『謹爾侯度，用戒不虞。』[5]鄭子張其有焉。」（《左傳》〈襄公二十二年〉）

有德則樂

范宣子當權，晉國強加於諸侯的貢賦很重，鄭國人尤其不堪忍受。魯襄公二十四年二月，鄭簡公前往晉國朝見，子產寫信託公孫夏帶信給范宣子，信中說：「您在晉國執政，沒聽說四鄰諸侯傳頌您的美德，倒聽說您向諸侯索取很重的貢品，對此我很難理解。我聽說君子掌管國家，不擔憂沒有財物，只看重獲得好名聲。向諸侯索取的賄賂過多，諸侯必然離心離德；上卿如果貪圖財貨，晉國的內部就會產生不和。諸侯離心離德，晉國就會受到損害；晉國內部不和，您家族

5. 「謹爾侯度，用戒不虞」，出自《詩經》〈大雅‧抑〉。

的名譽就會受損。您千萬不可昏聵糊塗啊！我以為，過於在意諸侯的賄納，還不如獲得好名聲。德行是國家的重要根基。有美德才能與大家共享快樂，大家快樂統治才能長久，人民不會懷有二心，遠近諸侯都會安心歸附。您覺得是讓諸侯各國稱讚『您確實是我們的養育父母』好呢？還是惡評『您搾取我們來養肥自己』好呢？大象因為具有值錢的象牙而遭人獵殺，過度佔有諸侯財賄的下場不也一樣嗎？」范宣子很高興子產的提醒，於是下令減輕諸侯各國的貢納。

【出處】

二月，鄭伯如晉。子產寓書於子西以告宣子，曰：「子為晉國，四鄰諸侯，不聞令德，而聞重幣，僑也惑之。僑聞君子長國家者，非無賄之患，而無令名之難。夫諸侯之賄聚於公室，則諸侯貳。若吾子賴之，則晉國貳。諸侯貳，則晉國壞。晉國貳，則子之家壞。何沒沒也！將焉用賄？夫令名，德之輿也。德，國家之基也。有基無壞，無亦是務乎！有德則樂，樂則能久。《詩》云：『樂只君子，邦家之基。』有令德也夫！『上帝臨女，無貳爾心。』有令名也夫！恕思以明德，則令名載而行之，是以遠至邇安。毋寧使人謂子『子實生我』，而謂『子濬我以生』乎？象有齒以焚其身，賄也。」宣子說，乃輕幣。（《左傳》〈襄公二十四年〉）

將死而憂

晉平公寵信程鄭，任命他為下軍副帥。鄭國的行人公孫揮到晉國聘問，程鄭向他請教說：「請問怎樣才能降級呢？」公孫揮不能回答，回去後告訴然明。然明說：「這人快要死了，或者將要逃亡。他因地位尊貴感到害怕，因害怕想到降級，認為降級後地位就合適了。位居人下，有什麼好問的。已經爬上高位而要求降級的是聰明人，程鄭卻不是這種人。恐怕有逃亡的跡象，要不就有疑心病，知道要死了而心懷憂慮。」第二年，程鄭果然死了。

【出處】

晉侯嬖程鄭，使佐下軍。鄭行人公孫揮如晉聘。程鄭問焉，曰：「敢問降階何由？」子羽不能對。歸以語然明，然明曰：「是將死矣。不然將亡。貴而知懼，懼而思降，乃得其階，下人而已，又何問焉？且夫既登而求降階者，知人也，不在程鄭。其有亡釁乎？不然，其有惑疾，將死而憂也。」（《左傳》〈襄公二十四年〉）

子產獻捷於晉

鄭國討伐陳國，攻入陳國境內，並派子產前往晉國進獻戰利品。晉人問起陳國的罪行。子產回答說：「陳國忘記了周朝的大德，一味地倚仗楚國人多，進逼我國，所以我國往年有請求攻打陳國的報告。沒有得到貴國允准，反倒有了陳國進攻我國都城東門的戰役。陳軍經過的路上，水井被填，樹木被砍，我國的民眾感到很恐懼。幸而上天開啟它的心意，啟發我們攻打陳國的念頭。陳國知道自己的罪過，只得向我們投降，因而我們才敢前來匯報戰功。」晉人問：「你們為什麼侵佔小國？」子產答道：「根據先王遺命，只要是犯有罪過的，就要分別予以懲罰。況且以前天子的土地方圓千里，諸侯的土地方圓百里，以此遞減，這是周朝的制度。如今大國的土地多到方圓幾千里，如果沒有侵佔小國，怎麼能達到這種程度呢？」晉人說：「你的言辭合於情理。」孔子聽說了這件事，對子貢說：「《志》上有這樣的話：『言語用來表達意願，文采用來充實語言。』不說話，誰知道他的意願？說話缺乏文采，就不能流傳久遠。晉國是霸主，鄭國攻入陳國，不是善於辭令就無法取得成功。對此你們要謹慎啊！」

【出處】

鄭伐陳，入之，使子產獻捷於晉，晉人問陳之罪焉。子產對曰：「陳亡周之大德，介恃楚眾，馮陵弊邑，是以有往年之告。未獲命，則又有東門之役。當陳隧者，井陻木刊，弊邑大懼，天誘其衷，啟弊邑心，知其罪，授首於我，用敢獻功。」晉人曰：「何故侵小？」對曰：「先王之命，惟罪所在，各致其辟，且昔天子一圻，列國一同，自是以衰，周之制也。今大國多數圻矣，若無侵小，何以至焉。」晉人曰：「其辭順。」孔子聞之，謂子貢曰：「《志》有之，言以足志，文以足言，不言誰知其志，言之無文，行之不遠。晉為伯，鄭入陳，非文辭不為功，小子慎哉。」（《孔子家語》〈正論解〉）

吾見其心

晉國的程鄭死後，子產才開始瞭解然明。子產向然明請教政事。

然明回答說：「與老百姓要親如父子，對待不仁的人予以嚴懲，就像老鷹追捕鳥雀一樣。」子產很高興，把這些話告訴子大叔游吉，並且說：「以前我見到的只是然明的面貌，現在我瞭解了他的內心。」

【出處】

晉程鄭卒。子產始知然明，問為政焉。對曰：「視民如子。見不仁者誅之，如鷹鸇之逐鳥雀也。」子產喜，以語子大叔，且曰：「他日吾見蔑之面而已，今吾見其心矣。」（《左傳》〈襄公二十五年〉）

微君之惠

印堇父和皇頡一起留守城麇，楚國人囚禁印堇父，將他獻給秦國。鄭國人拿著印氏家族的財物獻給秦國，請求贖回印堇父。子大叔為令正，出面處理這件事。子產說：「這樣做是不能贖回印堇父的。秦國接受楚國奉獻的俘虜，卻收取鄭國的財物，這不符合國家體統，秦國人不會幹的。如果您去對秦國說：『拜謝貴國幫助鄭國。如果沒有君王的恩惠，楚軍現在恐怕還在敝邑城下』，秦國人一定會放印堇父的。」子大叔沒採納子產的建議，果然在秦國碰了釘子。於是改換禮品，按子產的話去說，秦國很快就釋放了印堇父。

【出處】

印堇父與皇頡戍城麇，楚人囚之，以獻於秦。鄭人取貨於印氏以請之，子大叔為令正，以為請。子產曰：「不獲。受楚之功而取貨於鄭，不可謂國，秦不其然。若曰：『拜君之勤鄭國，微君之惠，楚師其猶在敝邑之城下。』其可。」弗從，遂行。秦人不予。更幣，從子產而後獲之。（《左傳》〈襄公二十六年〉）

床第之言不逾閾

鄭簡公在垂隴設享禮招待趙文子，以子展、伯有、子西、子產、子大叔、兩個子石作陪。趙文子說：「君主讓七位重臣作陪，這是趙武的榮耀。就請各位賦詩表達君王的恩賜，趙武也可以從中看到各位的志向。」於是子展賦《草蟲》之詩。趙文子讚賞說：「好啊，這是百姓的主人！不過趙武是不足以擔當的。」伯有賦《鶉之賁賁》，其內容是諷刺衛宣公的亂倫行為。趙文子頗為不悅說：「男女枕席上的情話不出門檻，何況這是在野外呢？這詩不適合在這種場合朗誦。」

【出處】

鄭伯享趙孟於垂隴，子展、伯有、子西、子產、子大叔、二子石從。趙孟曰：「七子從君，以寵武也。請皆賦以卒君貺，武亦以觀七子之志。」子展賦《草蟲》，趙孟曰：「善哉！民之主也。抑武也不足以當之。」伯有賦《鶉之賁賁》，趙孟曰：「床第之言不逾閾，況在野乎？非使人之所得聞也。」（《左傳》〈襄公二十七年〉）

淫而不父

蔡景侯從晉國回國，途經鄭國。鄭簡公設享禮招待他，蔡景侯表現得頗不恭敬。子產說：「蔡侯恐怕難得善終。上次途經鄭國，國君派子展到東門外慰勞他，他顯出很傲慢的樣子。我以為他會有所改變。這次見他還是老樣子，這就是他的本性了。作為小國君主，侍奉大國卻顯得漫不經心，哪會有好結果？如果要出亂子，根子一定在他的兒子。身為國君，淫亂而不像做父親的樣子。我聽說，像這樣的人，經常會由兒子發難。」蔡景侯為太子般迎娶楚女為妻，而後與兒媳私通，果然為太子所殺。

【出處】

蔡侯歸自晉，入於鄭。鄭伯享之，不敬。子產曰：「蔡侯其不免乎？日其過此也，君使子展廷勞於東門之外，而傲。吾曰：『猶將更之。』今還，受享而惰，乃其心也。君小國事大國，而惰傲以為己心，將得死乎？若不免，必由其子。其為君也，淫而不父。僑聞之，如是者，恆有子禍。」（《左傳》〈襄公二十八年〉）

跋山涉水

魯襄公二十八年，鄭簡公派大夫游吉（子大叔）前往楚國朝覲，到達漢水，楚國國君派人攔住他，讓他回國說：「上次在宋國的結盟，貴國的君主親自參加，現在派大夫來，我們的君主讓你暫且回去，等我們到晉國問明情況再說。」游吉面對大國瞧不起小國的嘴臉，諷刺地說：「結盟的時候，說好要幫扶我們這些小國，安撫百姓，秉承周禮。現在又非要我們的國君跋山涉水，前來朝覲，那當初為什麼不把這些寫進盟約呢？」這就是「跋山涉水」典故的由來。

【出處】

鄭伯使游吉如楚。及漢，楚人還之，曰：「宋之盟，君實親辱。今吾子來，寡君謂吾子姑還！吾將使馹奔問諸晉而以告。」子大叔曰：「宋之盟，君命將利小國，而亦使安定其社稷，鎮撫其民人，以禮承天之休，此君之憲令，而小國之望也。寡君是故使吉奉其皮幣，以歲之不易，聘於下執事。今執事有命曰：『女何與政令之有？必使而君棄而封守，跋涉山川，蒙犯霜露，以逞君心。』小國將君是望，敢不唯命是聽。無乃非盟載之言，以闕君德，而執事有不利焉，小國是懼。不然，其何勞之敢憚？」（《左傳》〈襄公二十八年〉）

伯有汏侈

鄭國的伯有嗜酒，專門建造了一座地下室，經常整夜飲酒奏樂。早晨朝見的人來見他，他還沒有下席。朝見的人問說：「主公在哪裡？」手下人回答說：「在地下室。」朝見的人只好各自回家。不久伯有去朝見鄭伯，商量安排子晳出使楚國，回家後接著喝酒。子晳很生氣，帶著駟氏的甲士攻打伯有，放火燒了他的家。伯有逃到雍梁，酒醒後才知道怎麼回事，接著又逃到許國。大夫們聚在一起議論，子皮說：「《仲虺之志》說：『動亂的就攻取它，滅亡的就欺侮它。摧毀滅亡的而鞏固存在的，這是國家的利益。』罕氏、駟氏、豐氏本來是同胞兄弟，伯有驕傲奢侈，所以不免於禍難。」

【出處】

鄭伯有耆酒，為窟室，而夜飲酒擊鐘焉，朝至未已。朝者曰：「公焉在？」其人曰：「吾公在壑谷。」皆自朝布路而罷。既而朝，則又將使子皙如楚，歸而飲酒。庚子，子皙以駟氏之甲伐而焚之。伯有奔雍梁，醒而後知之，遂奔許。大夫聚謀，子皮曰：「《仲虺之志》云：『亂者取之，亡者侮之。推亡固存，國之利也。』罕、駟、豐同生。伯有汰侈，故不免。」（《左傳》〈襄公三十年〉）

我有田疇

子產剛開始治理鄭國的時候，下令把田地溝渠劃分疆界，讓城邑、鄙野塗上規定的服色。民眾怨恨地唱道：「我們有田畝，子產徵軍賦。我們有衣冠，子產令收藏。誰要殺子產，我們來相幫。」三年之後，民眾又唱道：「我們有田畝，子產讓它長莊稼。我們有子弟，子產教育和啟發。子產若死了，還有誰能繼承他？」

【出處】

子產始治鄭，使田有封洫，都鄙有服。民相與誦曰：「我有田疇，而子產賦之。我有衣冠，而子產貯之。孰殺子產，吾其與之。」

後三年，民又誦之曰：「我有田疇，而子產殖之。我有子弟，而子產誨之。子產若死，其使誰嗣之？」（《呂氏春秋》〈先識覽・樂成〉）

政出多門

魯襄公三十年六月，鄭國的子產到陳國參加結盟，回來後向大夫們評議陳國說：「陳國有要亡國的樣子，不能結好。他們積聚糧食，修繕城郭，倚仗這兩樣而不重視安撫百姓。他們的國君根基薄弱，公子奢侈，太子卑微，大夫驕傲，政出多門。以這種狀況而居於大國之間，豈能不亡？我估計最多不超過十年。」

【出處】

六月，鄭子產如陳蒞盟。歸，覆命。告大夫曰：「陳，亡國也，不可與也。聚禾粟，繕城郭，恃此二者，而不撫其民。其君弱植，公子侈，大子卑，大夫敖，政多門，以介於大國，能無亡乎？不過十年矣。」（《左傳》〈襄公三十年〉）

三辭為卿

鄭簡公讓太史下令任命伯石（公孫段）為卿，伯石辭謝。太史退出後，伯石又請求太史重新發布任命，任命下來後再次辭謝。如此一連三次，這才接受策書入朝拜謝。子產因此很討厭伯石的虛偽，讓他位於比自己低一級的職位。

【出處】

使大史命伯石為卿，辭。大史退，則請命焉。覆命之，又辭。如是三，乃受策入拜。子產是以惡其為人也，使次己位。（《左傳》〈襄公三十年〉）

子有美錦

子皮想讓家臣尹何掌管自己的封邑。子產委婉地說：「尹何年紀輕輕，不知道能不能勝任。」子皮說：「此人謹慎善良，我很喜歡，他不會背叛我的。讓他去學習一下，以後就知道怎樣辦事了。」子產說：「這樣做怕是不妥。人們喜歡一個人，往往會創造條件，著意栽培他。現在您把政事交給尹何，這就好像一個人不會用刀卻讓他去割東西一樣，其結果多半會傷著他。如果您把喜歡變成傷害，誰還敢在您這兒討喜歡呢？對鄭國而言，您是國家的棟梁。棟梁折斷，房子就會崩塌，我也會被壓在下面，所以我不敢不講真話。您斷然不會以漂亮的絲綢讓人學習裁剪，大官和大邑本來是您家族的依靠，你卻想讓初學者去實踐，這不比以漂亮的絲綢去學習裁剪代價更昂貴嗎？我只聽說學習之後才能從政，沒聽說過以執掌政權來學習的。如果真要這麼做，就難免會出風險。譬如打獵，熟悉射箭駕車的獵人才能獲得獵物，如果讓從無駕車射箭經驗的人打獵，他時刻擔心車子會顛覆，又哪有心思去打獵呢？」子皮說：「你說得對。罕虎真是愚笨。我聽說君子胸懷寬廣，小人目光短淺，看來我是小人啊。衣服穿在我身上，我尚且知道珍惜，大官和大邑是家族的依靠，我卻輕視它們。謝謝您的及時提醒。從前我說過，由您來主持鄭國的政務，我則管理好我的家族。現在我覺得即便是我家族的事情，也必須聽從您的指教。」子產說：「每個人都有自己的想法，就如同人的面相千差萬別。我心裡覺得這樣做可能不妥，恕我直言了。」子皮認為子產待人忠耿，於是把政事全權委託給他，子產因此執掌鄭國大權。

【出處】

子皮欲使尹何為邑。子產曰：「少，未知可否？」子皮曰：「願，吾愛之，不吾叛也。使夫往而學焉，夫亦愈知治矣。」子產曰：「不可。人之愛人，求利之也。今吾子愛人則以政，猶未能操刀而使割也，其傷實多。子之愛人，傷之而已，其誰敢求愛於子？子於鄭國，棟也，棟折榱崩，僑將厭焉，敢不盡言？子有美錦，不使人學製焉。大官、大邑，身之所庇也，而使學者製焉，其為美錦，不亦多乎？僑聞學而後入政，未聞以政學者也。若果行此，必有所害。譬如田獵，射御貫則能獲禽，若未嘗登車射御，則敗績厭覆是懼，何暇思獲？」子皮曰：「善哉！虎不敏。吾聞君子務知大者、遠者，小人務知小者、近者。我，小人也。衣服附在吾身，我知而慎之。大官、大邑所以庇身也，我遠而慢之。微子之言，吾不知也。他日我曰：『子為鄭國，我為吾家，以庇焉，其可也。』今而後知不足。自今，請雖吾家，聽子而行。」子產曰：「人心之不同，如其面焉。吾豈敢謂子面如吾面乎？抑心所謂危，亦以告也。」子皮以為忠，故委政焉。子產是以能為鄭國。（《左傳》〈襄公三十一年〉）

擇能而使之

子產擔任鄭國國相，鄭簡公對他說：「宮內的政事我負責，宮外的政事我不干預。凡是衣衫皮袍不華美，車馬缺少裝飾，女子不貞潔，是我的恥辱；國家治理不好，疆界不安定，是先生的責任。」子產為國相，直到鄭簡公去世，國內沒有動亂，國外沒有諸侯侵犯。子產執政的時候，選擇賢能的人加以任用。馮簡子能決斷大事；子大叔儀表堂堂，言辭有文采；公孫揮能及時掌握四方諸侯的動向，並熟悉各國大夫的家族姓氏、官爵職位、地位貴賤、才能高低等，且擅長外交辭令；裨諶善於出謀劃策。每當鄭國有大事發生，子產先讓公孫揮瞭解情況，多方談判交涉；掌握情況後，讓裨諶乘車到郊外靜心謀劃；接著把裨諶的謀劃告訴馮簡子，讓他作最後的決斷；一切準備工作完成後，再交給子大叔去執行，並應酬回答各國賓客。由於用賢使能，所以鄭國很少有失敗的時候。

【出處】

子產相鄭，簡公謂子產曰：「內政毋出，外政毋入。夫衣裘之不美，車馬之不飾，子女之不潔，寡人之醜也；國家之不治，封疆之不正，夫子之醜也。」子產相鄭，終簡公之身，內無國中之亂，外無諸侯之患也；子產之從政也，擇能而使之，馮簡子善斷事，子大叔善決而文，公孫揮知四國之為而辨於其大夫之族姓，變而立至，又善為辭令，裨諶善謀，於野則獲，於邑則否，有事，乃載裨諶與之適野，使謀可否，而告馮簡子斷之，使公孫揮為之辭令，成，乃受子大叔行

之，以應對賓客，是以鮮有敗事也。（《說苑》〈政理〉）

不毀鄉校

鄭國人喜歡在鄉校裡遊玩聚會，議論時政的得失。然明對子產說：「為何不毀了鄉校？」子產說：「為什麼要毀？人們早晚到那兒遊玩散心，議論執政的得失。他們認為好的，我就推行；他們厭惡的，我就改正，來這裡的人都是我的好老師啊，為什麼要毀掉它呢？我聽說治理國家要講究忠信以減少怨恨，沒聽說要顯示威風不准人們怨恨。防止人民發洩不滿，就像防範洪水，河堤出現大的決口，就會傷害許多人，無法挽救；不如開個小口子讓水流得到疏導，我能及時聽到批評的意見，就可以有所針對想辦法救治啊。」然明說：「您確實是成就大事的人。與您相比，小人相差太遠了。這種做法確實有利於鄭國，豈止二三位大臣呢？」孔子聽到這件事，評論說：「從這件事看，別人說子產不仁，我不相信。」

【出處】

鄭人游於鄉校，以論執政。然明謂子產曰：「毀鄉校，何如？」子產曰：「何為？夫人朝夕退而游焉，以議執政之善否。其所善者，吾則行之。其所惡者，吾則改之。是吾師也，若之何毀之？我聞忠善以損怨，不聞作威以防怨。豈不遽止，然猶防川，大決所犯，傷人必多，吾不克救也。不如小決使道。不如吾聞而藥之也。」然明曰：「蔑也今而後知吾子之信可事也。小人實不才，若果行此，其鄭國實

賴之，豈唯二三臣？」仲尼聞是語也，曰：「以是觀之，人謂子產不仁，吾不信也。」（《左傳》〈襄公三十一年〉）

君子有四時

晉平公有病，鄭伯派子產前往去聘問，同時探視病情。叔向問子產說：「寡君的疾病，占卜的人說『是實沈、臺駘作怪』，連太史也不清楚，這到底是什麼神靈？」子產說：從前高辛氏有兩個兒子，大的叫閼伯，小的叫實沈，住在大森林裡，不能相容，每天互相攻擊。帝堯於是把閼伯遷移到商丘，用大火星來定時節。商朝人沿襲下來，以大火星為商星。把實沈遷到大夏，用參星來定時節，唐國人沿襲下來，成王滅唐，以唐地封大叔，所以參星是晉國的星宿。那麼實沈就是參星之神。從前金天氏有後代叫作昧，做水官，生了允格、臺駘。臺駘能世代為官，疏通汾水、洮水，堵住大澤，保護大片平原。顓頊因此嘉獎他，把他封在汾川，沈、姒、蓐、黃四國世代祭祀。現在貴國滅掉四國而擁有汾水，那臺駘就是汾水之神了。然而這兩位神靈應該與晉君之病無關。山川的神靈，遇到水旱瘟疫才向他們祈禱禳災；日月星辰的神靈，遇到雪霜風雨不合時令，才向他們祭祀祈福。至於疾病在身，多是因為勞逸、飲食、哀樂不適度造成的，山川、星辰的神靈哪會嫁禍於您呢？僑聽說，君子的作息時間分為有四段：早朝聽取政事，白天調查詢問，傍晚確定政令，夜裡安歇身體。如果用時不均，就容易生病。時間都叫美人佔了，當然會傷身體，君子不會這麼做。僑又聽說，國君的妻妾不能同姓，同姓則子孫不昌盛。所以

《志》裡說：『買妾不知其姓，就占卜一下。』現在君王的宮內有四個姬姓侍妾，加之重色，當然要生病了。」叔向說：「講得好，我還沒有聽說過呢。」

【出處】

晉侯有疾，鄭伯使公孫僑如晉聘，且問疾。叔向問焉，曰：「寡君之疾病，卜人曰：『實沈、臺駘為祟。』史莫之知，敢問此何神也？」子產曰：「昔高辛氏有二子，伯曰閼伯，季曰實沈，居於曠林，不相能也。日尋干戈，以相征討。後帝不臧，遷閼伯於商丘，主辰。商人是因，故辰為商星。遷實沈於大夏，主參。唐人是因，以服事夏、商。其季世曰唐叔虞。當武王邑姜方震大叔，夢帝謂己：『余命而子曰虞，將與之唐，屬諸參，而蕃育其子孫。』及生，有文在其手曰：『虞』，遂以命之。及成王滅唐而封大叔焉，故參為晉星。由是觀之，則實沈，參神也。昔金天氏有裔子曰昧，為玄冥師，生允格、臺駘。臺駘能業其官，宣汾、洮，障大澤，以處大原。帝用嘉之，封諸汾川。沈、姒、蓐、黃，實守其祀。今晉主汾而滅之矣。由是觀之，則臺駘，汾神也。抑此二者，不及君身。山川之神，則水旱癘疫之災，於是乎禜之。日月星辰之神，則雪霜風雨之不時，於是乎禜之。若君身，則亦出入飲食哀樂之事也，山川星辰之神，又何為焉？僑聞之，君子有四時：朝以聽政，晝以訪問，夕以修令，夜以安身。於是乎節宣其氣，勿使有所壅閉湫底，以露其體。茲心不爽，而昏亂百度。今無乃壹之，則生疾矣。僑又聞之，內官不及同姓，其生不殖，美先盡矣，則相生疾，君子是以惡之。故《志》曰：『買妾不知其姓，則卜之。』違此二者，古之所慎也。男女辨姓，禮之大司也。今君內實有四姬焉，其無乃是也乎？若由是二者，弗可為也已。四姬有省猶可，無則必生疾矣。」叔向曰：「善哉！肸未之聞也。此皆然矣。」（《左傳》〈昭公元年〉）

使女擇焉

鄭國徐吾犯的妹妹很漂亮，公孫楚（子南）已經和她訂了婚，公孫黑（子皙）又派人硬行送去聘禮。徐吾犯害怕，找到子產求助。子產說：「這是國家政治混亂。你不用擔心，你妹妹想嫁誰就嫁給誰。」徐吾犯於是讓妹妹自己做選擇，公孫楚、公孫黑也表示遵從徐妹的決定。相親的時候，公孫黑打扮得非常華麗，進來贈送財禮後出去。公孫楚則身著軍裝進來，左右開弓表演射術，而後飛躍登車而去。徐妹在房內觀看之後評價說：「公孫黑確實很美，不過公孫楚是個真正的男子漢。丈夫要像丈夫，妻子要像妻子，這就是所謂的順。」於是選擇嫁給公孫楚。公孫黑非常生氣，貼身穿上甲去見公孫楚，想殺死他佔取他的妻子。公孫楚得知他的企圖，執戈追趕他，到達交叉路口，擊中了他。公孫黑受傷回去，向大夫們鳴冤說：「我好心好意去見他，他卻對我圖謀不軌。」大夫們心裡都清楚怎麼回事。子產說：「各有理由，但公孫楚年幼地位低，罪在公孫楚。」於是逮捕公孫楚說：「畏懼國君的威嚴，聽從國君的政令，尊重貴人，侍奉長者，奉養親屬，這五條屬於國家的大節，你卻觸犯了。在國都動用武器，是無視國君的威嚴；觸犯國家法紀，是不聽從政令；公孫黑是上大夫，你是下大夫，攻擊他是不尊重貴人；年紀小而不恭敬，這不是侍奉長者之道；用武器對付堂兄，又豈是奉養親屬。國君不忍殺你，赦免你讓你遠去，趕快離開鄭國吧，不要加重你的罪行。」於是公孫楚被放逐到吳國。

【出處】

鄭徐吾犯之妹美，公孫楚聘之矣，公孫黑又使強委禽焉。犯懼，告子產。子產曰：「是國無政，非子之患也。唯所欲與。」犯請於二子，請使女擇焉。皆許之，子皙盛飾入，布幣而出。子南戎服入，左右射，超乘而出。女自房觀之，曰：「子皙信美矣，抑子南夫也。夫夫婦婦，所謂順也。」適子南氏。子皙怒，既而櫜甲以見子南，欲殺之而取其妻。子南知之，執戈逐之。及衝，擊之以戈。子皙傷而歸，告大夫曰：「我好見之，不知其有異志也，故傷。」大夫皆謀之。子產曰：「直鈞，幼賤有罪。罪在楚也。」乃執子南而數之，曰：「國之大節有五，女皆奸之：畏君之威，聽其政，尊其貴，事其長，養其親。五者所以為國也。今君在國，女用兵焉，不畏威也。奸國之紀，不聽政也。子皙，上大夫，女，嬖大夫，而弗下之，不尊貴也。幼而不忌，不事長也。兵其從兄，不養親也。君曰：『余不女忍殺，宥女以遠。』勉，速行乎，無重而罪！」五月庚辰，鄭放游楚於吳。（《左傳》〈昭公元年〉）

包藏禍心

魯昭公元年春季，楚國的公子圍到鄭國去聘問，同時迎娶公孫段的女兒為妻。伍舉作為副使，將要進入賓館，鄭國派行人子羽婉辭拒絕，安排他們住在城外。行過聘禮以後，公子圍和伍舉帶領兵士去迎親。子產擔心這件事，派子羽辭謝說：「小國沒有罪過，依靠大國而不設防就是罪過。小國依靠大國是想求得安定，恐怕大國會包藏禍心來打小國的主意吧！小國失去依靠，諸侯戒懼，就會怨恨大國。敝邑等同於貴國的賓館，豈敢稱為豐氏的神廟？」伍舉知道鄭國有了防備，請求倒轉弓袋進入國都。鄭國這才同意了。

【出處】

元年春，楚公子圍聘於鄭，且娶於公孫段氏，伍舉為介。將入館，鄭人惡之，使行人子羽與之言，乃館於外。既聘，將以眾逆。子產患之，使子羽辭，曰：「以敝邑褊小，不足以容從者，請墠聽命！」令尹命大宰伯州犁對曰：「君辱貺寡大夫圍，謂圍：『將使豐氏撫有而室。』圍布几筵，告於莊、共之廟而來。若野賜之，是委君貺於草莽也！是寡大夫不得列於諸卿也！不寧唯是，又使圍蒙其先君，將不得為寡君老，其蔑以復矣。唯大夫圖之！」子羽曰：「小國無罪，恃實其罪。將恃大國之安靖己，而無乃包藏禍心以圖之。小國失恃而懲諸侯，使莫不憾者，距違君命，而有所壅塞不行是懼！不然，敝邑，館人之屬也，其敢愛豐氏之祧？」伍舉知其有備也，請垂櫜而入。許之。（《左傳》〈昭公元年〉）

凶人不終

魯昭公二年秋季，鄭國的公孫黑（子晳）想發動叛亂，殺死游吉取而代之。因從前與公孫楚爭妻被打的舊傷發作未付諸行動。陰謀暴露後，駟氏和大夫們想乘機除掉公孫黑。子產正在邊境，擔心事情處理不好滋生動亂，火速趕回國都。子產率人來到公孫黑家裡，讓官吏歷數他的罪狀說：「伯有那次動亂，當時因為大國交涉，放過了你。專權而攻打伯有，這是你的第一條罪狀；與公孫楚爭奪妻子，這是你的第二條罪狀；薰隧盟會，你假托君位，這是你的第三條罪狀。有三條死罪，法律不可能再寬恕你了。如不趁早了斷，馬上就會有大刑伺候。」公孫黑向子產求情說：「我本來就離死不遠了，你們請不要幫著上天來虐待我。」子產說：「人誰不死！凶惡的人不得善終，這是上天的懲罰。做了凶惡的事情，就是凶惡的人。我們不幫著上天，難道幫著凶惡的人？」公孫黑請求讓兒子印擔任褚師的官職。子產說：「印如果有才能，國君自然會任命他；如果沒有才能，國君也不會答應。這不是你操心的事，你還是儘快了斷吧，司寇就要到了。」子產走後，公孫黑上吊而死。朝廷把公孫黑暴屍在周氏的要道上，屍體上覆蓋著書寫他罪狀的木頭。

【出處】

秋，鄭公孫黑將作亂，欲去游氏而代其位，傷疾作而不果。駟氏與諸大夫欲殺之。子產在鄙，聞之，懼弗及，乘遽而至。使吏數之，曰：「伯有之亂，以大國之事，而未爾討也。爾有亂心，無厭，國不女堪。專伐伯有，而罪一也。昆弟爭室，而罪二也。薰隧之盟，女矯君位，而罪三也。有死罪三，何以堪之？不速死，大刑將至。」再拜稽首，辭曰：「死在朝夕，無助天為虐。」子產曰：「人誰不死？凶人不終，命也。作凶事，為凶人。不助天，其助凶人乎？」請以印為褚師。子產曰：「印也若才，君將任之。不才，將朝夕從女。女罪之不恤，而又何請焉？不速死，司寇將至。」七月壬寅，縊。尸諸周氏之衢，加木焉。（《左傳》〈昭公二年〉）

鄭人鑄刑書

魯昭公六年三月，子產將鄭國的法律條文鑄在金屬鼎上。晉國的叔向派人送給子產一封信，責備他說：「開始我對您寄予厚望，現在不是了。從前先王衡量事情的輕重來判定罪行，不制定刑法，是害怕百姓有爭奪之心。因為不能制止犯罪，所以輔之以仁義、禮儀、誠信的教化和政令的約束；制定祿位以勉勵服從的人，嚴判罪犯以威脅放縱的人。還恐怕不能收效，於是又倡導待人忠誠，樹立行為的典範，敦促民眾從事正當行業，與民眾打交道時注意寬嚴相濟、軟硬兼施。同時又訪求聰明賢能的卿相、明白事理的官員、忠誠守信的鄉長、慈祥和藹的老師來管理和疏導民眾。老百姓在這種情況下才可以安心而不致發生禍亂。百姓知道有法律，對上就會不恭敬，就會起爭奪之心。以刑法為根據，雖然僥倖成功，社會卻不能達到大治。夏朝有違犯政令的人，就制定《禹刑》；商朝有觸犯政令的人，就制定《湯刑》；周朝有觸犯政令的人，就制定《九刑》；三種法律都產生於末世。現在您輔佐鄭國，劃定田界溝渠，設置誹謗政事的條例，制定三種法規，把刑法鑄在鼎上，想以這種方式安定百姓，不也是一件很難的事嗎？《詩經》中說：『儆法文王的德行，天下太平安寧。』又說：『儆法文王，萬邦信賴。』倡行文王之治，又何必要有法律？百姓知道了爭奪的依據，將會丟棄禮儀而徵用刑書。刑書的一字一句，都要爭個明白。如此一來，亂獄滋生，賄賂並行，在您活著的時候，鄭國就要衰敗了吧。我聽說，制定很多法律是亡國的象徵，貴國的情況不正是這樣嗎？」子產覆信說：「也許您所說的有道理。僑沒有才能，不能考慮未來，我只是著力於當前的治理。雖然不能接受您的批評，又豈敢忘記您的教誨？」

【出處】

三月，鄭人鑄刑書。叔向使詒子產書，曰：「始吾有虞於子，今則已矣。昔先王議事以制，不為刑辟，懼民之有爭心也。猶不可禁禦，是故閑之以義，糾之以政，行之以禮，守之以信，奉之以仁，制為祿位以勸其從，嚴斷刑罰以威其淫。懼其未也，故誨之以忠，聳之以行，教之以務，使之以和，臨之以敬，涖之以強，斷之以剛。猶求聖哲之上，明察之官，忠信之長，慈惠之師，民於是乎可任使也，而不生禍亂。民知有辟，則不忌於上，並有爭心，以徵於書，而徼幸以成之，弗可為矣。夏有亂政而作《禹刑》，商有亂政而作《湯刑》，周有亂政而作《九刑》，三辟之興，皆叔世也。今吾子相鄭國，作封洫，立謗政，制參辟，鑄刑書，將以靖民，不亦難乎？《詩》曰：

『儀式刑文王之德，日靖四方。』又曰：『儀刑文王，萬邦作孚。』[6]如是，何辟之有？民知爭端矣，將棄禮而徵於書。錐刀之末，將盡爭之。亂獄滋豐，賄賂並行，終子之世，鄭其敗乎！肸聞之，國將亡，必多制，其此之謂乎！」覆書曰：「若吾子之言，僑不才，不能及子孫，吾以救世也。既不承命，敢忘大惠？」（《左傳》〈昭公六年〉）

猶能為鬼

伯有死了幾年了，很長時間人們驚懼不定。有人喊：「伯有來了！」大家立即嚇得奪路而逃，不知藏到哪裡才好。把刑法鑄在鼎上的那年二月，有人夢見伯有披甲而行說：「三月初二那天，我將殺死駟帶；明年正月二十七日，我再殺死公叔段。」到三月初二日那天，駟帶果然死了，國內的人們因此害怕。齊國和燕國講和的當月，正月二十七日，公孫段又死了。國內的人越發恐懼。子產於是讓公孫洩和伯有的兒子良止主持儀式安撫伯有的鬼魂，鬧鬼的事才逐漸平息。子大叔問這樣做的原因。子產說：「鬼有所歸宿，這才不做惡鬼，我是為他尋找歸宿啊。」子產去晉國，趙景子問他說：「伯有還能做鬼嗎？」子產說：「能啊。人剛剛死去叫作魄，魄在陽間叫作魂。人活著的時候衣食精美，魂魄就強而有力，可以顯形甚至和神靈相通。普通男女不能善終，他們的魂魄就會附著在別人身上，大肆惑亂暴虐；伯有是我們先君穆公的後代，子良的孫子，子耳的兒子，敝邑的卿，

---

6. 「儀式刑文王之德，日靖四方」，出自《詩經》〈周頌・我將〉；「儀刑文王，萬邦作孚」，出自《詩經》〈大雅・文王〉。

執政已經三代。鄭國雖然不強大，就像俗話所說的『蕞爾小國』，然而三代掌權，家族勢大，用度又奢侈，從中汲取的精華也多，憑藉的勢力雄厚，加之不得善終，能夠為鬼，不也很正常嗎？」

【出處】

鄭人相驚以伯有，曰「伯有至矣」，則皆走，不知所往。鑄刑書之歲二月，或夢伯有介而行，曰：「壬子，余將殺帶也。明年壬寅，余又將殺段也。」及壬子，駟帶卒，國人益懼。齊、燕平之月壬寅，公孫段卒。國人愈懼。其明月，子產立公孫洩及良止以撫之，乃止。子大叔問其故，子產曰：「鬼有所歸，乃不為厲，吾為之歸也。」大叔曰：「公孫洩何為？」子產曰：「說也。為身無義而圖說，從政有所反之，以取媚也。不媚，不信。不信，民不從也。」及子產適晉，趙景子問焉，曰：「伯有猶能為鬼乎？」子產曰：「能。人生始化曰魄，既生魄，陽曰魂。用物精多，則魂魄強。是以有精爽，至於神明。匹夫匹婦強死，其魂魄猶能馮依於人，以為淫厲，況良霄，我先君穆公之胄，子良之孫，子耳之子，敝邑之卿，從政三世矣。鄭雖無腆，抑諺曰：『蕞爾國』，而三世執其政柄，其用物也弘矣，其取精也多矣。其族又大，所馮厚矣。而強死，能為鬼，不亦宜乎？」（《左傳》〈昭公七年〉）

存亡之制

魯昭公十三年，諸侯在平丘會盟。對晉國強加給小國的沉重貢賦，鄭國的子產表達了強烈的不滿。子產說：「從前天子確定貢品的輕重多少，是按地位體現的。地位尊貴貢賦就重，地位低微貢賦就輕。鄭伯屬男爵，現在讓我們按公侯的標準獻納，恐怕不能足數供應。現在催問貢稅的使者每月都來，貢賦沒有限度，小國難以滿足，這就成了得罪大國的原因。諸侯重溫舊盟，應當考慮小國的生存。貢賦沒有限制，小國的滅亡指日可待，決定小國存亡的規定，就在今天了。」子產從上午開始與晉國交涉，一直爭論到晚上，晉國人終於妥協。結盟之後，子大叔責備子產說：「諸侯如果因此討伐鄭國，你們該怎樣應對呢？」子產說：「晉國政出多門，苟且偷安還來不及，哪顧得上討伐別人？國家如果不據理力爭，就會遭受欺凌，那還叫什麼國家？」孔子得知此事評價說：「子產在這次盟會中，足以擔當國家的基石了。」

【出處】

及盟，子產爭承，曰：「昔天子班貢，輕重以列，列尊貢重，周之制也。卑而貢重者，甸服也。鄭伯，男也，而使從公侯之貢，懼弗給也，敢以為請。諸侯靖兵，好以為事。行理之命，無月不至，貢之無藝，小國有闕，所以得罪也。諸侯修盟，存小國也。貢獻無及，亡可待也。存亡之制，將在今矣。」自日中以爭，至於昏，晉人許之。既盟，子大叔咎之曰：「諸侯若討，其可瀆乎？」子產曰：「晉政多門，貳偷之不暇，何暇討？國不競亦陵，何國之為？」……仲尼謂：「子產於是行也，足以為國基矣。」（《左傳》〈昭公十三年〉）

出一玉以起二罪

有一副價值昂貴的玉環，韓宣子得到其中的一隻，另一隻在鄭國的某位商人手裡。韓宣子向鄭定公請求得到商人手裡的玉環，子產不肯答應，說：「這不是官府倉庫中保管的器物，我們的國君不能做主。」子大叔、子羽對子產說：「韓子並沒有太多的要求，您沒必要為一隻玉環得罪晉國和韓子啊？」子產說：「我不是輕慢晉國。他們哪會有滿足的時候？如果大國的所有要求都要滿足，那小國拿什麼來源源不斷地供給他們？這次給了，下次不給，還不是照樣有罪？大國的要求不合禮儀就應該堅決回絕，否則我們哪裡還有國家地位？如果韓子奉命出使而求取玉環，他的貪婪邪惡就太過分了。拿走一隻玉環會造成兩樁罪過：我們失去了國家地位，韓子成為貪婪的人，這也太不值得了吧？」韓宣子向商人購買玉環，已經成交。商人說：「一定要告訴君大夫！」韓宣子於是向子產請求說：「前些時候我請求得到這只玉環，您認為不合於道義。現在我從商人手裡買到了，商人說一定要把這件事情報告您，請得到您的恩准。」子產回答說：「從前我們的先君桓公和商人們是從周朝遷居而來的，共同開發這塊土地，世世代代都有盟誓，互相信賴。誓詞說：『你不能背叛我，我不會強迫與你交易，不要乞求和掠奪。你有賺錢的買賣和寶貴的貨物，我也不加過問。』因為這個有信用的盟誓，所以能互相支持至今。現在你帶著友好的情誼光臨敝邑，卻去強奪商人的寶玉，這是令敝邑背叛盟誓啊。如果得到玉環而失去諸侯，那您應該不會幹；如果大國要我們無原則地供應，那就是把鄭國當成了晉國的邊境城市，我們也不會幹。

我如果答應獻上玉環，請告訴我有什麼道理和好處？」韓宣子只得把玉環退給了商人，悻悻地說：「我韓起雖然不聰明，但豈敢強求一隻玉環而鑄成兩樁罪過？」

【出處】

宣子有環，有一在鄭商。宣子謁諸鄭伯，子產弗與，曰：「非官府之守器也，寡君不知。」子大叔、子羽謂子產曰：「韓子亦無幾求，晉國亦未可以貳。晉國、韓子，不可偷也。若屬有讒人交鬥其間，鬼神而助之，以興其凶怒，悔之何及？吾子何愛於一環，其以取憎於大國也，盍求而與之？」子產曰：「吾非偷晉而有二心，將終事之，是以弗與，忠信故也。僑聞君子非無賄之難，立而無令名之患。僑聞為國非不能事大字小之難，無禮以定其位之患。夫大國之人，令於小國，而皆獲其求，將何以給之？一共一否，為罪滋大。大國之求，無禮以斥之，何饜之有？吾且為鄙邑，則失位矣。若韓子奉命以使，而求玉焉，貪淫甚矣，獨非罪乎？出一玉以起二罪，吾又失位，韓子成貪，將焉用之？且吾以玉賈罪，不亦銳乎？」韓子買諸賈人，既成賈矣，商人曰：「必告君大夫。」韓子請諸子產曰：「日起請夫環，執政弗義，弗敢復也。今買諸商人，商人曰，必以聞，敢以為請。」子產對曰：「昔我先君桓公，與商人皆出自周，庸次比耦，以艾殺此地，斬之蓬蒿藜藋，而共處之。世有盟誓，以相信也，曰：『爾無我叛，我無強賈，毋或丐奪。爾有利市寶賄，我勿與知。』恃此質誓，故能相保，以致於今。今吾子以好來辱，而謂敝邑強奪商人，是教弊邑背盟誓也，毋乃不可乎！吾子得玉而失諸侯，必不為也。若大國令，而共無藝，鄭，鄙邑也，亦弗為也。僑若獻玉，不知

所成，敢私布之。」韓子辭玉，曰：「起不敏，敢求玉以徼二罪？敢辭之。」（《左傳》〈昭公十六年〉）

天道遠，人道邇

宋國、衛國、陳國、鄭國相繼發生火災。鄭國大夫裨灶說：「不採納我的意見，鄭國還會發生火災。」鄭國人請求採納他的意見，子產不同意。子大叔說：「寶物是用來保護百姓的。火災頻發，威脅到國家安全，這是拯救國家命運的事，您愛惜寶物幹什麼？」子產說：「天道幽遠，人道鄰近，兩者毫不相關，如何由天道而知人道，裨灶又怎麼能懂得天道？這個人說的話多，難道不會偶爾說中嗎？」於是堅持不給。後來也沒有再發生火災。

【出處】

數日，皆來告火。裨灶曰：「不用吾言，鄭又將火。」鄭人請用之，子產不可。子大叔曰：「寶，以保民也。若有火，國幾亡。可以救亡，子何愛焉？」子產曰：「天道遠，人道邇，非所及也，何以知之？灶焉知天道？是亦多言矣，豈不或信？」遂不與，亦不復火。（《左傳》〈昭公十八年〉）

授兵登陴

鄭國發生火災，子產擔心鄰國趁火打劫。於是親自登上城牆視察，給戰士們分發武器。不久，晉國的邊防官吏來責備鄭國說：「鄭國發生火災，我國的國君、大夫不敢安居，四處占卜奔走，不惜牲畜玉帛遍祭名山大川。我們的國君把鄭國的火災視為自己的憂慮，貴國的執事卻登上城牆頒發武器，這是要拿誰來問罪呢？」子產回答說：「就像您所說的，敝邑的火災是貴國君王的憂慮。敝邑的政事本來不順，上天又降下火災，如果邪惡的人再趁火打劫，那豈不是要加重貴國君王的憂慮嗎？所以鄭國必須加強防備，以阻斷貪婪者的念想，減輕貴國君主的憂慮。」

【出處】

火之作也，子產授兵登陴。子大叔曰：「晉無乃討乎？」子產曰：「吾聞之，小國忘守則危，況有災乎？國之不可小，有備故也。」既，晉之邊吏讓鄭曰：「鄭國有災，晉君、大夫不敢寧居，卜筮走望，不愛牲玉。鄭之有災，寡君之憂也。今執事撊然授兵登陴，將以誰罪？」邊人恐懼，不敢不告。子產對曰：「若吾子之言，敝邑之災，君之憂也。敝邑失政，天降之災，又懼讒慝之間謀之，以啟貪人，薦為弊邑不利，以重君之憂。幸而不亡，猶可說也。不幸而亡，君雖憂之，亦無及也。鄭有他竟，望走在晉。既事晉矣，其敢有二心？」（《左傳》〈昭公十八年〉）

無過亂門

魯昭公十九年，鄭國的駟偃死了。駟偃娶晉國大夫的女兒為妻，生子絲，絲年齡幼小，於是駟氏立駟偃的弟弟駟乞（公孫夏子）為繼承人。子產討厭駟乞的為人，並且認為這不符合繼承法，但他沒有馬上表態。駟氏感到不安。過了幾天，絲把情況報告舅家。冬季的時候，晉國大夫派人帶著財禮來到鄭國，詢問立駟乞的緣故。駟氏害怕，駟乞想要逃走，子產擺手制止，出面回答客人說：「上天不保佑鄭國，寡君的幾個臣下不幸夭折病死，現在又失去了先大夫偃。他的兒子年幼，幾位父兄害怕斷絕宗主，和族人商量立了年長的親子。寡君和幾位大夫說：『或者是上天要攪亂固有的繼承法，我能說什麼呢？』鄭國有句俗話：『不要經過動亂之門。』平民百姓發生騷亂，一般人尚且要繞道走，何況這種天降的動亂呢？寡君的臣下有不少去世的，如果晉國大夫要專斷地干涉他們的繼承人，這就等於把我國當作貴國的邊邑了，哪還算什麼國家？」晉國人聽了子產的解釋，不再過問就回國了。

【出處】

是歲也，鄭駟偃卒。子游娶於晉大夫，生絲，弱。其父兄立子瑕。子產憎其為人也，且以為不順，弗許，亦弗止。駟氏聳。他日，絲以告其舅。冬，晉人使以幣如鄭，問駟乞之立故。駟氏懼，駟乞欲逃。子產弗遣。請龜以卜，亦弗予。大夫謀對，子產不待而對客曰：「鄭國不天，寡君之二三臣，札瘥夭昏，今又喪我先大夫偃。其子幼弱，其一二父兄懼隊宗主，私族於謀而立長親。寡君與其二三老曰：『抑天實剝亂是，吾何知焉？』諺曰：『無過亂門。』民有兵亂，猶憚過之，而況敢知天之所亂？今大夫將問其故，抑寡君實不敢知，其誰實知之？平丘之會，君尋舊盟曰：『無或失職。』若寡君之二三

臣，其即世者，晉大夫而專制其位，是晉之縣鄙也，何國之為？」辭客幣而報其使。晉人舍之。（《左傳》〈昭公十九年〉）

無求於龍

鄭國發大水，有龍在時門外的洧淵裡爭鬥，惹得巨浪翻滾，國人畏懼，請求祭祀。子產不同意，說：「我們爭鬥，龍不理睬；蛟龍爭鬥，我們為何要去看呢？向它們祭祀祈禱，洧淵本來就是龍居住的地方，又豈能使它們離開？我們無求於龍，龍也無求於我們。」終於沒有祭祀。

【出處】

鄭大水，龍鬥於時門之外洧淵。國人請為禜焉，子產弗許，曰：「我鬥，龍不我覿也。龍鬥，我獨何覿焉？禳之，則彼其室也。吾無求於龍，龍亦無求於我。」乃止也。（《左傳》〈昭公十九年〉）

政寬則民慢

子產病重，對子大叔說：「我死以後，你將代替我執政。只有德行高深的人能用寬鬆的政策安撫百姓，否則就必須嚴厲。火勢猛烈，百姓看著害怕，很少有人死於火的；水性懦弱，百姓輕視而玩弄它，很多人因此死於水中。所以寬鬆並不容易。」子產死後，子大叔繼任，摒棄以往苛嚴的政令，改行寬鬆政策。一時盜亂蜂起，叛民佔據萑苻之澤，殺人越貨。大叔後悔說：「早點聽老人家的話，就不至於出現這種局面了。」於是果斷出兵平叛，將盤踞於湖澤的叛賊全部殺死。

【出處】

鄭子產有疾，謂子大叔曰：「我死，子必為政。唯有德者能以寬服民，其次莫如猛。夫火烈，民望而畏之，故鮮死焉。水懦弱，民狎而玩之，則多死焉。故寬難。」疾數月而卒。大叔為政，不忍猛而寬。鄭國多盜，取人於萑苻之澤。大叔悔之，曰：「吾早從夫子，不及此。」興徒兵以攻萑苻之盜，盡殺之，盜少止。仲尼曰：「善哉！政寬則民慢，慢則糾之以猛。猛則民殘，殘則施之以寬。寬以濟猛，猛以濟寬，政是以和。」（《左傳》〈昭公二十年〉）

民將安歸

鄭昭君在位時，任用寵臣徐摯為相，一時國政昏亂，官民不親，家庭不和。後來改任子產為相。子產執政一年，浪蕩子弟大多改邪歸正，老人兒童不用下田耕種；執政兩年，市場上買賣公平；執政三年，民間夜不閉戶，路不拾遺；執政五年，男子無須服兵役，民間的婚喪嫁娶都自覺按規矩辦。子產治理鄭國二十六年後去世，鄭國哭聲一片，如同失去最愛的親人。

【出處】

子產者，鄭之列大夫也。鄭昭君之時，以所愛徐摯為相，國亂，上下不親，父子不和。大宮子期言之君，以子產為相。為相一年，豎子不戲狎，斑白不提挈，僮子不犁畔。二年，市不豫賈。三年，門不夜關，道不拾遺。四年，田器不歸。五年，士無尺籍，喪期不令而治。治鄭二十六年而死，丁壯號哭，老人兒啼，曰：「子產去我死乎！民將安歸？」（《史記》〈循吏列傳〉）

百里不止

寧越是中牟郊野的農民，他認為種田太辛苦，便問朋友說：「怎樣才可以免除這種勞苦呢？」朋友回答說：「不如求學。求學二十年，就可以顯達了。」寧越說：「讓我以十五年達成目標吧，別人休息、我不休息，別人睡覺，我不睡覺。」十五年後果然學成，連周威公也拜他為師。《說苑》評價說：有些人奔跑速度很快，但不過一兩里路就停了下來，有些人步行速度很慢，卻能行至百里。現在寧越憑著堅強的毅力，堅持學習持之以恆，他能成為國君的老師，不也是很應該嗎？

【出處】

寧越，中牟鄙人也，苦耕之勞，謂其友曰：「何為而可以免此苦也？」友曰：「莫如學，學三十年則可以達矣。」寧越曰：「請十五歲，人將休，吾將不休；人將臥，吾不敢臥。」十三歲學，而周威公師之。夫走者之速也，而過二里止；步者之遲也，而百里不止。今寧越之材，而久不止，其為諸侯師，豈不宜哉！（《說苑》〈建本〉）

受魚失祿

從前，有人送魚給鄭相，鄭相不接受。有人問鄭相說：「您喜歡吃魚，為什麼不收下呢？」鄭相回答說：「我因為喜歡吃魚，所以不收別人送的魚。因為收魚丟官，就沒有薪俸買魚吃了；不收魚而保住薪俸，一輩子都有魚吃啊。」

【出處】

昔者，有饋魚於鄭相者，鄭相不受。或謂鄭相曰：「子嗜魚，何故不受？」對曰：「吾以嗜魚，故不受魚。受魚失祿，無以食魚；不受得祿，終身食魚。」（《新序》〈節士第七〉）

鄭人買履

鄭國有個人打算買鞋，先自已量好腳的尺碼，然後把它放在座位上，等到去集市時卻忘記帶上。已經挑好鞋子，才記起來說：「我忘記拿尺碼了。」於是返回家中去取。等到再返回集市時，集市已經散了。有人說：「為什麼不用腳試試？」他說：「我寧願相信尺碼，不相信自已的腳。」

【出處】

鄭人有欲買履者，先自度其足而置之其坐，至之市而忘操之。已得履，乃曰：「吾忘持度。」反歸取之。及反，市罷，遂不得履。人曰：「何不試之以足？」曰：「寧信度，無自信也。」（《韓非子》〈外儲說左上〉）

以死為樂

林類將近百歲高齡，到了春天還穿著粗皮衣，在田地裡撿麥穗，還一邊勞動，一邊唱歌。孔子到衛國去，在田野上望見他，回頭對學生說：「那位老人或許是個值得交談的人，你們試著去問問他。」子貢請求前往。在田頭迎住老頭，望著他感嘆說：「先生沒有後悔過嗎？邊唱邊拾麥穗？」林類腳不停步，歌不離口。子貢再三追問，他才仰著頭答覆說：「我後悔什麼呢？」子貢說：「您年少時不勤快，長大了也不努力爭取時間，到老了還沒有妻子兒女，現在年事已高，生命已到盡頭，為什麼還樂得邊拾麥穗邊唱歌呢？」林類笑著說：「我快樂的原因人人都有，只不過別人反而以此為憂。我少年時不勤快，長大了也不努力珍惜時間，所以才能這樣長壽。正因為到老了沒有妻子兒女，死到臨頭才無牽無掛，快樂至極。」子貢問：「哪個人不希望長壽，不厭惡死亡。為什麼你要把死亡當作快樂的事情呢？」林類說：「死亡與出生，就好比一去一返。你在這兒死了，怎麼知道不會在另一個地方重生呢？怎麼知道死與生不是一碼事呢？怎麼知道為了生計忙忙碌碌不是頭腦糊塗呢？又怎麼知道死去不比活著更好呢？」子貢越聽越糊塗，回來告訴孔子。孔子說：「我知道這人值得交談，果然如此。但是他所談論的道理，還沒有達到盡善的程度。」

【出處】

林類年且百歲，底春被裘，拾遺穗於故畦，並歌並進。孔子適衛，望之於野。顧謂弟子曰：「彼叟可與言者，試往訊之！」子貢請行。逆之壟端，面之而嘆曰：「先生曾不悔乎，而行歌拾穗？」林類行不留。歌不輟。子貢叩之，不已，乃仰而應曰：「吾何悔邪？」子貢曰：「先生少不勤行，長不競時，老無妻子，死期將至，亦有何樂而拾穗行歌乎？」林類笑曰：「吾之所以為樂，人皆有之，而反以為憂。少不勤行，長不競時，故能壽若此。老無妻子，死期將至，故能樂若此。」子貢曰：「壽者人之情，死者人之惡。子以死為樂，何也？」林類曰：「死之與生，一往一反。故死於是者，安知不生於彼？故吾知其不相若矣，吾又安知營營而求生非惑乎？亦又安知吾今之死不愈昔之生乎？」子貢聞之，不喻其意，還以告夫子。夫子曰：「吾知其可與言，果然；然彼得之而不盡者也。」（《列子》〈天瑞〉）

杞人憂天

杞國有個人，整天擔心天會塌下來，地會陷下去，自己的身體無處可藏，因而茶飯不進，坐臥難安。有人為他的身體擔憂，就去跟他解釋說：「天不過是積聚的氣體，無處不在。你彎腰挺身、呼氣吸氣，整天都在天空中生活，為什麼要擔憂它會崩塌下來呢？」那人說：「天果真是積聚的氣體，那日月星辰不會掉下來嗎？」解釋者回答說：「日月星辰，也不過是積聚的氣體中會發光的，即便掉下來，也不會有什麼傷害啊。」那人說：「那地陷下去怎麼辦呢？」解釋者說：「地是堆積起來的土塊，無處不在。你走路踩踏，每天生活在地上，為什麼要擔憂它崩塌下去呢？」那人聽了，終於放下心來，勸他的人也很開心。長廬子聽到這件事，笑著說：「虹霓呀，雲霧呀，風雨呀，四季呀，這些都是天上積聚形成的氣體。山岳呀，河海呀，金石呀，火木呀，這些都是地上堆積而成的形體。知道它們是凝聚的氣體和堆積的土塊，憑什麼說它不會毀壞呢？天地只是宇宙中很小的物體，卻也是有形物體中最大的，無邊無際，難以窮盡，難以觀測認識，向來如此。擔憂它會崩塌墜陷，想得也太長遠了；說它不會崩塌墜陷，也不準確。天地終會有毀滅的一天，遇上它毀滅的時候，又怎麼能不擔憂呢？」列子聽到後笑著說：「說天地會毀滅是荒謬的，說天地不會毀滅也是荒謬的。毀滅不毀滅，不是我們可能知道的事情。此一時彼一時，所以生不知死，死不知生；來不知去，去不知來。毀滅不毀滅，我為什麼要放在心上呢？」

【出處】

杞國有人憂天地崩墜，身亡所寄，廢寢食者；又有憂彼之所憂者，因往曉之，曰：「天，積氣耳，亡處亡氣。若屈伸呼吸，終日在天中行止，奈何憂崩墜乎？」其人曰：「天果積氣，日月星宿，不當墜耶？」曉之者曰：「日月星宿，亦積氣中之有光耀者；只使墜，亦不能有氣中傷。」其人曰：「奈地壞何？」曉者曰：「地積塊耳，充塞四虛，亡處亡塊。若躇步跐蹈，終日在地上行止，奈何憂其壞？」

其人舍然大喜，曉之者亦舍然大喜。長廬子聞而笑曰：「虹蜺也，雲霧也，風雨也，四時也，此積氣之成乎天者也。山岳也，河海也，金石也，火木也，此積形之成乎地者也。知積氣也，知積塊也，奚謂不壞？夫天地，空中之一細物，有中之最巨者。難終難窮，此固然矣；難測難識，此固然矣。憂其壞者，誠為大遠；言其不壞者，亦為未是。天地不得不壞，則會歸於壞。遇其壞時，奚為不憂哉？」子列子聞而笑曰：「言天地壞者亦謬，言天地不壞者亦謬。壞與不壞，吾所不能知也。雖然，彼一也，此一也。故生不知死，死不知生；來不知去，去不知來。壞與不壞，吾何容心哉？」（《列子》〈天瑞〉）

為盜之道

齊國的國氏非常富有，宋國的向氏非常貧窮。向氏從宋國到齊國，向國氏請教致富的方法。國氏告訴他說：「我善於偷盜。我開始偷盜時，一年就夠自用，兩年便很富足，三年就家財萬貫了。從此以後，還可接濟鄰里鄉親。」向氏聽了非常高興。他只聽到國氏偷盜的話，卻沒瞭解國氏偷盜的含義。回去後翻牆鑿壁，見什麼偷什麼。沒過多久，便以盜竊罪獲刑，不僅贓物被追回，就連從前積蓄的財產也一併沒收。向氏認為國氏欺騙自己，便去責怪國氏。國氏問他說：「你是怎樣偷盜的？」向氏敘述了偷盜經過。國氏搖頭說：「唉！你誤解我說的偷盜二字了。你知道天時地利的說法嗎？我偷盜雲雨的滋潤，山澤的物產，用來生長我的禾苗，繁殖我的莊稼，建築我的房屋。舉凡陸地上的禽獸，水泊中的魚鱉，無一不在我的偷盜範圍。莊稼、土木、禽獸、魚鱉，都是自然所生，本不屬我，但我偷天地的物產卻不會有災禍。至於金玉珍寶、穀帛財物，都是別人積累的私產，哪裡能偷呢？你因此而犯罪，怎麼能怨我呢？」向氏十分迷惑，以為國氏又在欺騙自己，於是找東郭先生請教。東郭先生說：「你的身體難道不是偷來的嗎？偷盜陰陽中和之氣以形成生命，造就形體，更何況身外之物呢？天地萬物相互聯繫，不可分離，但要把它們據為己有，則是錯誤的。國氏的偷盜，符合公道，所以不會遭到災禍；你的偷盜出於私心，當然要被問罪。」

【出處】

齊之國氏大富，宋之向氏大貧；自宋之齊，請其術。國氏告之曰：「吾善為盜。始吾為盜也，一年而給，二年而足，三年大穰。自此以往，施及州閭。」向氏大喜，喻其為盜之言，而不喻其為盜之道，遂逾垣鑿室，手目所及，亡不探也。未及時，以贓獲罪，沒其先居之財。向氏以國氏之謬己也，往而怨之。國氏曰：「若為盜若何？」向氏言其狀。國氏曰：「嘻！若失為盜之道至此乎？今將告若矣。吾聞天有時，地有利。吾盜天地之時利，雲雨之滂潤，山澤之產育，以生吾禾，殖吾稼，築吾垣，建吾舍，陸盜禽獸，水盜魚鱉，亡非盜也。夫禾稼、土木、禽獸、魚鱉，皆天之所生，豈吾之所有？然吾盜天而亡殃。夫金玉珍寶，穀帛財貨，人之所聚，豈天之所與？若盜之而獲罪，孰怨哉？」向氏大惑，以為國氏之重罔己也，過東郭先生問焉。東郭先生曰：「若一身庸非盜乎？盜陰陽之和以成若生，載若形；況外物而非盜哉？誠然，天地萬物不相離也；仞而有之，皆惑也。國氏之盜，公道也，故亡殃；若之盜，私心也，故得罪。有公私者，亦盜也；亡公私者，亦盜也。公公私私，天地之德。知天地之德

者，孰為盜邪？孰為不盜邪？」（《列子》〈天瑞〉）

重外拙內

顏回問孔子說：「我曾經坐船經過像酒壺一樣陡的深淵，船伕撐船的技術出神入化。我問他說：『撐船可以學嗎？』他說：『可以啊。能游泳的人可以教會，游泳技能好的人很快就能學會。那些能在深水中潛泳的人，即使從未見過船，拿起舵來就能撐船。』我問他為什麼，他不吭聲，請問為什麼呢？」孔子說：「唉！我和你咬文嚼字探討這件事很久了，卻還沒有觸及事物的本質，更何況道本身呢？能夠游泳的人可以教會他，是因為他不怕水；善於游泳的人不怎麼學習就能掌握，是因為他不把水放在心上。至於那些能在深水中潛泳的人，拿起撐竿就能駕船，是因為他把深淵當作山陵，把翻船視為車子從山坡上倒退一樣。縱然萬船翻覆、千車倒退也不放在心上，幹什麼事情不自由自在呢？以瓦片做賭注，一定會超常發揮；以銀鉤做賭注，心情便有些緊張；以黃金做賭注，就難免發揮失常了；賭技一樣，就因為過於看重身外之物，才患得患失。大凡過於看重身外之物的人，心理素質一定很差。」

【出處】

顏回問乎仲尼曰：「吾嘗濟乎觴深之淵矣，津人操舟若神。吾問焉，曰：『操舟可學邪？』曰：『可；能游者可教也，善游者數能。乃若夫沒人，則未嘗見舟而謖操之者也。』吾問焉，而不告。敢問何謂也？」仲尼曰：「噫！吾與若玩其文也久矣，而未達其實，而固且道與。能游者可教也，輕水也；善游者之數能也，忘水也。乃若夫沒人之未嘗見舟也而謖操之也，彼視淵若陵，視舟之覆猶其車卻也。覆卻萬物方陳乎前而不得入其舍。惡往而不暇？以瓦摳者巧，以鉤摳者憚，以黃金鉤摳者惛。巧一也，而有所矜，則重外也。凡重外者拙內。」(《列子》〈黃帝〉)

被髮行歌

孔子在呂梁遊覽，看見瀑布有幾十丈高，流水的泡沫濺出三十里地，黿鼉魚鱉也不能到此一遊，卻有一個男子在飛瀑中游泳。孔子以為他是因痛苦而想自殺的人，便叫弟子沿著河岸順著水流去救他。誰知這人游了幾百步後，又從波濤中鑽了出來，披著濕漉漉的頭髮，一路唱歌，在河堤上漫步。孔子追上去問他說：「呂梁瀑布有幾十丈高，流水的泡沫濺出三十里，黿鼉魚鱉也不敢到此一遊，剛才我看見你跳入激流，以為你有痛苦想自殺，便叫弟子順著水流去救你。你出水後披著頭髮，邊走邊唱，我還以為你是鬼怪呢。仔細查看，才知是人。請問你能在如此湍急的水流中游泳，有什麼訣竅嗎？」那人回答說：「沒什麼訣竅。我不過是『始乎故』『長乎性』『成乎命』罷了。順著水流起步，隨著波濤起伏，遵從激流飛蕩的規律而不憑我個人的好惡，這就是我能暢遊其中的原因。」孔子問：「什麼叫『始乎故』『長乎性』『成乎命』？」那人回答說：「我生在山裡就安心住在山裡，這就叫『始乎故』；我長在水邊而習慣於水，這就叫『長乎性』；

我不知道游泳卻自然而然學會了游泳，這就是『成乎命』。」

【出處】

孔子觀於呂梁，懸水三十仞，流沫三十里，黿鼉魚鱉之所不能游也。見一丈夫游之，以為有苦而欲死者也，使弟子並流而承之。數百步而出，被髮行歌，而游於棠行。孔子從而問之，曰：「呂梁懸水三十仞，流沫三十里，黿鼉魚鱉所不能游，向吾見子道之，以為有苦而欲死者，使弟子並流將承子。子出而被髮行歌，吾以子為鬼也。察子，則人也。請問蹈水有道乎？」曰：「亡，吾無道。吾始乎故，長乎性，成乎命，與齎俱入，與汨偕出。從水之道而不為私焉，此吾所以道之也。」孔子曰：「何謂始乎故，長乎性，成乎命也？」曰：「吾生於陵安於陵，故也；長於水而安於水，性也；不知吾所以然而然，命也。」（《列子》〈黃帝〉）

華胥氏之國

有一天，黃帝白天睡覺時做了個夢，夢見自己在華胥氏之國旅遊。華胥氏之國在弇州的西面，台州的北面，不知道距離齊國有幾千萬里，並不是乘船、坐車和步行所能到達的，應該是神魂的旅遊吧。這個國家沒有君主長官，一切聽其自然。百姓沒有嗜好和欲望，一切順其自然。他們不懂得迷戀生存，也不懂得恐懼死亡，所以沒有短命早死的；不懂得私愛自身，也不知疏遠外物，所以沒有喜愛與憎恨；不知道反對與叛逆，也不懂得贊成與順從，因而沒有利益與禍害。沒有偏愛與吝惜，無所畏懼與忌諱。掉到水裡淹不死，跳到火裡燒不傷。刀砍鞭打也沒有傷痛，指甲抓搔不覺得酸癢。乘雲升空就像腳踏實地，睡臥虛空就像身處床榻。雲霧不能遮擋他們的視線，雷霆不能擾亂他們的聽覺，美醜不能迷惑他們的心境，山谷休想絆住他們的腳步，這都是神氣在運行。黃帝醒來後，怡然自得，於是把輔佐大臣天老、力牧和太山稽叫來，告訴他們說：「我在家中閉門三個月，消除心中的雜念，克服形體的欲望，潛心思考修身治國之道，卻無所收穫。後來我疲倦入睡，做了一個奇怪的夢。現在我才懂得，最高深的『道』是不能用普通的情感去追求的。我終於明白了！我得到了！但卻無法用語言來表達。」又過了二十八年，天下大治，幾乎和黃帝夢中的華胥氏之國一樣，而黃帝卻升天了。老百姓號啕大哭，二百多年也不曾中斷過。

【出處】

晝寢而夢，遊於華胥氏之國。華胥氏之國在弇州之西，台州之北，不知斯齊國幾千萬里；蓋非舟車足力之所及，神遊而已。其國無師長，自然而已。其民無嗜欲，自然而已。不知樂生，不知惡死，故無夭殤；不知親己，不知疏物，故無愛憎；不知背逆，不知向順，故無利害：都無所愛惜，都無所畏忌。入水不溺，入火不熱。斫撻無傷痛，指擿無癢。乘空如履實，寢虛若處床。雲霧不硋其視，雷霆不亂其聽，美惡不滑其心，山谷不躓其步，神行而已。黃帝既寤，怡然自得，召天老、力牧、太山稽，告之，曰：「朕閒居三月，齋心服形，思有以養身治物之道，弗獲其術。疲而睡，所夢若此。今知至道不可以情求矣。朕知之矣！朕得之矣！而不能以告若矣。」又二十有八

年，天下大治，幾若華胥氏之國，而帝登假，百姓號之，二百餘年不輟。(《列子》〈黃帝〉)

不射之射

列禦寇為伯昏無人表演箭術。他拉滿弓弦，把裝滿水的杯子放在拿弓的手臂上，然後開始射箭，一箭連著一箭，後一箭的箭頭緊挨著前一支箭的箭尾。前一箭剛剛射出，後一支已搭上弓弦。此時的列子，全神貫注，像泥塑木雕一樣一動不動。伯昏無人說：「你這屬於有心射箭而射箭，還沒有到達無心射箭而射箭的境界。如果我和你登臨高山，腳踏懸崖，面臨萬丈深淵，你還能這樣射箭嗎？」於是伯昏無人便領他登臨高山，走在懸崖峭壁上，當臨近萬丈深淵時，他背對著深淵後退，雙腳有三分之二懸空，然後對著列子拱手作揖，請列子上來。列子早已嚇得趴倒在地，冷汗一直流到腳後跟。伯昏無人說：「那些道術高深的人，上窺青天，下潛黃泉，遨遊八方，神情不會有絲毫的改變；現在你渾身發抖，目亂心慌，連身體也站不直，這種糟糕的狀況還怎麼射箭呢！」

【出處】

列禦寇為伯昏無人射，引之盈貫，措杯水其肘上，發之，鏑矢復沓，方矢復寓。當是時也，猶像人也。伯昏無人曰：「是射之射，非不射之射也。當與汝登高山，履危石，臨百仞之淵，背逡巡，足二分垂在外。揖禦寇而進之。禦寇伏地，汗流至踵。伯昏無人曰：「夫至

人者，上窺青天，下潛黃泉，揮斥八極。神氣不變。今汝怵然有恂目之志，爾於中也殆矣夫！」（《列子》〈黃帝〉）

從漚鳥游

海邊住著一個喜歡鷗鳥的人，每天早上划船去海上跟鷗鳥玩耍，飛來的鷗鳥常常在百隻以上。他父親說：「我聽說鷗鳥都愛跟你遊玩，明天你捉幾隻回來我玩玩。」第二天，他跟往常一樣划船來到海上，鷗鳥都在空中飛翔盤旋，沒有一隻肯落在船上。所以說：「最好的語言是沒有語言，最高的作為是沒有作為；同別人比試智慧的想法，那是很淺陋的。」

【出處】

海上之人有好漚鳥者，每旦之海上，從漚鳥游，漚鳥之至者百住而不止。其父曰：「吾聞漚鳥皆從汝游，汝取來，吾玩之。」明日之海上，漚鳥舞而不下也。故曰：至言去言，至為無為；齊智之所知，則淺矣。（《列子》〈黃帝〉）

有神巫自齊來

有一位神巫從齊國來到鄭國，名叫季咸，善於推算人的生死存亡、禍福夭壽，所預言的年月旬日無不應驗。鄭國人見了他，都嚇得紛紛躲開。列子見到他，卻佩服得心醉神迷，回來把這事告訴壺丘子說：「原先我以為您的道術最為高深，現在才看到還有比您更高深的人。」壺子說：「我只是和你討論了道的一般概念，還沒有經過事實的驗證，更何況掌握道的根本呢？這正像有很多雌性動物而沒有雄性動物而不能生育繁衍一樣。你想以你那點小道術與世人抗衡，必然會露出你的原形，這就是巫師能拿你算命的原因。你試著把他請來，讓他給我看看相。」第二天，列子帶著季咸來見壺子。季咸出去後對列子說：「唉！您的老師快要死了，活不過十天了。我看見怪異的徵兆，感覺他面如濕灰。」列子進來後，淚水沾襟，把季咸的話告訴壺子。壺子說：「剛才我顯示給他的是大地的表象，在不動不靜中生存，所以他看見我堵塞了生機。你讓他再來吧！」第二天，季咸又同列子來見壺子。出去後對列子說：「幸運啊！您的老師多虧遇到我。他的病好了，整個人都有生氣了，我看見他的神氣在閉塞中有了轉機。」列子進來告訴壺子。壺子說：「剛才我顯示給他天地一樣的外貌，虛名和實利都不能侵入，生機從腳後跟開始向上發動，所以他看到我神氣在閉塞之中的轉機。你再請他來一趟吧！」第二天，季咸又同列子來見壺子。出去後對列子說：「您的老師坐在那裡心神恍惚，我無從給他看相，等他心神安定下來後，我再來給他看相吧。」列子進來告訴壺子。壺子說：「剛才我顯示的是沒有任何跡象的太虛之境，所以他看到了我平衡神氣的樞機。鯨魚盤旋之處化為深淵，水流停積之處化為深淵，水流運動之處化為深淵，水流湧出之處化為深淵，水流陡落之處化為深淵，水流決口之處化為深淵，水流回攏之處化為深淵，水流入澤之處化為深淵，水流匯合之處化為深淵，這是九種深淵。你再請他來一趟吧！」第二天，列子又帶季咸來見壺子。還沒有站定，季咸就驚慌失色逃走了。壺子說：「去追他！」列子追趕不上，回來報告壺子說：「已經不見蹤影，追不上了。」壺子說：「剛才我顯示的是我尚未修道之前的本來面目。我虛心順從地隨他變化，以致於他搞不清我是怎麼回事。我像茅草一樣跟風而倒，像水流一樣隨波逐流，所以他就嚇得逃走了。」列子這才明白自己的學問實在是太膚淺了。於是返回家中，三年不出門，替妻子燒火做飯，像伺候人一樣餵豬，對任何事物都不親不近，不事雕琢，返璞歸真，心中不存任何念想，與世隔絕，直到終生。

【出處】

有神巫自齊來處於鄭，命曰季咸，知人死生、存亡、禍福、壽夭，期以歲、月、旬、日如神。鄭人見之，皆避而走。列子見之而心醉，而歸以告壺丘子，曰：「始吾以夫子之道為至矣，則又有至焉者矣。」壺子曰：「吾與汝無其文，未既其實，而固得道與？眾雌而無雄，而又奚卵焉？而以道與世抗，必信矣，夫故使人得而相汝。嘗試與來，以予示之。」明日，列子與之見壺子。出而謂列子曰：「嘻！子之先生死矣，弗活矣，不可以旬數矣。吾見怪焉，見濕灰焉。」列子入，涕泣沾襟，以告壺子。壺子曰：「向吾示之以地文，罪乎不誫不止，是殆見吾杜德幾也。嘗又與來！」明日，又與之見壺子，出而謂列子曰：「幸矣，子之先生遇我也，有瘳矣。灰然有生矣，吾見杜權矣。」列子入告壺子。壺子曰：「向吾示之以天壤，名實不入，而機發於踵，此為杜權。是殆見吾善者幾也。嘗又與來！」明日，又與之見壺子，出而謂列子曰：「子之先生坐不齋，吾無得而相焉。試齋，將且復相之。」列子入告壺子。壺子曰：「向吾示之以太沖莫朕，是殆見吾衡氣幾也。鯢旋之潘為淵，止水之潘為淵，流水之潘為淵，濫水之潘為淵，沃水之潘為淵，氿水之潘為淵，雍水之潘為淵，汧水之潘為淵，肥水之潘為淵，是為九淵焉。嘗又與來！」明日，又與之見壺子。立未定，自失而走。壺子曰：「追之！」列子追之而不及，反以報壺子，曰：「已滅矣，已失矣，吾不及也。」壺子曰：」向吾示之以未始出吾宗。吾與之虛而猗移，不知其誰何，因以為茅靡，因以為波流，故逃也。」然後列子自以為未始學而歸，三年不出，為其妻爨，食豨如食人，於事無親，雕琢復朴，塊然獨以其形立；份然而封戎，壹以是終。(《列子》〈黃帝〉)

人將保汝

列子到齊國去，中途返回，遇見伯昏瞀人。伯昏瞀人問他說：「怎麼又回來了？」列子說：「我感到驚駭。」「為什麼驚駭？」「我去十家酒店裡喝酒，就有五家酒店不收錢讓我白喝。」伯昏瞀人問：「那你為什麼要感到驚駭呢？」列子說：「內心的情慾不能消除，舉止便難免媚俗，靠光鮮的外貌征服人心，老人就得不到尊重。那些酒店老闆開店為的是賺錢，他們的盈利很薄，權勢很小，尚且這樣對我，更何況擁有萬乘兵車的君主呢？他為國家操心勞神，為政事處心積慮，他一定會任用我辦事，並考核我的功效，我因此感到驚駭。」伯昏瞀人說：「你的看法真是太好了！你安居之後，人們一定會歸附你的。」沒過多久，伯昏瞀人去列子家，門外的鞋子都擺滿了。伯昏瞀人面向北站著，手拄枴杖支撐下巴。站了一會兒，沒有說話就走了。接待賓客的人告訴列子，列子提著鞋光著腳追到大門口，說：

「先生既然來了，不說幾句指教的話嗎？」瞀人說：「算了吧！我原來就告訴你說，人們將歸附於你，如今果然歸附。這不是你刻意讓別人歸附，而是你難以拒絕別人。你哪裡用得著以言行去感化別人呢？執意以言行感化別人，自己的本性也可能隨外物動搖，這樣又有什麼意義呢？同你交往的人，並不能告訴你有益的東西。他們的閒言碎語，都是些毒害人心的內容。不能相互啟發，又有什麼必要稱為好朋友呢？」

【出處】

子列子之齊，中道而反，遇伯昏瞀人。伯昏瞀人曰：「奚方而反？」曰：「吾驚焉。」「惡乎驚？」「吾食於十漿，而五漿先饋。」伯昏瞀人曰：「若是，則汝何為驚已？」曰：「夫內誠不解，形諜成光，以外鎮人心，使人輕乎貴老，而鳌其所患。夫漿人特為食羹之貨，多餘之贏；其為利也薄，其為權也輕，而猶若是。而況萬乘之主，身勞於國，而智盡於事；彼將任我以事，而效我以功，吾是以驚。」伯昏瞀人曰：「善哉觀乎！汝處已，人將保汝矣。」無幾何而往，則戶外之屨滿矣。伯昏瞀人北面而立，敦杖蹙之乎頤，立有間，不言而出。賓者以告列子。列子提履徒跣而走，暨乎門，問曰：「先生既來，曾不廢藥乎？」曰：「已矣。吾固告汝曰：人將保汝，果保汝矣。非汝能使人保汝，而汝不能使人無汝保也，而焉用之感也？感豫出異。且必有感也，搖而本身，又無謂也。與汝游者，莫汝告也。彼所小言，盡人毒也。莫覺莫悟，何相孰也。」（《列子》〈黃帝〉）

大白若辱

楊朱南行到沛邑，老子西遊去秦國。楊朱抄郊野的小路，趕到大梁終於見到了老子。老子在半路上仰天嘆息說：「開始我以為你是可以教誨的，現在看來是不可教誨了。」楊朱沒吭聲。到了旅舍，楊朱給老子送上洗臉水、漱口水、毛巾和梳子，把鞋子脫在門外，雙膝跪行到老子面前，說：「剛才您仰天長嘆說，起初以為我可以教誨，現在看來不可教誨，學生想請教您，我哪兒做錯了。」老子說：「你神態傲慢，誰還願意和你相處呢？最潔白的東西容易玷污，道德高深的人都十分低調。」楊朱肅然起敬說：「敬聽您的教誨。」楊朱去沛邑的時候，旅舍主人迎進送出，十分客氣，老闆伺候在坐席旁，老闆娘送上面巾梳子，旅舍的客人紛紛避讓，在灶前烤火的人也主動讓出灶門。等他從沛邑返回的時候，旅舍的客人已不再拘束，敢於同他爭搶座席了。

【出處】

楊朱南之沛，老聃西遊於秦。邀於郊。至梁而遇老子。老子中道仰天而嘆曰：「始以汝為可教，今不可教也。」楊朱不答。至舍，進涫漱巾櫛，脫履戶外，膝行而前，曰：「向者夫子仰天而嘆曰：『始以汝為可教，今不可教。』弟子欲請，夫子辭行不閒，是以不敢。今夫子閒矣，請問其過。」老子曰：「而睢睢而盱盱，而誰與居？大白若辱，盛德若不足。」楊朱蹴然變容曰：「敬聞命矣！」其往也，舍迎將家，公執席，妻執巾櫛，舍者避席，煬者避灶。其反也，舍者與

之爭席矣。(《列子》〈黃帝〉)

養虎之法

周宣王時，負責飼養禽獸的官吏手下有個僕役叫梁鴦，很會飼養野禽野獸，即使是猛虎餓狼、大雕魚鷹之類，也被馴養得服服貼貼。雌雄禽獸紛紛交配繁殖，生下成群的後代；不同種類的禽獸混雜居住，從不相互撕咬。周宣王擔心他的技術沒有傳人，便命令毛丘園去向他學習。梁鴦對毛丘園說：「我不過是一個低賤的僕役，有什麼技術好傳的？只怕大王說我隱瞞，姑且和你來談談飼養老虎的方法。大凡順著牠就高興，逆著牠就發怒，這是有血性的動物的本性。但老虎的情緒也不是隨便發洩的，都是因依順或違背牠的習性才觸發的。給老虎餵食，我不敢拿活生生的動物給牠吃，怕牠因奮力咬殺活物而觸發怒氣；也不敢拿整個動物給牠吃，怕牠因使勁撕扯食物引發怒氣。要掌握牠的饑飽，觀察牠喜怒的性情，虎與人是不同的種類，牠愛上飼養牠的人，是由於人依順牠，導致牠獸性發作，是因為違逆了牠。我當然不敢違逆牠使牠發怒，但也不會一味依順牠討牠高興。因為高興過後必會憤怒，憤怒以後常是高興，都不是合適的做法。因為我心裡既不違背也不順從，鳥獸對待我就如對待牠們的同類一樣。所以在我庭園中遊玩的禽獸，絕不思念高大的樹林和空曠的水澤；在我庭園中安歇的禽獸，絕不嚮往深山和幽谷，這是由禽獸飼養的規律決定的。」

【出處】

周宣王之牧正有役人梁鴦者，能養野禽獸，委食於園庭之內，雖虎狼雕鶚之類，無不柔馴者。雄雌在前，孳尾成群，異類雜居，不相搏噬也。王慮其術終於其身，令毛丘園傳之。梁鴦曰：「鴦，賤役也，何術以告爾？懼王之謂隱於爾也，且一言我養虎之法。凡順之則喜，逆之則怒，此有血氣者之性也。然喜怒豈妄發哉？皆逆之所犯也。夫食虎者，不敢以生物與之，為其殺之之怒也；不敢以全物與之，為其碎之之怒也。時其饑飽，達其怒心。虎之與人異類，而媚養己者，順也；故其殺之，逆也。然則吾豈敢逆之使怒哉？亦不順之使喜也。夫喜之復也必怒，怒之復也常喜，皆不中也。今吾心無逆順者也，則鳥獸之視吾，猶其儕也。故游吾園者，不思高林曠澤；寢吾庭者，不願深山幽谷，理使然也。」（《列子》〈黃帝〉）

至信之人，至誠感物

范氏有個兒子名叫子華，喜好私養俠客，舉國上下都畏服他。由於得到國君的寵愛，雖然沒有做官，地位卻在三卿之上。被他稱道的人，國君就會重用；遭他非議的人，朝廷立即貶斥。聚在他廳堂裡高談闊論的人比朝廷議事的人還多。子華令俠客們憑智力的高下和體力的強弱相互攻擊欺凌，儘管鬥得遍體鱗傷，他也毫不在意，通宵達旦以此為樂，幾乎形成國內的風氣。禾生和子伯是范家的上等門客，一次外出遊玩，借宿於郊野老農商丘開家裡。半夜，兩人談論起子華的名望和勢力。商丘開一直為饑寒所困，在北窗下聽到兩人的談話，難免心有所動，於是借了點糧食，以畚箕裝上簡單的行李，進城投到子華門下。子華的門徒多為世家大族的子弟，身著綢緞，乘坐高車，趾高氣揚。他們見商丘開年老體弱，面目黧黑，衣冠不整，都看不起他。於是百般戲弄侮辱，推揉捶打，商丘開一點也不生氣。俠客們玩累了，沒了興致，就帶商丘開登上高臺，人群中有人隨意說：「有誰自願從臺上跳下去，獎他一百金！」大家都爭著響應。商丘開信以為真，於是首先從臺上跳了下去，他的身體好像飛鳥，飄落在地，肌膚與骨骼竟然毫無損傷。門徒們以為純屬偶然，並未覺得奇怪。於是又指著河灣處的深潭說：「水裡有寶珠，誰潛下去就可以得到。」商丘開躍入水中，浮出水面時，果然手攥寶珠。大家這才面露驚異，子華因此將商丘開列為上等門客。沒多久，范家庫房失火。子華說：「誰能進入庫房取出綢緞的，根據多少論功行賞。」商丘開毫無懼色地衝入火中，來回奔跑，煙塵沒有玷汙臉面，身體也沒被燒傷。范家的門客認為他有道術，向他道歉說：「我們不知道您有道術而欺哄您，也不知道您是神人而侮辱您。您可以把我們視為笨蛋、聾子和瞎子。我們冒昧地向您請教道術。」商丘開說：「我哪有什麼道術。我自己也不明白是怎麼回事。雖然如此，我心中還是有點想法，願意與你們分享。先前，你們有兩位俠客住到我家中，我聽到他們誇耀范氏的勢力，能使生者死、死者生，富者窮、窮者富，我對此深信不疑。所以不顧路途之苦趕來這裡。來了之後，又認為你們的話真實可靠，唯恐我誠心不夠，行動遲緩，因此從未考慮個人形體的安放，生命的安危，只是內心專注而已。這大概就是外物不曾傷害我的原因吧。現在我知道你們一直在欺騙我，這樣心裡便有了猜測和疑慮，對外就會時刻保持警覺和觀察。回想過去僥倖沒有被燒傷淹死，現在想來還心有餘悸，渾身顫抖，從此哪還敢再近水火呢？」范氏的門客們將信將疑，仍然覺得商丘開深不可測。從此以後，范氏的門客在路上遇到乞丐、馬醫之類的貧賤之人，再也不敢輕慢侮辱，一定會下車拱手致禮。宰我聽說了這件事，便去告訴孔子。孔子說：「你不知道嗎？心靈致誠的人，是可以感化外物的。他們驚天地，泣鬼神，縱橫六合而無障礙，又豈止身處險境、出入水火而已！商丘開相信假話尚且身心無礙，更何況你我以誠相待呢！」

【出處】

范氏有子曰子華，善養私名，舉國服之；有寵於晉君，不仕而居三卿之右。目所偏視，晉國爵之；口所偏肥，晉國黜之。游其庭者侔於朝。子華使其俠客以智鄙相攻，強弱相凌。雖傷破於前，不用介意。終日夜以此為戲樂，國殆成俗。禾生、子伯范氏之上客。出行，經坰外，宿於田更商丘開之舍。中夜，禾生、子伯二人相與言子華之名勢，能使存者亡，亡者存；富者貧，貧者富。商丘開先窘於饑寒，潛於牖北聽之。因假糧荷畚之子華之門。子華之門徒皆世族也，縞衣乘軒，緩步闊視。顧見商丘開年老力弱，面目黎黑，衣冠不檢，莫不眲之。既而狎侮欺詒，擋㧙挨枕，亡所不為。商丘開常無慍容，而諸客之技單，憊於戲笑。遂與商丘開俱乘高臺，於眾中漫言曰：「有能自投下者賞百金。」眾皆競應。商丘開以為信然，遂先投下，形若飛鳥，揚於地，骫骨無䃣。范氏之黨以為偶然，未詎怪也。因復指河曲之淫隈曰：「彼中有寶珠，泳可得也。」商丘開復從而泳之，既出，果得珠焉。眾昉同疑。子華昉令豫肉食衣帛之次。俄而范氏之藏大火。子華曰：「若能入火取綿者，從所得多少賞若。」商丘開往無難色，入火往還，埃不漫，身不焦。范氏之黨以為有道，乃共謝之曰：「吾不知子之有道而誕子，吾不知子之神人而辱子。子其愚我也，子其聾我也，子其盲我也，敢問其道。」商丘開曰：「吾亡道。雖吾之心，亦不知所以。雖然，有一於此，試與子言之。曩子二客之宿吾舍也，聞譽范氏之勢，能使存者亡，亡者存；富者貧，貧者富。吾誠之無二心，故不遠而來。及來，以子黨之言皆實也，唯恐誠之之不至，行之之不及，不知形體之所措，利害之所存也。心一而已。物亡迕者，如斯而已。今昉知子黨之誕我，我內藏猜慮，外矜觀聽，追幸昔日之不焦溺也，怛然內熱。惕然震悸矣。水火豈復可近哉？」自此之後，范氏門徒路遇乞兒馬醫，弗敢辱也，必下車而揖之，宰我聞之，以告仲尼。仲尼曰：「汝弗知乎？夫至信之人，可以感物也。動天地，感鬼神，橫六合，而無逆者，豈但履危險，入水火而已哉？商丘開信偽物猶不逆，況彼我皆誠哉？小子識之！」（《列子》〈黃帝〉）

和者大同於物

趙襄子率領十萬人馬在中山國打獵，踐踏草叢，焚燬樹林，火焰光照數百里。有個人從石壁中鑽出來，跟隨火焰上下飄忽，大家都以為是鬼。火勢過後，那人慢慢走出來，彷彿剛才什麼也沒發生似的。趙襄子覺得奇怪，留住他仔細觀察，看他的形貌、膚色與七竅是人，氣息聲音也是人，便問他說：「你是憑什麼道術住在石壁裡，自由進出火中的？」那人問說：「什麼叫石壁？什麼叫火？」趙襄子說：「你剛才出來的地方就是石壁，你剛才踩過的東西就是火。」那人搖頭說：「我不知道。」魏文侯聽說這件事後，問子夏說：「那是個什麼樣的人？」子夏說：「按照孔子的說法，保持純和之氣的人，身心與萬物融合，沒有什麼東西能傷害和阻礙他，在金石中遊走，在水火中跳躍，都是可以的。」魏文侯又問：「你為什麼做不到呢？」子夏說：「摒除思欲，棄絕理智，我還做不到。雖然如此，試著講一講其中的道理還是可以的。」文侯又問：「孔子做得到嗎？」子夏說：「他老人家肯定做得到，只是他不願意這麼做。」

【出處】

趙襄子率徒十萬狩於中山，藉仍燔林，扇赫百里，有一人從石壁中出，隨煙燼上下，眾謂鬼物。火過，徐行而出，若無所經涉者，襄子怪而留之，徐而察之：形色七竅，人也；氣息音聲，人也。問奚道而處石？奚道而入火？其人曰：「奚物而謂石？奚物而謂火？」襄子曰：「而向之所出者，石也；而向之所涉者，火也。」其人曰：「不知也。」魏文侯聞之，問子夏曰：「彼何人哉？」子夏曰：「以商所聞夫子之言，和者大同於物，物無得傷閡者，游金石，蹈水火，皆可也。」文侯曰：「吾子奚不為之？」子夏曰：「刳心去智，商未之能。雖然，試語之有暇矣。」文侯曰：「夫子奚不為之？」子夏曰：「夫子能之而能不為者也。」文侯大說。（《列子》〈黃帝〉）

覆蕉得鹿

鄭國有個人在野外砍柴，碰到一隻受驚的鹿，迎上去將它打死。

他怕別人看見，急忙把鹿藏在乾涸的池塘裡，用砍下的柴草蓋好，高興得合不攏嘴。過了一會兒，他忘了藏鹿的地方，以為剛才做夢，一路上念叨這件事。路邊有個人聽他反覆念叨，按他所說的很快找到鹿取走了。回家以後，告訴妻子說：「剛才有個砍柴人夢見得到鹿卻忘了藏在哪裡，被我發現，他做的夢簡直跟真的一樣。」妻子說：「是不是你夢見砍柴人得到鹿了？真的有那個砍柴人嗎？現在你果然得到鹿，是你的美夢成真嗎？」丈夫說：「我真的得到鹿，哪裡用得著搞清楚是他做夢還是我做夢呢？」砍柴人回去後，不甘心丟失鹿。夜裡真的夢到藏鹿的地方，並且夢見取到鹿的人。天一亮，他就按夢中線索找到取鹿人家裡。兩人為此爭吵起來，告到法官那裡。法官說：「你最初得到鹿，卻胡說是夢；在夢中得到鹿，又胡說是真的。他真的取走了你的鹿，你和他爭這隻鹿，他妻子又說他是在夢中認為鹿是別人的，並沒有什麼人得到過這隻鹿。現在只有這隻鹿，請你們平分吧！」鄭國國君知道此事後，說：「唉！這法官只怕也是在夢中分鹿吧？」為此諮詢相國，相國說：「是夢不是夢，我也無法分辨。要分辨是醒還是夢，只有黃帝、孔丘做得到。現在黃帝、孔丘不在，誰能分辨呢？姑且聽信法官的裁決吧。」

【出處】

鄭人有薪於野者，遇駭鹿，御而擊之，斃之。恐人見之也，遽而藏諸隍中，覆之以蕉，不勝其喜。俄而遺其所藏之處，遂以為夢焉。順途而詠其事。傍人有聞者，用其言而取之。既歸，告其室人曰：「向薪者夢得鹿而不知其處；吾今得之，彼直真夢者矣。」室人曰：「若將是夢見薪者之得鹿邪？詎有薪者邪？今真得鹿，是若之夢真邪？」夫曰：「吾據得鹿，何用知彼夢我夢邪？」薪者之歸，不厭失鹿，其夜真夢藏之之處，又夢得之之主。爽旦，案所夢而尋得之。遂訟而爭之，歸之士師。士師曰：「若初真得鹿，妄謂之夢；真夢得鹿，妄謂之實。彼真取若鹿，而與若爭鹿。室人又謂夢仞人鹿，無人得鹿。今據有此鹿，請二分之。」以聞鄭君。鄭君曰：「嘻！士師將復夢分人鹿乎？」訪之國相。國相曰：「夢與不夢，臣所不能辨也。欲辨覺夢，唯黃帝孔丘。今亡黃帝孔丘，孰辨之哉？且恂士師之言可也。」(《列子》〈周穆王〉)

老成子學幻

老成子向尹文先生學習幻術，過了三年仍沒有得到傳授。老成子問自己有什麼過失，請求退學。尹文先生拱手引他進入內室，屏退左右的人後對他說：「當年老聃西行的時候，回頭對我說：一切有生命的氣息，一切有形狀的物體，都是虛幻的。創造萬物的開始，陰陽之氣的變化，叫作生，叫作死。遵循自然的規律，順應事物的變化而隨之變易，叫作化，叫作幻。大自然的機巧奧妙，功效高深，本來就難以全部瞭解和把握。根據具體情形而變化的機巧顯著，功夫淺薄，所以隨生隨滅。懂得了幻化與生死沒有什麼不同，才可以向我學習幻術。我和你的存在就是幻象，還需要再學什麼幻術呢？」老成子回家後，把尹先生的話深思了三個月，於是能自由自在地時隱時現，又能翻交四季，使冬天打雷，夏天結冰，使飛鳥在地上走，走獸在天上飛。他終生都沒有把這些法術記錄下來，因此世上也沒有流傳。列子

覆蕉得鹿

先生說：「善於幻化的人，他的道術隱秘而平常，功績看上去與一般人沒什麼相同。五帝的德行，三王的功業，不一定都是靠智慧和勇力，也許是由幻化完成的，誰知道呢？」

【出處】

老成子學幻於尹文先生，三年不告。老成子請其過而求退。尹文先生揖而進之於室，屏左右而與之言曰：「昔老聃之徂西也，顧而告予曰：有生之氣，有形之狀，盡幻也。造化之所始，陰陽之所變者，謂之生，謂之死。窮數達變，因形移易者，謂之化，謂之幻。造物者其巧妙，其功深，固難窮難終。因形者其巧顯，其功淺，故隨起隨滅。知幻化之不異生死也，始可與學幻矣。吾與汝亦幻也，奚須學哉？」老成子歸，用尹文先生之言深思三月，遂能存亡自在，憣校四時；冬起雷，夏造冰。飛者走，走者飛。終身不箸其術，故世莫傳焉。子列子曰：「善為化者，其道密庸，其功同人。五帝之德，三王之功，未必盡智勇之力，或由化而成。孰測之哉？」（《列子》〈周穆王〉）

中央之國

遠在西方的南部有個國家，不知道與哪些國家接壤，名叫「古莽之國」。那裡陰氣和陽氣不交接，因而寒暑沒有差別；日月的光芒照耀不到，所以不分白天與黑夜。那裡的百姓不吃飯、不穿衣，大多數時間都在睡覺。人們五十天一醒，以睡夢中做的事情為真實，以醒時的所見所聞為虛妄。四海的中央有個「中央之國」，橫跨大河南北，超越岱岳東西，有一萬餘里見方。這裡陰陽的變化分明，因而一年有一寒一暑；昏暗與明亮的界限清楚，所以有白晝和黑夜之別。這裡的百姓有的聰明，有的愚昧。萬物滋養繁殖，才藝多種多樣。有君主大臣治理，用禮儀與法律維持，他們的言論與作為難以列舉和記載。一段時間醒著，一段時間睡著，以醒著時做的事情為真實，以夢中的所見所聞為虛妄。遠在東方的北部有個國家叫「阜落之國」，那裡氣候悶熱，晝夜都有日月光芒的照耀。土地不長莊稼，老百姓靠吃草根與樹果度日，不懂用火燒烤食物。人們性情剛強凶悍，弱肉強食，以勝者為貴，不崇尚禮義。他們奔走不停而很少休息，經常醒著而不睡眠。

【出處】

西極之南隅有國焉，不知境界之所接，名古莽之國。陰陽之氣所不交，故寒暑亡辨；日月之光所不照，故晝夜亡辨。其民不食不衣而多眠。五旬一覺，以夢中所為者實，覺之所見者妄。四海之齊謂中央之國，跨河南北，越岱東西，萬有餘里。其陰陽之審度，故一寒一暑；昏明之分察，故一晝一夜。其民有智有愚。萬物滋殖，才藝多方。有君臣相臨，禮法相持。其所云為不可稱計。一覺一寐，以為覺之所為者實，夢之所見者妄。東極之北隅有國曰阜落之國。其土氣常燠，日月餘光之照。其土不生嘉苗。其民食草根木實，不知火食。性剛悍，強弱相藉，貴勝而不尚義；多馳步，少休息，常覺而不眠。（《列子》〈周穆王〉）

夜為人君

周朝有個姓尹的富人致力於發家致富，為他幹活的人從早到晚都得不到休息。有個老役夫已經累得精疲力竭，仍然不停地被使喚。白天呻吟著幹活，到夜裡昏沉疲憊地入睡。由於精神恍惚迷亂，每天晚上都夢見自己當了國君，地位在萬民之上，總攬一國政事，在宮殿花園裡遊樂宴飲，想幹什麼就幹什麼，真是快樂無比。早晨醒來後繼續去賣苦力。有人同情他過於辛勞，老役夫說：「人生百年，晝夜各半。我白天做苦力，苦是苦了，但夜裡做國君卻快樂無比。有什麼可抱怨的呢？」姓尹的富人整天想著發財致富，一心撲在家業上，弄得心力交瘁，晚上昏沉入睡，每晚都夢見自己身為奴僕，任人役使，挨罵挨打，受盡屈辱。睡眠中呻吟呼喊到天亮。姓尹的富人以此為苦，請教朋友如何解脫。朋友說：「你的富有足以光宗耀祖，錢財多得花不完，夜裡卻夢見身為奴僕。這一苦一樂的循環，正是報應。你想在清醒時和睡夢中都很快樂，這怎麼可能呢？」姓尹的富人聽了朋友的話，便減輕了對役夫的苛剝，自己也不再整天想著賺錢發財，結果他和役夫的痛苦都減輕了很多。

【出處】

周之尹氏大治產，其下趣役者侵晨昏而弗息。有老役夫筋力竭矣，而使之彌勤。晝則呻呼而即事，夜則昏憊而熟寐。精神荒散，昔昔夢為國君。居人民之上，總一國之事。游燕宮觀，恣意所欲，其樂無比。覺則復役。人有慰喻其勤者，役夫曰：「人生百年，晝夜各分。吾晝為僕虜，苦則苦矣；夜為人君，其樂無比。何所怨哉？」尹氏心營世事，慮鍾家業，心形俱疲，夜亦昏憊而寐。昔昔夢為人僕，趨走作役，無不為也；數罵杖撻，無不至也。眠中啽囈呻呼，徹旦息焉。尹氏病之，以訪其友。友曰：「若位足榮身，資財有餘，勝人遠矣。夜夢為僕，苦逸之復，數之常也。若欲覺夢兼之，豈可得邪？」尹氏聞其友言，寬其役夫之程，減己思慮之事，疾並少間。（《列子》〈周穆王〉）

天下盡迷

秦國逄氏有個兒子，小時候很聰明，長大以後卻精神失常。聽到唱歌以為是哭泣，看到白色以為是黑色，聞到香氣以為是臭氣，嘗到甜味以為是苦味，做錯的事以為正確。舉凡意念所向，無論天地、四方、水火、寒暑，無不顛倒錯亂。有個姓楊的人對孩子父親說：「魯國的讀書人大多有道術技藝，也許能治好他的病，為什麼不去試試呢？」逄氏於是帶著孩子前往魯國。經過陳國時，恰好碰到老聃，說起兒子的症狀，老聃說：「你怎麼知道你兒子精神錯亂呢？如今天下有幾個人分得清是非對錯和利害關係？害這種病的人太多了，本來就沒有幾個清醒的人。而且一個人迷亂不足以傾覆一家，一家人迷亂不足以傾覆一鄉，一鄉人迷亂不足以傾覆一國，一國人迷亂不足以傾覆天下。但天下人都迷亂了，還有什麼可顛覆的呢？如果天下人都像你兒子一樣，那麼你反而是精神錯亂了。那哀樂、聲色、氣味、是非，有誰能為其正名？我說這番話未必不是精神錯亂的表現，更何況魯國的君子們個個精神錯亂得厲害，又怎麼能為別人排憂解難？不如趁早揣著你的乾糧，折返回家吧！」

【出處】

秦人逢氏有子，少而惠，及壯而有迷惘之疾。聞歌以為哭，視白以為黑，饗香以為朽，嘗甘以為苦，行非以為是：意之所之，天地、四方，水火、寒暑，無不倒錯者焉。楊氏告其父曰：「魯之君子多術藝，將能已乎？汝奚不訪焉？」其父之魯，過陳，遇老聃，因告其子之証。老聃曰：「汝庸知汝子之迷乎？今天下之人皆惑於是非，昏於利害。同疾者多，固莫有覺者。且一身之迷不足傾一家，一家之迷不足傾一鄉，一鄉之迷不足傾一國，一國之迷不足傾天下。天下盡迷，孰傾之哉？向使天下之人其心盡如汝子，汝則反迷矣。哀樂、聲色、臭味、是非，孰能正之？且吾之此言未必非迷，而況魯之君子，迷之郵者，焉能解人之迷哉？榮汝之糧，不若遄歸也。」（《列子》〈周穆王〉）

須臾之忘

宋國陽里的華子中年時得了健忘症，早晨拿的東西到晚上就忘了，晚上放的東西次日早晨就忘了；在路上忘記走路，在家裡忘記就座；不知先後今古。全家都為他的病苦惱。請卜史來占卜，不靈驗；請巫師來祈禱，不見效果；請醫生來診治，也不見好轉。魯國有個儒生聲稱能治好他的病，華子的妻子兒女去請儒生，情願以一半的家產為酬勞。儒生說：「這種病算卦龜卜、巫師祈禱和藥物針灸都不會有效果。讓我試著來感化他的心靈，改變他的思慮，也許能夠治好。」於是試著脫掉他的衣服，讓他去尋找衣服；不給他飯吃，讓他去尋找食物；把他關在黑暗處，讓他渴求光明。儒生高興地告訴華子的兒子說：「病可以治好了。但我的方術是祖傳的，需要保密。請其他人迴避一下，讓我單獨和他在內室待七天。」家人聽從了他的要求。沒人知道儒生究竟施展了什麼法術，竟使纏擾華子多年的沉痾一下子痊癒了。華子清醒以後便大發雷霆，廢黜妻子，懲罰兒子，操起戈矛驅逐儒生。鄰居們捉住他，問他為什麼這樣做。華子說：「過去我健忘，腦子裡空空蕩蕩不知道天地有無。現在突然清醒過來，數十年來的存亡得失、喜怒哀樂，千頭萬緒一起湧上心頭。我害怕將來的存亡得失、喜怒哀樂還像現在擾亂我的心境，再求片刻的遺忘，還能得到嗎？」子貢聽說後感到奇怪，把事情告訴孔子。孔子說：「這其中的道理不是你能懂得的。」回頭讓顏回記錄下來。

【出處】

宋陽里華子中年病忘，朝取而夕忘，夕與而朝忘；在途則忘行，在室而忘坐；今不識先，後不識今。闔室毒之。謁史而卜之，弗占；謁巫而禱之，弗禁；謁醫而攻之，弗已。魯有儒生自媒能治之，華子之妻子以居產之半請其方。儒生曰：「此固非封兆之所占，非祈請之所禱，非藥石之所攻。吾試化其心，變其慮，庶幾其瘳乎！」於是試露之，而求衣；饑之，而求食；幽之，而求明。儒生欣然告其子曰：「疾可已也。然吾之方密，傳世不以告人。試屏左右，獨與居室七日。」從之。莫知其所施為也，而積年之疾一朝都除。華子既悟，乃大怒，黜妻罰子，操戈逐儒生。宋人執而問其以。華子曰：「曩吾忘也，蕩蕩然不覺天地之有無。今頓識既往，數十年來存亡、得失、哀樂、好惡，擾擾萬緒起矣。吾恐將來之存亡、得失、哀樂、好惡之亂吾心如此也，須臾之忘，可復得乎？」子貢聞而怪之，以告孔子。孔子曰：「此非汝所及乎！」顧謂顏回紀之。（《列子》〈周穆王〉）

悲心更微

燕國有個人生在燕國，長在楚國，到老年時才返回祖國。路過晉國時，同行的人欺騙他，指著城牆說：「這是燕國的城牆。」那人臉色一下變得凝重起來。同行的人指著土地廟說：「這是你家鄉的土地廟。」那人肅然起敬。同行的人指著房屋說：「這是你先人的房屋。」那人不禁眼含淚水。同行的人指著墳墓說：「這是你先人的墓地。」那人禁不住失聲大哭起來。同行的人失聲大笑說：「剛才是在欺騙你，這是晉國啊！」那人大為慚愧。等到達燕國，真正見到燕國的城牆和土地廟，真的見到先人的房屋和墓地時，竟然再無之前的悲情了。

【出處】

燕人生於燕，長於楚，及老而還本國。過晉國，同行者誑之，指城曰：「此燕國之城。」其人愀然變容。指社曰：「此若里之社。」乃謂然而嘆。指舍曰：「此若先人之廬。」乃涓然而泣。指壟曰：「此若先人之冢。」其人哭不自禁。同行者啞然大笑，曰：「予昔紿若，

此晉國耳。」其人大慚。及至燕，真見燕國之城社，真見先人之廬冢，悲心更微。(《列子》〈周穆王〉)

革之何為

孔子在家閒坐，子貢進來，見他面帶憂色，不敢詢問，出來告訴顏回。顏回便撫琴而歌。孔子聽到琴聲，讓顏回進屋，問他說：「你為什麼一個人快樂？」顏回說：「老師為什麼獨自憂愁呢？」孔子說：「先說說你的想法。」顏回說：」我過去聽老師說『樂天知命所以無憂』，這就是我快樂的原因。」孔子面色淒然，沉吟一下，說：「我有說過這話嗎？你誤會了我的本意。請以我今天的話為準。你只知道樂天知命沒有憂愁，卻不知樂天知命還有更大的憂愁呢。現在我告訴你其中的道理：修養自身，無論窮困與顯貴，置生死於度外，排除一切外在紛擾，這就是你所說的樂天知命所以無憂。過去我整理《詩》《書》，訂正《禮》《樂》，準備以此治理天下，流傳後世，並不僅僅著眼於修養自身、治理魯國。而魯國的君臣一天天喪失秩序，仁義道德逐漸衰敗，人情日趨淡薄。這種學說在我活著時都不能在一國通行，又何談施行於天下和後世呢？我這才知道《詩》《書》《禮》《樂》對治理亂世無效，但又找不到別的根治亂世的藥方。縱然我樂於順應天道的變化，知曉性命的始終，即所謂樂天知命，但憂愁已無可排解。雖然如此，我還是有了一些心得。如今所謂樂於順應自然、知曉性命的始終，與古人所說的樂天知命含義並不一樣。無樂無知，才是真正的樂，真正的知。所謂無樂無知，也就是無所不樂、無所不知，無所不憂，無所不為。這樣來看，《詩》《書》《禮》《樂》，還有什麼必要拋棄呢？又何必要苦苦尋覓新的藥方呢？」顏回面北下跪說：「我明白了。」於是出來告訴子貢。子貢茫然自失，回家深思七天，不睡不吃，以至骨瘦如柴。顏回又去跟他認真解釋，他才重回孔子門下，彈琴唱歌，誦讀詩書，終生不止。

【出處】

仲尼閒居，子貢入待，而有憂色。子貢不敢問，出告顏回。顏回援琴而歌。孔子聞之，果召回入，問曰：「若奚獨樂？」回曰：「夫子奚獨憂？」孔子曰：「先言爾志。」曰：「吾昔聞之夫子曰：『樂天知命故不憂』，回所以樂也。」孔子愀然有間曰：「有是言哉？汝之意失矣。此吾昔日之言爾，請以今言為正也。汝徒知樂天知命之無憂，未知樂天知命有憂之大也。今告若其實。修一身，任窮達，知去來之非我，亡變亂於心慮，爾之所謂樂天知命之無憂也。曩吾修《詩》《書》，正禮樂，將以治天下，遺來世；非但修一身，治魯國而已。而魯之君臣日失其序，仁義益衰，情性益薄。此道不行一國與當年，其如天下與來世矣？吾始知《詩》《書》禮樂無救於治亂，而未知所以革之之方：此樂天知命者之所憂。雖然，吾得之矣。夫樂而知者，非古人之謂所樂知也。無樂無知，是真樂真知；故無所不樂，無所不知，無所不憂，無所不為。《詩》《書》禮樂，何棄之有？革之何為？」顏回北面拜手曰：「回亦得之矣。」出告子貢。子貢茫然自失，歸家淫思七日，不寢不食，以至骨立。顏回重往喻之，乃反丘門，絃歌誦書，終身不輟。（《列子》〈仲尼〉）

形神不相偶

列子拜壺丘子林為師，以伯昏瞀人為友，居住在城南邊上。跟列子交往的人很多。即便如此，列子仍然能從容應對，天天在一起討論爭辯，遠近聞名。但他與南郭子隔牆為鄰二十年，卻從不來往。有時在路上相遇，也視若未見。弟子們都以為列子與南郭子有仇。有個從楚國來的人問列子說：「先生與南郭子有什麼仇呢？」列子說：「南郭子容貌豐滿而內心清虛，耳朵聽無所聞，眼睛視而不見，嘴裡無所言談，心中無所知覺，形體無所變易，去拜訪他幹什麼呢？雖然如此，我還是試著和你一起去看看吧。」於是列子選了四十名弟子同行。見到南郭子，果然如同土偶一樣，根本無法同他交談。他回頭看看列子，精神與形體似乎是分離的，根本不可能與之相處。過了一會兒，南郭子指著列子弟子末行中的一位，和他侃侃而談，露出一副專心辯論、爭雄求勝的姿態。列子的弟子大為驚駭，回到住處，疑懼之色仍未消失。列子說：「懂得真意的人無須言語，什麼都懂的人也無須言語。以無言為言也是一種言語，以無知為知也是一種有知。應當以無言為不言，以無知為不知。這樣，也說了，也知了，也是無所不說，也是無所不知，也是什麼都沒有說，也是什麼都不知道。道理就是這樣，有什麼值得大驚小怪呢？」

【出處】

子列子既師壺丘子林，友伯昏瞀人，乃居南郭。從之處者，日數而不及。雖然，子列子亦微焉，朝朝相與辨，無不聞。而與南郭子連牆二十年，不上謁請；相遇於道，目若不相見者。門之徒役以為子列子與南郭子有敵不疑。有自楚來者，問子列子曰：「先生與南郭子奚敵？」子列子曰：「南郭子貌充心虛，耳無聞，目無見，口無言，心無知，形無惕。往將奚為？雖然，試與汝偕往。」閱弟子四十人同行。見南郭子，果若欺魄焉，而不可與接。顧視子列子，形神不相偶，而不可與群。南郭子俄而指子列子之弟子末行者與言，衎衎然若專直而在雄者。子列子之徒駭之。反舍，咸有疑色。子列子曰：「得意者無言，進知者亦無言。用無言為言亦言，無知為知亦知。無言與不言，無知與不知，亦言亦知。亦無所不言，亦無所不知；亦無所言，亦無所知。如斯而已。汝奚妄駭哉？」（《列子》〈仲尼〉）

禦寇好游

列子剛開始修道的時候，很喜歡外出旅遊。壺丘子說：「你喜歡遊覽，遊覽有什麼好處呢？」列子說：「遊覽的快樂，是因為所觀賞的都是新鮮的。凡人遊覽，只欣賞事物的表面；我外出遊覽，重在欣賞事物內在的變化，沒有誰能辨別兩種遊覽的不同。」壺丘子說：「你的遊覽與別人並無兩樣。通過欣賞事物的表象，別人也能體察到事物的內在變化。你只知欣賞外物的變化，卻忘了自身也在不停地變化中。你只顧欣賞外物，卻不去勉力體會自己。欣賞外物，希望把外物看遍；觀察自身，也應把自己看透。把自身看透才是遊覽的最高境界；把外物看遍並不是頂級的遊覽。」聽了壺丘子的話，列子終生不再外出，自以為沒有悟透遊覽的道理。壺丘子說：「這就是遊覽的最高境界啊！不知道到了哪裡，不知道看見了什麼，任何地方都可以遊覽，任何事物都可以欣賞，這是我所說的遊覽和觀賞。」

【出處】

初，子列子好游。壺丘子曰：「禦寇好游，游何所好？」列子曰：「游之樂所玩無故。人之游也，觀其所見；我之游也，觀之所變。游乎游乎！未有能辨其游者。」壺丘子曰：「禦寇之游固與人同歟，而曰固與人異歟？凡所見，亦恆見其變。玩彼物之無故，不知我亦無故。務外游，不知務內觀。外游者，求備於物；內觀者，取足於身。取足於身，游之至也；求備於物，游之不至也。」於是列子終身不出，自以為不知游。壺丘子曰：「游其至乎！至游者，不知所適；至觀者，不知所眂，物物皆游矣，物物皆觀矣，是我之所謂游，是我之所謂觀也。故曰：游其至矣乎！游其至矣乎！」《列子》〈仲尼〉

聖智為疾

龍叔對文摯說：「您的醫術高超。我有病，您能幫我醫治嗎？」文摯說：「聽從您的吩咐。不過請先說說您的症狀。」龍叔說：「全鄉人讚譽我，我不以為榮，全國人詆毀我，我不以為恥；得到了而不歡喜，失去也不憂愁；視生如死，視富如貧；把人看作豬，把自己看作別人。住在自己家裡，像是住在旅館裡；看自己家鄉，彷彿是偏遠蠻荒之國。所有這些疾病，爵位賞賜不能勸阻，嚴刑懲罰不能威服，盛衰利害不能改變，悲哀快樂不能動搖。有這樣的症狀自然不能輔佐國君，交結親友，管教妻子兒女，控制奴僕。我這是什麼病呢？要用什麼藥方才能治好呢？」文摯於是讓龍叔背向光亮站著，文摯從後面對著光線仔細觀察。過了一會兒說：「唉！我看到你的心了，心已經虛空了，幾乎是聖人了！你的心中，六個孔已經流通，只有一個孔還沒有通達。現今把聖明智慧當作疾病的，可能就是這樣的吧！這不是我淺陋的醫術所能治癒的。」

【出處】

龍叔謂文摯曰：「子之術微矣。吾有疾，子能已乎？」文摯曰：「唯命所聽。然先言子所病之證。」龍叔曰：「吾鄉譽不以為榮，國毀不以為辱；得而不喜，失而弗憂；視生如死；視富如貧；視人如豕；視吾如人。處吾之家，如逆旅之舍；觀吾之鄉，如戎蠻之國。凡此眾疾，爵賞不能勸，刑罰不能威，盛衰、利害不能易，哀樂不能移。固不可事國君，交親友，御妻子，制僕隸。此奚疾哉？奚方能已之乎？」文摯乃命龍叔背明而立，文摯自後向明而望之。既而曰：「嘻！吾見子之心矣，方寸之地虛矣。幾聖人也！子心六孔流通，一孔不達。今以聖智為疾者，或由此乎！非吾淺術所能已也。」（《列子》〈仲尼〉）

吾之所使

鄭國的圃澤居住著很多潛心修道的賢士，東里聚集著很多濟世治國的才子。圃澤有個學者叫伯豐子，一次路過東里，碰到了鄧析。鄧析回頭對自己的弟子們笑了笑說：「我去戲弄他一下，怎麼樣？」鄧析的弟子們說：「我們都想看看。」鄧析對伯豐子說：「你知道受人供養與自力謀生的區別嗎？被人供養而不能自立謀生，屬於豬狗之類；養育萬物為我所用，這是人的能力。讓你們這些傢伙吃得飽飽的，穿得暖暖的，睡得香香的，都是我們這些執政者的功勞。而你們只會男女老少群居一處，經營些睡覺用的欄圈墊草，料理些填肚皮用的飯菜食物，這與豬狗之類的動物有什麼區別呢？」伯豐子未予理睬。跟隨在他後面的隨從插話說：「大夫沒有聽說過齊國、魯國多有巧能之人嗎？有的擅長蓋房子，有的擅長製造兵器鎧甲，有的擅長音樂舞蹈，有的擅長書法數算，有的擅長帶兵作戰，有的擅長宗廟祭祀活動，稱得上群才齊備了。但這些人卻不能相互遵從，相互驅使。相反，能駕馭他們的人倒沒有知識，能役使他們的人也沒有技能。你們這些執政者，不都是我們所駕馭和役使的嗎？有什麼值得驕傲自負的呢？」鄧析無言以對，眼望著弟子們退下了。

【出處】

鄭之圃澤多賢，東里多才。圃澤之役有伯豐子者，行過東里，遇鄧析。鄧析顧其徒而笑曰：「為若舞，彼來者奚若？」其徒曰：「所願知也。」鄧析謂伯豐子曰：「汝知養養之義乎？受人養而不能自養者，犬豕之類也；養物而物為我用者，人之力也。使汝之徒食而飽，衣而息，執政之功也。長幼群聚而為牢藉庖廚之物，奚異犬豕之類乎？」伯豐子不應。伯豐子之從者越次而進曰：「大夫不聞齊魯之多機乎？有善治土木者，有善治金革者，有善治聲樂者，有善治書數者，有善治軍旅者，有善治宗廟者，群才備也。而無相位者，無能相使者。而位之者無知，使之者無能，而知之與能為之使焉。執政者，乃吾之所使；子奚矜焉？」鄧析無以應，目其徒而退。（《列子》〈仲尼〉）

博學多識

宋國的太宰去見孔子，問他說：「您是聖人嗎？」孔子說：「我哪裡敢稱聖人，我不過博學多識而已。」太宰問：「三王是聖人嗎？」孔子答說：「三王善於運用智力和勇力，是不是聖人我不知道。」又問：「五帝是聖人嗎？」孔子回答：「五帝是善於推行仁義，是不是聖人我不知道。」又問：「三皇是聖人嗎？」孔子說：「三皇善於順應時勢，是不是聖人，我也不知道。」太宰十分驚異，又問說：「那麼誰是聖人呢？」孔子臉上升起一種崇敬之色，停了一下，而後說：「西方有一位聖人，無為而治國家卻安寧平和，不發號施令在百姓中也享有威望，不施教化民風也淳樸和諧。真是偉大啊，人民無法用語言稱讚他。我覺得他就是聖人，但也不敢肯定。」太宰聽了，在心裡說：「孔子這是在哄騙我啊！」

【出處】

商太宰見孔子曰：「丘聖者歟？」孔子曰：「聖則丘何敢，然則丘博學多識者也。」商太宰曰：「三王聖者歟？」孔子曰：「三王善任智勇者，聖則丘弗知。」曰：「五帝聖者歟？」孔子曰：「五帝善任仁義者，聖則丘弗知。」曰：「三皇聖者歟？」孔子曰：「三皇善任因時者，聖則丘弗知。」商太宰大駭，曰：「然則孰者為聖？」孔子動容有間，曰：「西方之人，有聖者焉，不治而不亂，不言而自信，不化而自行，蕩蕩乎民無能名焉。丘疑其為聖。弗知真為聖歟？真不聖歟？」商太宰嘿然心計曰：「孔丘欺我哉！」（《列子》〈仲尼〉）

白馬非馬

中山公子牟是魏國有賢名的公子，喜歡與有才學的賢士交遊，不問國事，最欣賞趙國人公孫龍。樂正子輿等一幫人因此而笑話他。公子牟說：「我欣賞公孫龍，有什麼好笑話的？」子輿說：「公孫龍的為人，言行沒有師承，做學問沒有朋友，奸猾善辯不講道理，思路散漫不成流派，喜歡標新立異而出語荒誕，企圖以此來迷惑人心，令人折服，與韓檀等人整天在一起鑽牛角尖。」公子牟面色不快說：「你憑什麼把公孫龍說得一無是處？請說出具體事實。」子輿說：「你知道公孫龍怎麼欺哄孔穿嗎？他說：『會射箭的人能使後一根箭的箭頭射中前一根箭的箭尾，一箭挨著一箭，最前面一箭射中靶子，最後一箭的箭尾正好搭上弓弦，看上去就像一根長箭。』孔穿大為驚駭。公孫龍說：『這還不是最妙的。逢蒙的弟子叫鴻超，因為對妻子發脾氣，要嚇唬她，便用烏號的弓搭上綦衛的箭射她眼睛。箭頭碰到眼珠子，她卻沒有眨一下眼睛，箭掉到地上，甚至沒有揚起一點飛塵。』這難道是聰明人說的話嗎？」公子牟說：「聰明人說的話本來就不是愚蠢的人所能明白的。後一根箭的箭頭射中前一根箭的箭尾，是因為後一根箭的用力與方向和前一根箭完全相同。箭碰到眼珠子而沒有眨一下眼睛，是因為箭的力量到了眼前已經用盡。這有什麼好懷疑的呢？」樂正子輿說：「你是公孫龍的粉絲，哪能不幫他掩飾錯誤呢？我再說說他更荒謬的言論。公孫龍欺哄魏王說：『意念不是本心；從事物的名稱得不到事物的本體；物體永遠分割不盡；影子是不會移動的；一根頭髮絲可以牽引千鈞重的物體；白馬不是馬；孤牛犢未曾有母親。』他那些與人們看法相違背、與常理相反的言論，說也說不完。」公子牟說：「你不懂這些高深的至理，反而認為是謬論，其實錯誤的是你。沒有意念，心才與本體相同；拋開抽象的概念，才能觸摸具體的事物；物體分割到最後，還有永恆的存在；說影子不會移動，是因為人移動後，原來的影子消失，又產生了新的影子，新影子並不是舊影子的移動；頭髮能牽引千鈞重的物體，是因為受力均衡，乘勢而為；白馬不是馬，是就馬的形狀與馬的概念分開而言；孤牛犢不曾有母親，是因為母親健在時，它就不能稱作孤牛犢。」樂正子輿說：「你認為公孫龍的言論都有道理。假如他放個臭屁，你也會說是香的。」公子牟沉默許久，告辭說：「改日再議吧。」

【出處】

中山公子牟者，魏國之賢公子也。好與賢人游，不恤國事；而悅趙人公孫龍。樂正子輿之徒笑之。公子牟曰：「子何笑牟之悅公孫龍也？」子輿曰：「公孫龍之為人也，行無師，學無友，佞給而不中，漫衍而無家，好怪而妄言。欲惑人之心，屈人之口，與韓檀等肄之。」公子牟變容曰：「何子狀公孫龍之過歟？請聞其實。」子輿曰：「吾笑龍之詒孔穿，言『善射者能令後鏃中前括，發發相及，矢矢相屬；前矢造準而無絕落，後矢之括猶銜弦，視之若一焉。』孔穿駭之。龍曰：『此未其妙者。逢蒙之弟子曰鴻超，怒其妻而怖之。引烏號之弓，綦衛之箭，射其目。矢來注眸子而眶不睫，矢隧地而塵不揚。』是豈智者之言與？」公子牟曰：「智者之言固非愚者之所曉。後鏃中前括，鈞後於前。矢注眸子而眶不睫，盡矢之勢也。子何疑焉？」樂正子輿曰：「子，龍之徒，焉得不飾其闕？吾又言其尤者。」龍誑魏王曰：「有意不心。有指不至。有物不盡。有影不移。髮引千鈞。白馬非馬。孤犢未嘗有母。」「其負類反倫，不可勝言也。」公子牟曰：「子不諭至言而以為尤也，尤其在子矣。夫無意則心同。無指則皆至。盡物者常有。影不移者，說在改也。髮引千鈞，勢至等也。白馬非馬，形名離也。孤犢未嘗有母，非孤犢也。」樂正子輿曰：「子以公孫龍之鳴皆條也。設令發於餘竅，子亦將承之。」公子牟默然良久，告退，曰：「請待余曰，更謁子論。」(《列子》〈仲尼〉)

愚公移山

太行、王屋兩座大山方圓七百里，高八千丈，本來坐落在冀州的南面、河陽的北面。山北面有位愚公，年近九十，面向大山居住。苦於山北交通閉塞和往來道路迂迴，於是召集全家商議說：「我們大家一起同心協力削平險阻，修一條道路通往豫州之南，到達漢水之陰，行嗎？」全家紛紛表示贊成。他的老伴提出疑問說：「憑你的力氣，連那個名叫魁父的小土丘也對付不了，又怎麼能撼動太行、王屋這兩座大山呢？再說，開挖的土塊石頭往哪兒放呢？」大家異口同聲說：「倒到渤海岸邊，隱土北邊。」愚公於是率領兒孫中能挑擔子的三個男丁，敲石挖土，用簸箕把土石運到渤海之濱。鄰居京城氏的寡婦有個男孩，七八歲的樣子，蹦蹦跳跳也跑來幫忙。他們從冬到夏才能往返一趟。河曲有個老頭名叫智叟，嘲笑並勸阻愚公說：「你太愚蠢了！你是快入土的人了，憑你那點力氣，連山上的一棵小草也拔不掉，又怎麼對付得了那些泥土石塊呢？」愚公長嘆一聲說：「你太頑固了，頑固得不可理喻，簡直連寡婦和小孩都不如。即使我死了，還有兒子。兒子生孫子，孫子生兒子，孫子的兒子又有兒子，兒子又有孫子，子子孫孫沒有窮盡；而山卻不會再增高了，還擔心挖不平嗎？」河曲智叟無言以對。操蛇的山神聽說了，擔心愚公一家挖山不止，便去稟報天帝。天帝為愚公的誠心所感，於是下令大力神誇娥氏的兩個兒子背起兩座大山，一座放到朔方的東部，一座放到雍州的南部。從此以後，從冀州之南到漢水之陰，中間再沒有山丘阻塞。

【出處】

太形、王屋二山，方七百里，高萬仞。本在冀州之南，河陽之北。北山愚公者，年且九十，面山而居。懲山北之塞，出入之迂也，聚室而謀，曰：「吾與汝畢力平險，指通豫南，達於漢陰，可乎？」雜然相許。其妻獻疑曰：「以君之力，曾不能損魁父之丘，如太形王屋何？且焉置土石？」雜曰：「投諸渤海之尾，隱土之北。」遂率子孫荷擔者三夫，叩石墾壤，箕畚運於渤海之尾。鄰人京城氏之孀妻有遺男，始齔，跳往助之。寒暑易節，始一反焉。河曲智叟笑而止之，曰：「甚矣汝之不惠！以殘年餘力，曾不能毀山之一毛，其如土石何？」北山愚公長息曰：「汝心不固，固不可徹，曾不若孀妻弱子。雖我之死，有子存焉。子又生孫，孫又生子；子又有子，子又有孫：

子子孫孫，無窮匱也，而山不加增，何苦而不平？」河曲智叟亡以應。操蛇之神聞之，懼其不已也，告之於帝。帝感其誠，命誇蛾氏二子負二山，一厝朔東，一厝雍南。自此冀之南、漢之陰，無隴斷焉。（《列子》〈湯問〉）

夸父追日

夸父自不量力，想要追趕太陽的影子。一直追到太陽隱沒處的隅谷邊上。半路上口渴了想喝水，便跑到黃河與渭水邊喝水，黃河、渭水不夠喝，又向北去喝大澤的水。還沒到達，就渴死在半路上了。他扔掉的手杖，由於屍體中血肉的浸潤，生長成了一片茂密的森林，叫鄧林。鄧林蔭蔽寬廣，方圓達數千里。

【出處】

夸父不量力，欲追日影，逐之於隅谷之際。渴欲得飲，赴飲河渭。河謂不足，將走北飲大澤。未至，道渴而死。棄其杖，屍膏肉所浸，生鄧林。鄧林彌廣數千里焉。（《列子》〈湯問〉）

扁鵲換心

魯公扈和趙齊嬰兩人有病，一起去請扁鵲醫治。扁鵲為兩人醫治，很快就治好了。扁鵲對公扈和齊嬰說：「你倆所害的病，是因外界侵擾腑臟引起的，用藥草和針砭就能治好。但你倆還有與生俱來的疾病，和身體一起生長，現在為你倆根治，怎麼樣？」兩人說：「您先說說我們的症狀吧。」扁鵲對公扈說：「你的心志剛強但氣魄柔弱，所以善於謀略但缺乏果斷。齊嬰心志柔弱但氣魄剛強，所以不善謀略而過於專橫。如果把兩人的心對換一下，就相得益彰了。」扁鵲給兩人喝下毒酒，讓他們昏迷三天，接著剖開胸膛，取出心臟，對換安置，再給兩人服用一種神藥，醒來後就像從前一樣健康。兩人告辭回家，公扈回到齊嬰家裡，並擁有他的妻子兒女，妻子兒女卻不認識他；齊嬰回到公扈家裡，佔有他的妻子兒女，妻子兒女也不認識他。兩家人因此打起官司，最後找到扁鵲。扁鵲說明了事情原委，官司才妥善解決。

【出處】

魯公扈趙齊嬰二人有疾，同請扁鵲求治。扁鵲治之。既同愈。謂公扈齊嬰曰：「汝曩之所疾，自外而干府藏者，固藥石之所已。今有偕生之疾，與體偕長，今為汝攻之，何如？」二人曰：「願先聞其驗。」扁鵲謂公扈曰：「汝志強而氣弱，故足於謀而寡於斷。齊嬰志弱而氣強，故少於慮而傷於專。若換汝之心，則均於善矣。」扁鵲遂飲二人毒酒，迷死三日，剖胸探心，易而置之；投以神藥，既悟如初。二人辭歸。於是公扈反齊嬰之室，而有其妻子，妻子弗識。齊嬰亦反公扈之室，有其妻子，妻子亦弗識。二室因相與訟，求辨於扁鵲。扁鵲辨其所由，訟乃已。（《列子》〈湯問〉）

撫心高蹈

匏巴彈琴，能使鳥兒飛舞、魚兒跳躍。鄭國的師文聽說後，便離開家鄉，去拜樂官師襄為師。學了三年，卻彈不好一支曲子。師襄說：「你可以回家了。」師文放下琴，嘆了口氣說：「我並不是不能調弦，也不是彈不好曲子，而是我心中存念的不是琴絃，腦子所想的也不是樂曲，內心不專注，便不能與樂器融為一體，因而也不敢放手自如地撥動琴絃。請再給一段時間吧，看我接下來有沒有效果。」沒過多久，師文去見師襄。師襄問說：「你的琴彈得怎麼樣了？」師文說：「可以了。讓我試試吧。」於是，正當春天的時候，他叩響了屬於金音的商弦，彈奏出代表八月的南呂樂律。琴聲響處，忽然吹來涼爽的秋風，草木隨之結出了豐碩的果實。面對秋色，他又撥動屬於木音的角弦，彈奏出代表二月的夾鐘樂律，一瞬間，溫暖的春風徐徐吹拂，綠樹青草發芽開花。面對夏日，他又撥動屬於水音的羽弦，彈奏出代表冬月的黃鐘樂律，但見霜雪交加，江河池塘頓時冷凍成冰。面對冬景，他又撥動屬於火音的徵弦，彈奏出代表五月的蕤賓樂律，只見陽光熾熱強烈，堅固的冰塊立刻融化。樂曲將終，他調換宮調，彈奏出四季調和的樂律，於是祥和的南風徐徐迴翔，吉慶的彩雲冉冉飄升，甘甜的雨露從天普降，清冽的泉水汩汩流淌。師襄高興得手撫心房蹦跳雀躍說：「你彈奏得太精妙了！即使是師曠彈奏的清角，鄒衍吹奏的聲管，也比不上你的高超啊，從今往後他們將手持琴絃、拿著簫管跟在你後面請教了。」

【出處】

瓠巴鼓琴而鳥舞魚躍，鄭師文聞之，棄家從師襄游。柱指鈞弦，三年不成章。師襄曰：「子可以歸矣。」師文舍其琴，嘆曰：「文非弦之不能鉤，非章之不能成。文所存者不在弦，所志者不在聲。內不得於心，外不應於器，故不敢發手而動弦。且小假之，以觀其所。」無幾何，復見師襄。師襄曰：「子之琴何如？」師文曰：「得之矣。請嘗試之。」於是當春而叩商弦以召南呂，涼風忽至，草木成實。及秋而叩角弦，以激夾鐘，溫風徐回，草木發榮。當夏而叩羽弦以召黃鐘，霜雪交下，川池暴沍。及冬而叩徵弦以激蕤賓，陽光熾烈，堅冰立散。將終，命宮而總四弦，則景風翔，慶雲浮，甘露降，澧泉湧。師襄乃撫心高蹈曰：「微矣，子之彈也！雖師曠之清角，鄒衍之吹律，亡以加之。彼將挾琴執管而從子之後耳。」（《列子》〈湯問〉）

響遏行雲

薛譚向秦青學唱歌，還沒有把秦青的本領全部學到手，自以為已經完全掌握，於是告辭回家。秦青也不挽留，在郊外的大路旁為他餞行。席間，秦青打著節拍慷慨而歌，聲音響徹樹林，連空中飄蕩的行雲也停住了。薛譚於是低頭認錯，請求返回繼續學習，終身不敢再提回家的事。秦青曾經對朋友說：「過去韓娥東行去齊國，糧食吃完了，經過雍門時，靠賣唱維持生活。她離開之後，歌聲的餘音還在屋梁間久久迴蕩，三天都不斷絕，周圍的居民都以為她並沒有離開。韓娥經過旅館時，旅館裡的人侮辱她。韓娥拖長了聲音悲哀地哭泣，周邊的男女老少無不為之感染，垂淚相對，整整三天吃不下飯。旅館裡的人急忙追趕她，向她賠禮道歉。韓娥回來後，為大家引吭高歌，周邊的男女老少無不歡欣雀躍，手舞足蹈，把之前的悲哀忘得一乾二淨。人們爭相贈給她錢財，送她回家。雍門一帶的人至今還擅長唱歌和悲哭，那是在模仿韓娥傳留下來的聲音啊！」

【出處】

薛譚學謳於秦青，未窮青之技，自謂盡之；遂辭歸。秦青弗止。餞於郊衢，撫節悲歌，聲振林木，響遏行雲。薛譚乃謝求反，終身不敢言歸。秦青顧謂其友曰：「昔韓娥東之齊，匱糧，過雍門，鬻歌假食。既去而餘音繞梁欐，三日不絕，左右以其人弗去。過逆旅，逆旅人辱之。韓娥因曼聲哀哭，一里老幼悲悉，垂涕相對，三日不食。遽百追之。娥還，復為曼聲長歌，一里老幼善躍抃舞，弗能自禁，忘向之悲也。乃厚賂發之。故雍門之人至今善歌哭，放娥之遺聲。」（《列子》〈湯問〉）

紀昌學箭

甘蠅是古代的神射手，只要張弓發射，就能擊落飛鳥，射殺走獸。弟子飛衛向甘蠅學習箭術，技巧超過了老師。有個名叫紀昌的人拜飛衛為師學習射箭。飛衛說：「你先學會不眨眼睛的本領，然後再來談學箭的事。」紀昌回家後，仰臥在妻子的織布機下，眼睛對著上下不停移動的踏板進行練習。兩年之後，即使錐尖刺到眼眶邊上，也

響遏行雲

能保持不眨眼睛。於是去向飛衛匯報。飛衛說：「這還不行，還必須練好眼力，能把很小的東西看得很大，把模糊的目標看得很顯著了，再來找我。」紀昌回家後，用一根牛尾巴毛繫住一隻蝨子吊在窗口上，每天瞪著這只蝨子看。十多天之後，蝨子逐漸變大；三年之後，竟然像車輪那麼大了。再看別的東西，都如丘陵高山一樣。於是他用燕國牛角加固的弓、楚國蓬干製成的箭去射蝨子，利箭射穿了蝨子的心臟，而吊掛蝨子的牛尾巴毛卻沒有斷。紀昌去向飛衛報告，飛衛高興得跳了起來，拍著胸脯說：「射箭的奧妙你已經學到了！」紀昌自以為完全掌握了飛衛的本領，心想天下能與自己匹敵的只有飛衛一人，於是圖謀殺害飛衛。一次，兩人在野外相遇，便張弓搭箭對射，箭頭在半途相撞墜落到地上，連塵土也沒有揚起來。飛衛的箭射完了，紀昌還剩下一支。他射出這支箭後，飛衛摘取身邊的荊棘，以棘尖絲毫不差地擋住了來箭。於是兩人含淚扔掉弓，在路上互相跪拜，結為父子，並刻臂發誓，不得把技巧傳給他人。

【出處】

甘蠅，古之善射者，彀弓而獸伏鳥下。弟子名飛衛，學射於甘蠅，而巧過其師。紀昌者，又學射於飛衛。飛衛曰：「爾先學不瞬，而後可言射矣。」紀昌歸，偃臥其妻之機下，以目承牽挺。二年之後，雖錐末倒眥，而不瞬也。以告飛衛。飛衛曰：「未也，必學視而後可。視小如大，視微如著，而後告我。」昌以氂懸蝨於牖。南面而望之。旬日之間，浸大也；三年之後，如車輪焉。以睹餘物，皆丘山也。乃以燕角之弧、朔蓬之簳射之，貫蝨之心，而懸不絕。以告飛衛。飛衛高蹈拊膺曰：「汝得之矣！」紀昌既盡衛之術，計天下之敵己者，一人而已；乃謀殺飛衛。相遇於野，二人交射；中路端鋒相觸，而墜於地，而塵不揚。飛衛之矢先窮。紀昌遺一矢；既發，飛衛以棘刺之端扞之，而無差焉。於是二子泣而投弓，相拜於途，請為父子。克臂以誓，不得告術於人。(《列子》〈湯問〉)

徐以神視

長江的水濱之間生長著一種極為細小的昆蟲，名字叫作焦螟，成群地飛聚在蚊子的眼睫毛上，彼此之間不相觸及，在蚊子睫毛上棲息來去，蚊子一點也覺察不到。眼力超好的離朱、子羽在大白天擦亮眼睛去觀看，也看不見牠們的形體；聽覺特靈的觥俞、師曠在夜深人靜時側耳俯首傾聽，也聽不到牠們的聲音。居住在崆峒山上的黃帝和容成子，一同齋戒三個月，心同死灰，形如枯木，然後徐徐以神念去觀察，看見他們的形體竟如嵩山的大丘；慢慢用元氣去傾聽，聽到它們的聲音砰然如雷霆般巨響。

【出處】

江浦之間生麼蟲，其名曰焦螟，群飛而集於蚊睫，弗相觸也。棲宿去來，蚊弗覺也。離朱子羽方晝拭眥揚眉而望之，弗見其形；觥俞師曠方夜擿耳俛首而聽之，弗聞其聲。唯黃帝與容成子居空峒之上，同齋三月，心死形廢；徐以神視，塊然見之，若嵩山之阿；徐以氣聽，砰然聞之，若雷霆之聲。(《列子》〈湯問〉)

巧奪天工

周穆王到西部視察，越過崑崙，登上弇山。返回的時候，尚未到達中原，路上遇見奉獻技藝的偃師。穆王問他說：「你有什麼才能呢？」偃師說：「只要是大王的命令，臣都願意嘗試。我製作了一樣東西，想給大王展示一下。」穆王說：「那你明天帶來看看吧。」第二天，偃師再來拜見穆王，穆王望著他的隨從說：「這人是誰呀？」偃師回答說：「是我製造的歌舞伎。」穆王驚奇地看去，見那歌舞伎疾行緩步，彎腰抬頭，跟真人一樣。偃師拍拍它的頭，它便唱起符合樂律的曼妙歌聲；摸摸它的手，它便跳起符合節拍的動人舞蹈。動作千變萬化，隨心所欲。穆王認為是真人，便叫來盛姬及宮內侍御等一起觀看。表演結束的時候，歌舞伎眨巴著眼睛故意挑逗穆王身邊的侍妾。穆王大怒，要處死偃師。偃師十分害怕，連忙把歌舞伎拆散給穆王看。原來都是用皮革、木料、膠水、油漆、白堊、黑炭、丹砂、青雘等材料拼湊而成的。穆王仔細察看，體內肝、膽、心、肺、脾、腎、腸、胃等五臟六腑俱全，體外筋骨、四肢、骨節、皮膚、汗毛、牙齒、頭髮等樣樣皆備。雖然都是假的，卻都惟妙惟肖。將其重裝起來，歌舞伎又恢復了原樣。穆王試著取出它的心臟，嘴巴便不能說話；拿掉肝臟，眼睛就不能觀看；摘掉腎臟，腿腳就不能行走了。穆王這才高興地讚歎說：「太神奇了，人的技巧竟然能達到與創造萬物的天地相同的功效啊！」於是命令偃師帶上歌舞伎一起返回中原。魯班製作了雲梯，墨翟製作了飛鳶，兩人都自以為能代表當時的最高技能。他們的弟子東門賈、禽滑釐把偃師的技巧報告給兩位老師，從此兩位不敢再奢談技藝，整天手執規矩鑽研不息。

【出處】

周穆王西巡狩，越崑崙，不至弇山。反還，未及中國，道有獻工人名偃師，穆王薦之，問曰：「若有何能？」偃師曰：「臣唯命所試。然臣已有所造，願王先觀之。」穆王曰：「日以俱來，吾與若俱觀之。」翌日，偃師謁見王。王薦之曰：「若與偕來者何人邪？」對曰：「臣之所造能倡者。」穆王驚視之，趨步俯仰，信人也。巧夫鎮其頤，則歌合律；捧其手，則舞應節。千變萬化，惟意所適。王以為實人也，與盛姬內御並觀之。技將終，倡者瞬其目而招王之左右侍妾。王大怒，立欲誅偃師。偃師大懾，立剖散倡者以示王，皆傅會革、木、膠、漆、白、黑、丹、青之所為。王諦料之，內則肝、膽、心、肺、脾、腎、腸、胃，外則筋骨、支節、皮毛、齒髮，皆假物也，而無不畢具者。合會復如初見。王試廢其心，則口不能言；廢其肝，則目不能視；廢其腎，則足不能步。穆王始悅而嘆曰：「人之巧乃可與造化者同功乎？」詔貳車載之以歸。夫班輸之雲梯，墨翟之飛鳶，自謂能之極也。弟子東門賈禽滑釐聞偃師之巧，以告二子，二子終身不敢語藝，而時執規矩。（《列子》〈湯問〉）

果於誣理

周穆王西征討伐犬戎的時候，犬戎人進貢了錕鋙劍和火浣布。錕鋙劍長一尺八寸，以純鋼鍛造，刀刃為赤色，用它切割玉石，就像削泥一樣。火浣布，洗滌時必須投入火中，布變成火的顏色，污垢則呈現為布的顏色。從火中把布取出來抖動幾下，布就變得跟雪一樣白。皇太子認為世界上不可能有這種東西，傳說的人肯定是胡說。大臣蕭叔說：「皇太子真是太自信了，大千世界，本來無奇不有啊。」

【出處】

周穆王大征西戎，西戎獻錕鋙之劍，火浣之布。其劍長尺有咫，練鋼赤刃，用之切玉如切泥焉。火浣之布，浣之必投於火；布則火色，垢則布色；出火而振之，皓然疑乎雪。皇子以為無此物，傳之者妄。蕭叔曰：「皇子果於自信，果於誣理哉！」（《列子》〈湯問〉）

終北之國

大禹治水的時候，一次迷失道路，誤入一個國家，瀕臨北海的北邊，不知離齊國有幾千萬里。國家的名字叫終北國，疆域遼闊得不知邊界到哪裡。這裡沒有風霜雨露，不生鳥獸、蟲魚、草木。四方一馬平川，四周則有山脈環繞。國家的正中有座山，山名叫作壺領，形狀像個小口的陶罐。山頂上有個洞口，形狀像個圓環，名叫滋穴。有水噴湧而出，名叫神瀵，香味勝過蘭椒，甘美勝過甜酒。一個水源分出四條支流，流到山下，再流經全國。這裡土氣調和，沒有瘟疫。人性柔和，順其自然，不相互爭奪，心地善良，品格柔弱，不驕傲嫉妒；長幼平等而居，不分君臣貴賤；男女雜處，無須媒妁聘娶；人們臨水而居，不必種田收割；由於氣溫適宜，也不用織布穿衣；每個人的壽命都是一百歲，既不早夭也不生病。這裡人丁興旺，人們整天開開心心，沒有衰老悲苦。民風喜好音樂，經常聚在一起唱歌，整天歌舞不停。餓了渴了疲倦了，就喝神泉的水，力氣和神志立即得到恢復。喝多了就會醉倒，要十多天才醒。用神泉的水洗澡，膚色柔滑而有光澤，香氣幾十天不散。周穆王北遊時到達終北國，在這兒一待就是三年，返回到周都以後，仍然念念不忘，悵然若失。酒飯不思，嬪妃不御，好幾個月才恢復正常。管仲得知消息後鼓動齊桓公遊遼口，一起到終北國看看。幾乎就要成行的時候，隰朋勸阻說：「齊國山川秀美，特產豐饒，人口眾多，禮義盛行；後宮美女如雲，滿朝文武忠良。君主叱吒一聲就能聚集百萬雄兵，號令一聲各國諸侯無不恭從聽命；為什麼要拋棄齊國而嚮往野蠻落後的國家呢？這是仲父的糊塗，何必聽他？」桓公於是放棄出遊，並把隰朋的話轉告管仲。管仲說：「這不是隰朋所能明白的。我只怕還不十分瞭解那個國家，如果真的能去，齊國的富饒有什麼可留戀的？」

【出處】

禹之治水土也，迷而失途，謬之一國。濱北海之北，不知距齊州幾千萬里，其國名曰終北，不知際畔之所齊限。無風雨霜露，不生鳥獸、蟲魚、草木之類。四方悉平，周以喬陟。當國之中有山，山名壺領，狀若甔甀。頂有口，狀若員環，名曰滋穴。有水湧出，名曰神瀵，臭過蘭椒，味過醪醴。一源分為四埒，注於山下。經營一國，亡不悉遍。土氣和，亡札厲。人性婉而從物，不競不爭。柔心而弱骨，不驕不忌；長幼儕居，不君不臣；男女雜游，不媒不聘；緣水而居，不耕不稼。土氣溫適，不織不衣；百年而死，不夭不病。其民孳阜亡數，有喜樂，亡衰老哀苦。其俗好聲，相攜而迭謠，終日不輟音。饑惓則飲神瀵，力志和平。過則醉，經旬乃醒。沐浴神瀵，膚色脂澤，香氣經旬乃歇。周穆王北游過其國，三年忘歸。既反周室，慕其國，惝然自失。不進酒肉，不召嬪御者，數月乃復。管仲勉齊桓公因游遼口，俱之其國。幾克舉，隰朋諫曰：「君舍齊國之廣，人民之眾，山川之觀，殖物之阜，禮義之盛，章服之美；妖靡盈庭，忠良滿朝。肆咤則徒卒百萬，視捴則諸侯從命，亦奚羨於彼而棄齊國之社稷，從戎夷之國乎？此仲父之耄，奈何從之？」桓公乃止，以隰朋之言告管仲。仲曰：「此固非朋之所及也。臣恐彼國之不可知之也。齊國之富奚戀？隰朋之言奚顧？」（《列子》〈湯問〉）

含光之劍

魏國人黑卵因私怨殺死了丘邴章，丘邴章的兒子來丹想為父親報仇，來丹胸有大志，無奈身體羸弱，每天吃不了多少飯，逆風連路都走不穩。雖然一腔怒火，卻不能拿起武器報仇。但他又恥於藉助別人的力量，只是發誓要親手用劍殺死黑卵。黑卵強悍超群，以一當百，筋骨皮肉與常人不同。他伸長脖頸承受刀斧，敞開胸脯抵擋箭擊，刀箭的鋒刃都摧折彎曲了，他的身體卻安然無恙。黑卵倚仗自己超強的本領，視來丹為剛出殼的小鳥，根本不放在眼裡。來丹的朋友申他說：「你怨恨黑卵到極點，黑卵小瞧你也到極致，你打算怎麼辦呢？」來丹流淚說：「希望你替我想想辦法。」申他說：「我聽說衛國孔周的祖先得到殷代天子的寶劍，即便小孩子佩帶它，也可以嚇退三軍人馬，為什麼不去求求他呢？」於是來丹來到衛國，求見孔周，行奴僕的大禮，請求把妻子兒女抵押給他，而後表達了自己的哀求。孔周說：「我有三把寶劍，任你選擇，但都殺不死人。先跟你介紹一下。第一把劍叫含光，肉眼看不見它的形狀，揮動時感覺不到它的存在。劍鋒過處，絲毫沒有縫隙，即便刺穿身體，身體也沒有感覺。第二把劍叫承影，在清晨天將亮未亮的時候，或傍晚天將暗未暗的時候，面向北觀察，隱約能感到它的存在，但不能分辨它的形狀。劍鋒過處，只發出輕微的聲音，穿過身體，也不會覺得疼痛。第三把劍叫宵練，白天能看見它的影子，但看不見它的光芒，夜間能看見它的光芒，卻看不見它的形狀。用它砍削身體，嘩然而過，傷口很快就合上，雖然感覺到疼痛，但劍刃上卻沒有一絲血跡。這三把寶劍，已經傳了十三代，放在劍匣裡從未打開，更沒有使用過。」來丹說：「那我就借用最次的那把含光之劍吧。」於是孔周把他的妻子兒女還給他，同他一起齋戒七天，在一個半晴半陰的日子，跪著遞給他含光之劍。來丹兩次拜謝後攜劍返回家中，從此手執含光劍跟蹤黑卵。一天，黑卵喝醉了酒躺在窗下，來丹上前揮劍從黑卵脖頸到腰間連砍三刀，黑卵絲毫沒有覺察。來丹以為黑卵死了，急忙離開，在門口撞見黑卵的兒子，於是又揮劍砍了他三下，彷彿砍到虛空一樣。黑卵的兒子笑著說：「你傻乎乎地向我三次招手幹什麼？」來丹明白了這劍真的殺不死人，哀嘆著回家了。黑卵醒來後向妻子發火說：「你趁我喝醉的時候脫光我的衣服，使我咽喉堵塞，腰也疼痛了。」他兒子說：「剛才來丹來過，在門口碰到我，向我招了三次手，也使我身體疼痛，四肢麻木。這傢伙一定是在詛咒我們吧。」

【出處】

魏黑卵以暱嫌殺丘邴章。丘邴章之子來丹謀報父之仇。丹氣甚猛，形甚露，計粒而食，順風而趨。雖怒，不能稱兵以報之。恥假力於人，誓手劍以屠黑卵。黑卵悍志絕眾，力抗百夫，節骨皮肉，非人類也。延頸承刀，披胸受矢，鋩鍔摧屈，而體無痕撻。負其材力，視來丹猶雛鷇也。來丹之友申他曰：「子怨黑卵至矣，黑卵之易子過矣，將奚謀焉？」來丹垂涕曰：「願子為我謀。」申他曰：「吾聞衛孔周其祖得殷帝之寶劍，一童子服之，卻三軍之眾，奚不請焉？」來丹遂適衛，見孔周，執僕御之禮，請先納妻子，後言所欲。孔周曰：「吾有三劍，唯子所擇；皆不能殺人，且先言其狀。一曰含光，視之不可見，運之不知有。其所觸也，泯然無際，經物而物不覺。二曰承影，將旦昧爽之交，日夕昏明之際，北面而察之，淡淡焉若有物存，莫識其狀。其所觸也，竊竊然有聲，經物而物不疾也。三曰宵練，方晝則見影而不見光，方夜見光而不見形。其觸物也，騞然而過，隨過隨合，覺疾而不血刃焉。此三寶者，傳之十三世矣，而無施於事。匣而藏之，未嘗啟封。」來丹曰：「雖然，吾必請其下者。」孔周乃歸其妻子，與齋七日。晏陰之間，跪而授其下劍，來丹再拜受之以歸。來丹遂執劍從黑卵。時黑卵之醉偃於牖下，自頸至腰三斬之。黑卵不覺。來丹以黑卵之死，趣而退。遇黑卵之子於門，擊之三下，如投虛。黑卵之子方笑曰：「汝何蚩而三招予？」來丹知劍之不能殺人也，嘆而歸。黑卵既醒，怒其妻曰：「醉而露我，使人嗌疾而腰急。」其子曰：「疇昔來丹之來。遇我於門，三招我，亦使我體疾而支強，彼其厭我哉！」(《列子》〈湯問〉)

得心應手

造父的老師叫泰豆氏，造父剛開始跟隨他學習駕車時，所持禮儀十分謙卑，但泰豆三年也沒有教他。造父持禮更加謹慎，泰豆才告訴他說：「古詩說：『優秀弓匠的弟子，一定要先學習做簸箕；優秀冶匠的弟子，一定要先學習做皮衣。』你先看我快步行走。如果能和我一樣地快步行走，然後才可以掌握轠繩，駕馭馬匹。」造父說：「一切聽您的命令。」泰豆於是把木棍立起來作道路，木樁上只能放一隻腳，根據步伐大小放置，然後踩在木樁上行走，來回快跑，也沒有跌落下來。造父學習這個技巧，三天就完全學到手了。泰豆讚歎說：「你怎麼這麼靈敏呀？掌握得真快啊！凡是要駕馭馬車的，也要像這樣子。剛才你在木樁上走路時，踩得穩的是腳，指揮者是心。把這推廣到駕車上，在協調轠繩和銜鐵的時候，快慢與口令相和諧，正確的指揮發於心胸之內，而掌握節拍在於手臂之間。體內有了適中的思慮，身外符合馬匹的性情，所以能進退遵循繩墨，旋曲符合規矩，選擇道路，長途奔馳，氣力綽綽有餘，這才是真正掌握了駕車的技巧。在銜鐵上得到信號，馬上就能在轠繩上有所回應；在轠繩上得到信號，馬上就能在手上有所回應。在手上得到信號，馬上就在心上有所回應。這樣就用不著眼睛看，用不著鞭子趕，心情閒適，身體正直，六匹馬的轠繩不亂，二十四隻馬蹄的步伐沒有誤差，回轉與進退，沒有不符合節拍的。然後，可以使車輪之外沒有其他痕跡，馬蹄之外沒有其他地面也照樣能行走，山谷的艱險和原野的平坦，看上去完全一樣。這就是我的全部技巧，你好好記住吧！」

【出處】

造父之師曰泰豆氏。造父之始從習御也，執禮甚卑，泰豆三年不告。造父執禮愈謹，乃告之曰：「古詩言：『良弓之子，必先為箕，良冶之子，必先為裘。』汝先觀吾趣。趣如事，然後六轡可持，六馬可御。」造父曰：「唯命所從。」泰豆乃立木為途，僅可容足；計步而置。履之而行。趣走往還，無跌失也。造父學之，三日盡其巧。泰豆嘆曰：「子何其敏也？得之捷乎！凡所御者，亦如此也。曩汝之行，得之於足，應之於心。推於御也，齊輯乎轡銜之際，而急緩乎脣吻之和，正度乎胸臆之中，而執節乎掌握之間。內得於中心，而外合於馬志，是故能進退履繩而旋曲中規矩，取道致遠而氣力有餘，誠得其術也。得之於銜，應之於轡；得之於轡，應之於手；得之於手，應之於心。則不以目視，不以策驅；心閒體正，六轡不亂，而二十四蹄所投無差；迴旋進退，莫不中節。然後輿輪之外可使無餘轍，馬蹄之外可使無餘地；未嘗覺山谷之險，原隰之夷，視之一也。吾術窮矣。汝其識之！」（《列子》〈湯問〉）

季梁得疾

楊朱的朋友季梁生病了，七天後病情加重，兒子們圍著床榻哭泣，請醫生醫治。季梁對楊朱說：「我的兒子太不懂事了，你何不替我唱首歌開導他們呢？」於是楊朱唱道：「老天不清楚，人豈能知道？不是人的錯，天也不能保。我、你和大家，誰也不知道。醫生和巫師，難道就明瞭？」兒子們不懂其意。最後請來三位醫生。一位叫矯氏，一位叫俞氏，一位叫盧氏。矯氏對季梁說：「你體內寒熱不調，虛實失限，病因在於時饑時飽和色慾過度，導致精神紊亂，病不在天，也不在鬼。雖然危重，仍然可以治療。」季梁說：「這是庸醫，快叫他出去！」俞氏說：「你生下來就胎氣不足，乳汁有餘，這病不是起於一朝一夕，而是逐漸加劇的，已經治不好了。」季梁說：「這是位良醫，留他吃頓飯吧！」盧氏說：「你的病不由天，不由人，也不在鬼，從你稟受生命之氣而成形的那天起，既有控制你的，也有知曉你的，這就是命運，藥物針砭對你又有什麼用呢？」季梁說：「這是一位神醫，重重地賞賜他！」不久季梁的病就自己痊癒了。

【出處】

楊朱之友曰季梁。季梁得疾，七日大漸。其子環而泣之，請醫。季梁謂楊朱曰：「吾子不肖如此之甚，汝奚不為我歌以曉之？」楊朱歌曰：「天其弗識，人胡能覺？匪祐自天，弗孽由人。我乎汝乎！其弗知乎！醫乎巫乎！其知之乎？」其子弗曉，終謁三醫。一曰矯氏，二曰俞氏，三曰盧氏，診其所疾。矯氏謂季梁曰：「汝寒溫不節，虛實失度，病由饑飽色欲。精慮煩散，非天非鬼。雖漸，可攻也。」季梁曰：「眾醫也，亟屏之！」俞氏曰：「女始則胎氣不足，乳湩有餘。病非一朝一夕之故，其所由來漸矣，弗可已也。」季梁曰：「良醫也，且食之！」盧氏曰：「汝疾不由天，亦不由人，亦不由鬼。稟生受形，既有制之者矣，亦有知之者矣，藥石其如汝何？」季梁曰：「神醫也，重貺遣之！」俄而季梁之疾自瘳。（《列子》〈力命〉）

子死不憂

魏國有個叫東門吳的人，他兒子死了卻不憂傷。他管家問他說：「您對兒子的寵愛天下少有，現在兒子死了卻不憂傷，為什麼呢？」東門吳說：「我過去沒有兒子，沒有兒子的時候並不憂傷。現在兒子死了，就和過去沒有兒子時一樣了，有什麼可憂愁的呢？」

【出處】

魏人有東門吳者，其子死而不憂。其相室曰：「公之愛子，天下無有。今子死不憂，何也？」東門吳曰：「吾常無子，無子之時不憂。今子死，乃與向無子同，臣奚憂焉？」（《列子》〈力命〉）

名者偽而已矣

楊朱到魯國遊覽，住在孟氏家中。孟氏問他說：「老老實實做人就行，為什麼還要名聲呢？」楊朱回答說：「靠名聲去發財啊。」孟氏又問：「已經發財了，為什麼還不罷休呢？」楊朱說：「富了還要貴嘛。」孟氏又問：「已經做官了，為什麼仍不罷休呢？」楊朱說：「為死後考慮呀。」孟氏不解地說：「人都已經死了，還要名聲幹什麼？」楊朱說：「為子孫啊。」孟氏問說：「名聲對子孫有什麼好處呢？」楊朱說：「名聲是身體辛苦、處心積慮得到的。伴隨名聲而來的，好處可施及宗族，利益可兼顧鄉里，更何況子孫呢？」孟氏說：「大凡追求好名聲的人必須廉潔自守，廉潔就會貧窮；又必須謙讓，謙讓就難得顯貴。」楊朱說：「管仲為齊相時，國君淫亂，他也淫亂，國君奢侈，他也奢侈。與桓公志同道合，齊國得以成為霸主。管仲死後，家族隨之衰落。田氏為齊相時，國君富有，他便貧苦；國君搜括，他便施捨。老百姓於是都偏向他，他因而竊取齊國，子子孫孫享有，至今沒有中斷。」孟氏說：「如此說來，真實的名聲使人貧困，虛假的名聲使人富貴。」楊朱說：「的確是這樣，務實的沒名聲，有名聲的不務實。所謂名聲，實際上是虛偽的。過去堯舜假裝把天下讓給許由、善卷，但實際上並沒有失去天下，享受帝位達百年之久；伯夷、叔齊倒是真的謙讓了孤竹國君位，結果餓死在首陽山。真實與虛偽的區別，就是這麼明白。」

【出處】

楊朱游於魯，舍於孟氏。孟氏問曰：「人而已矣，奚以名為？」曰：「以名者為富。」「既富矣，奚不已焉？」曰：「為貴。」「既貴矣，奚不已焉？」曰：「為死。」「既死矣，奚為焉？」曰：「為子孫。」「名奚益於子孫？」曰：「名乃苦其身，燋其心。乘其名者，澤及宗族，利兼鄉黨；況子孫乎？」「凡為名者必廉，廉斯貧；為名者必讓，讓斯賤。」曰：「管仲之相齊也，君淫亦淫，君奢亦奢，志合言從，道行國霸，死之後，管氏而已。田氏之相齊也，君盈則己降，君斂則己施，民皆歸之，因有齊國；子孫享之，至今不絕。」「若實名貧，偽名富。」曰：「實無名，名無實；名者，偽而已矣。昔者堯舜偽以天下讓許由善卷，而不失天下，享祚百年。伯夷叔齊實以孤竹君讓，而終亡其國，餓死於首陽之山。實、偽之辯，如此其省也。」（《列子》〈楊朱〉）

治家以及國

子產擔任國相，獨掌政權三年，好人服從他的教化，壞人畏懼他的禁令，國家得到很好的治理，諸侯各國不敢再輕視鄭國。子產有個哥哥叫公孫朝，有個弟弟叫公孫穆。前者嗜酒，後者好色。公孫朝家裡藏有上千罈好酒，陳麴堆積如山，離他家大門百步之遠，酒糟的氣味就撲鼻而來。在他沉溺飲酒的日子裡，時局的安危，人事的紛爭，妻室的有無，家族的親疏，生死的哀樂，乃至於水火兵刃交加於前，他都茫然無知。公孫穆的後院並列著數十套房間，裡面住著他精心挑來的年輕美貌的女子。當他沉湎女色的時候，摒退親友，斷絕交遊，躲在後院裡，夜以繼日，三個月才出來一次，還覺得不過癮。但凡發現鄉間有美貌的處女，一定要用錢財招引，托媒人引誘，不弄到手絕不罷休。子產為此日夜憂愁，悄悄找鄧析商量說：「我聽說管好自己才能管好家庭，管好家庭才能管好國家，就是說做事要由近而遠。現在我治理鄭國成功了，但家庭卻混亂不堪。是我的方法錯了嗎？有什麼辦法能挽救我兩個兄弟呢？」鄧析說：「我也納悶好久了。你為何不在他們清醒的時候，用生命的重要去曉喻他們，用禮義的尊貴去誘導他們呢？」子產聽從鄧析的建議，找機會召見兩位兄弟，告訴他們說：「人比禽獸尊貴的地方，在於有理智。理智所倚仗的是禮義。具備禮義，就能得到名譽和地位。如果放縱情慾，沉溺嗜好，生命就危險了。你們聽我的話，早上悔改，晚上就給你們官做。」公孫朝和公孫穆說：「我們早就明白，也選擇好久了，不需要你來教訓我們。生命很可貴，死亡隨時到來。以可貴的生命去面對隨時降臨的死亡，還有什麼可以牽掛於心呢？如果想以尊重禮義誇耀於人，以克制性情獲得名譽，那還不如死了好。人活著，就要享盡一生的歡娛，窮極一時的快活，只怕肚子太飽不能聽任嘴巴痛飲，但恐精力疲憊不能縱情淫樂，哪裡有工夫去考慮名聲的醜惡和性命的危險？如今你向我們誇耀治國才能，想以花言巧語擾亂我們的心性，用榮華富貴迷惑我們的意志，不也太淺薄可憐了嗎？你來聽聽我們的道理：你覺得善於治理外物，外物未必能治好，但自己卻身心疲憊；重在修練內心的，外物未必混亂，自身卻十分安逸。以你對鄭國的治理，雖可暫行一時，並不符合人的本性；以我們的方法修練內心，卻可通行天下，連君臣之道也用不著。我們一直在跟你講其中的道理，你反而要把你那套東西強加給我們。」子產茫然無以應對。第二天，他把見面的情況告訴鄧析。鄧析說：「你同本性率真的人相處卻不知道，誰說你是聰明人啊？看來鄭國治理得好只是偶然現象，並不是你的功勞。」

【出處】

子產相鄭，專國之政，三年，善者服其化，惡者畏其禁，鄭國以治。諸侯憚之。而有兄曰公孫朝，有弟曰公孫穆。朝好酒，穆好色。朝之室也，聚酒千鍾，積麴成封，望門百步，糟漿之氣逆於人鼻。方其荒於酒也，不知世道之爭危，人理之悔吝，室內之有亡，九族之親疏，存亡之哀樂也。雖水火兵刃交於前，弗知也。穆之後庭比房數十，皆擇稚齒婑媠者以盈之。方其耽於色也，屏親暱，絕交游，逃於後庭，以晝足夜；三月一出，意猶未愜。鄉有處子之娥姣者，必賄而招之，媒而挑之，弗獲而後已。子產日夜以為戚，密造鄧析而謀之，曰：「僑聞治身以及家，治家以及國，此言自於近至於遠也。僑為國則治矣，而家則亂矣。其道逆邪？將奚方以救二子？子其詔之！」鄧析曰：「吾怪之久矣！未敢先言。子奚不時其治也，喻以性命之重，誘以禮義之尊乎？」子產用鄧析之言，因間以謁其兄弟而告之曰：「人之所以貴於禽獸者，智慮。智慮之所將者，禮義。禮義成，則名位至矣。若觸情而動，耽於嗜慾，則性命危矣。子納僑之言，則朝自悔而夕食祿矣。」朝、穆曰：「吾知之久矣，擇之亦久矣，豈待若言而後識之哉？凡生之難遇，而死之易及；以難遇之生，俟易及之死，可孰念哉？而欲尊禮義以誇人，矯情性以招名，吾以此為弗若死矣。為欲盡一生之歡，窮當年之樂，唯患腹溢而不得恣口之飲，力憊而不得肆情於色，不遑憂名聲之醜，性命之危也。且若以治國之能夸物，欲以說辭亂我之心，榮祿喜我之意，不亦鄙而可憐哉！我又欲與若別之。夫善治外者，物未必治，而身交苦；善治內者，物未必亂，而性交逸。以苦之治外，其法可暫行於一國，未合於人心；以我之治內，可推之於天下，君臣之道息矣。吾常欲以此術而喻之，若反以彼術而教我哉？」子產忙然無以應之。他日以告鄧析。鄧析曰：「子與真人居而不知也，孰謂子智者乎？鄭國之治偶耳，非子之功也。」（《列子》〈楊朱〉）

一毛不拔

楊朱說：「伯成子高不肯拔一根毫毛為他人謀利益，結果拋棄國家，隱居種田去了。大禹不吝惜自己的身體為自己謀利，結果勞累過度，落得半身癱瘓。古時候的人，損傷自己的一根毫毛為天下人謀利，他不肯幹；以天下的財物來奉養自己，他也不要。人人都不損害自己的一根毫毛，人人都不為天下人謀利益，天下就太平了。」禽子問楊朱說：「取你身上一根汗毛以救濟天下，你幹嗎？」楊子說：「天下本來不是一根汗毛所能救濟的。」禽子說：「假使能救濟，你幹嗎？」楊子不吭聲。禽子出來告訴孟孫陽。孟孫陽說：「你不明白先生的心，讓我來說吧。有人侵犯你的肌肉皮膚便可得到一萬金，你幹嗎？」禽子說：「我幹。」孟孫陽說：「有人砍斷你的一節身體便可得到一個國家，你幹嗎？」禽子沉思良久，未作回應。孟孫陽說：「一根汗毛比肌肉皮膚小得多，肌肉皮膚比一節身體小得多，這很顯然。然而把一根根汗毛積累起來便成了肌肉皮膚，把一塊塊肌肉皮膚積累起來便成了一節身體。雖然一根汗毛只是整個身體的萬分之一，為什麼要輕視它呢？」禽子說：「我沒有什麼話可以回答你。拿你的話去問老聃、關尹，你的話可能是對的；拿我的話去問大禹、墨翟，我的話就是正確的了。」

【出處】

楊朱曰：「伯成子高不以一毫利物，舍國而隱耕。大禹不以一身自利，一體偏枯。古之人，損一毫利天下不與也，悉天下奉一身，不取也。人人不損一毫，人人不利天下，天下治矣。」禽子問楊朱曰：「去子體之一毛，以濟一世，汝為之乎？」楊子曰：「世固非一毛之所濟。」禽子曰：「假濟，為之乎？」楊子弗應。禽子出，語孟孫陽。孟孫陽曰：「子不達夫子之心，吾請言之。有侵苦肌膚獲萬金者，若為之乎？」曰：「為之。」孟孫陽曰：「有斷若一節得一國。子為之乎？」禽子默然有間。孟孫陽曰：「一毛微於肌膚，肌膚微於一節，省矣。然則積一毛以成肌膚，積肌膚以成一節。一毛固一體萬分中之一物，奈何輕之乎？」禽子曰：「吾不能所以答子。然則以子之言問老聃、關尹，則子言當矣；以吾言問大禹、墨翟，則吾言當矣。」孟孫陽因顧與其徒說他事。(《列子》〈楊朱〉)

人不衣食，君臣道息

楊朱說：「民眾所以難得休息，是為了四件事的緣故：一是為了長壽，二是為了名聲，三是為了地位，四是為了錢財。有了這四種念想，就會怕鬼怕人，害怕權勢和刑罰。這樣的人違反了自然的本性。這樣的人或死或活，都聽任外力的支配。不違背天命，何須羨慕長壽？不看重尊貴，何需要羨慕名聲？不追求權勢，何需要羨慕地位？不貪求富有，又何必羨慕錢財？沒有這四種念想的人，是順應自然本性的人。他們在天下沒有敵手，支配在於自身。所以俗話說：『人不結婚求官，情慾便少一半；人不穿衣吃飯，君臣之道可以休矣。』周代的諺語說：『農夫累不死，坐著會閒死。』早出晚歸，自己覺得是人之常情；粗茶淡飯，自己感到是美味佳餚；如果讓五大三粗的農夫穿上柔軟的毛裘和光潤的綢緞，吃上細糧魚肉與香美的水果，反而會渾身不適，內熱生病。反過來，要讓宋國和魯國的國君來與老農一同種地，不消一刻，他們就會累癱在地。

【出處】

楊朱曰：「生民之不得休息，為四事故：一為壽，二為名，三為位，四為貨。有此四者，畏鬼，畏人，畏威，畏刑，此謂之遁民也。可殺可活，制命在外。不逆命，何羨壽？不矜貴，何羨名？不要勢，何羨位？不貪富，何羨貨？此之謂順民也。天下無對，制命在內，故語有之曰：『人不婚宦，情欲失半；人不衣食，君臣道息。』周諺曰：『田父可坐殺。』晨出夜入，自以性之恆；啜菽茹藿，自以味之極；肌肉粗厚，筋節䐁急，一朝處以柔毛綈幕，薦以粱肉蘭橘，心痟體煩，內熱生病矣。商魯之君與田父侔地，則亦不盈一時而憊矣。故野人之所安，野人之所美，謂天下無過者。」（《列子》〈楊朱〉）

農夫獻曝

從前宋國有個農夫，常常穿著破麻絮，勉強熬過冬天。開春的時候，他下地幹活，在太陽底下曬得暖洋洋的，不知天下還有大廈溫室，絲棉狐裘，他回頭對妻子說：「曬太陽的暖和，別人沒有一個知道的。我拿這辦法去獻給國君，一定會有重賞。」鄉里一位富豪譏諷他說：「過去有個人喜歡吃大豆、胡麻莖、艾蒿苗，對著鄉里的富豪嘖嘖稱讚，富豪就拿來品嚐，誰知刺在嘴上，疼在肚裡。大家都譏笑並埋怨那個鄉人，鄉人大為慚愧，你就是那個鄉人啊！」

【出處】

昔者宋國有田夫，常衣縕黂，僅以過冬。暨春東作，自曝於日，不知天下之有廣廈隩室，綿纊狐貉。顧謂其妻曰：「負日之暄，人莫知者；以獻吾君，將有重賞。」里之富室告之曰：「昔人有美戎菽，

甘枲莖芹萍子者，對鄉豪稱之。鄉豪取而嘗之，蜇於口，慘於腹，眾哂而怨之，其人大慚。子，此類也。」（《列子》〈楊朱〉）

生死之道

晏嬰向管仲請教養生之道。管仲說：「我理解的養生之道，也就放縱二字，對身心的欲望不要壓抑，不要遏制。」晏嬰問：「具體該怎麼做呢？」管仲說：「耳朵想聽什麼就聽什麼，眼睛想看什麼就看什麼，鼻子想聞什麼就聞什麼，嘴巴想說什麼就說什麼，身體想怎麼舒服就怎麼舒服，意念想幹什麼就幹什麼。如果耳朵想聽悦耳的聲音卻聽不到，眼睛想看美色卻不讓看，鼻子想聞花椒與蘭草的芳香卻聞不到，嘴巴想表達是非卻不敢說，身體追求舒適享受卻難得滿足，意念渴望放縱安逸卻不能實現；凡此種種，都叫作壓抑本性。去除這些壓抑本性的行為，盡情地享受快樂人生，哪怕只有十年、一年、一月甚或一天，這就是我理解的養生。拘泥那些殘害身心的約束，畏頭畏尾、縮手縮腳、心情憂鬱地活到老，即使能活一百年，一千年，一萬年，也不是我理解的養生。」管仲反過來問晏子說：「我已經告訴你養生的含義了，那你講講怎樣對待送終呢？」晏嬰說：「送終就簡單了。已經死了，還由得著死者自己嗎？火葬也行，水葬也罷，土葬也可，裹把茅草扔到溝裡也行，穿上壽衣裝殮入棺也可，拋屍野外也行，隨便後人怎麼處置啊。」管仲回頭對鮑叔黃子說：「生死的道理，我倆已經完全悟透了。」

【出處】

晏平仲問養生於管夷吾。管夷吾曰：「肆之而已，勿壅勿閼。」晏平仲曰：「其目奈何？」夷吾曰：「恣耳之所欲聽，恣目之所欲視，恣鼻之所欲向，恣口之所欲言，恣體之所欲安，恣意之所欲行。夫耳之所欲聞者音聲，而不得聽，謂之閼聰；目之所欲見者美色，而不得視，謂之閼明；鼻之所欲向者椒蘭，而不得嗅，謂之閼顫；口之所欲道者是非，而不得言，謂之閼智；體之所欲安者美厚，而不得從，謂之閼適；意之所為者放逸，而不得行，謂之閼性。凡此諸閼，廢虐之主。去廢虐之主，熙熙然以俟死，一日、一月，一年、十年，吾所謂養。拘此廢虐之主，錄而不捨，戚戚然以至久生，百年、千年、萬年，非吾所謂養。」管夷吾曰：「吾既告子養生矣，送死奈何？」晏平仲曰：「送死略矣，將何以告焉？」管夷吾曰：「吾固欲聞之。」平仲曰：「既死，豈在我哉？焚之亦可，沈之亦可，瘞之亦可，露之亦可，衣薪而棄諸溝壑亦可，袞衣繡裳而納諸石槨亦可，唯所遇焉。」管夷吾顧謂鮑叔黃子曰：「生死之道，吾二人進之矣。」（《列子》〈楊朱〉）

成大功者不成小

楊朱拜見梁王，說治理天下就像翻轉手掌一樣容易。梁王說：「先生連家裡一妻一妾都管不好，三畝菜地的草都除不淨，卻說治理天下像撥弄手掌一樣容易，這是什麼道理？」楊朱回答說：「您見過牧羊人嗎？成百隻羊合為一群，讓一個五尺高的小孩拿著鞭子跟著後面，想叫羊向東羊就向東，想叫羊向西羊就向西。如果讓堯來牽一隻羊，舜拿著鞭子跟在後面，那就一步也走不了啦。而且我聽說：能吞沒船隻的大魚，不會到江河支流中遊玩；在高空飛翔的鴻雁，不會在污穢的池塘裡歇息。為什麼？因為它們的志向遠大。像黃鐘大呂這樣的音樂，就不能用以繁雜湊合的舞蹈伴奏。為什麼？因為它們的音律洪亮清正。要治理大事的人不屑小事，要成就大功的人不屑小節，道理就在這裡。」

【出處】

楊朱見梁王，言治天下如運諸掌。梁王曰：「先生有一妻一妾而不能治；三畝之園而不能芸；而言治天下如運諸掌，何也？」對曰：「君見其牧羊者乎？百羊而群，使五尺童子荷箠而隨之，欲東而東，欲西而西。使堯牽一羊，舜荷箠而隨之，則不能前矣。且臣聞之：吞舟之魚，不游枝流；鴻鵠高飛，不集污池。何則？其極遠也。黃鐘大呂不可從煩奏之舞，何則？其音疏也。將治大者不治細，成大功者不成小，此之謂矣。」（《列子》〈楊朱〉）

德過其祖

衛國的端木叔是子貢的後代。依靠祖上的產業，到端木時家產累計達萬金之多。於是他不再專事家業，而是縱情去追求享受。凡是人們想要去做的，心中想玩的，他樣樣去嘗試。家中的牆院臺榭、園囿池沼、飲食車服、聲樂美妾，幾乎可以與齊、楚的國君相比。只要是情慾喜好的，耳朵想聽的，眼睛想看的，嘴巴想嚐的，即使在非常偏遠的地方，也一定要搞到手，就好像拿自己圍牆內的東西一樣。想要出去遊覽，即使山河阻險，路途遙遠，也一定要到達，就彷彿在院子裡隨意漫步一般。他家的賓客每天數以百計，廚房裡的炊煙不斷，廳堂裡樂舞不絕。除了奉養門客的開銷，多餘的錢財先施捨給本宗族的人，再施散給本鄉的人，最後施散給整個都城的人。端木活到六十歲的時候，身體即將衰弱，便拋棄家事，一年之中將全部庫藏及珍珠寶玉、車馬衣物、少婦美女統統散盡，沒有給子孫留下一點錢財。等到他重病在身的時候，家中沒有求醫抓藥的積蓄；到他臨死之際，家中甚至沒有買棺材的錢財。最後還是都城裡受過他施捨的人共同出錢安葬他，並把錢財退還給他的子孫。禽滑釐聽到這件事，評論說：「端木叔真是個瘋子，侮辱了他的祖先。」段干生卻說：「端木叔是個達觀的人，德行超過他的祖先。他的行為，一般人覺得驚訝，卻符合自然之理。衛國的君子多以禮教約束自己，當然不可能理解端木叔的用心。」

【出處】

衛端木叔者，子貢之世也。藉其先貲，家累萬金。不治世故，放意所好。其生民之所欲為，人意之所欲玩者，無不為也，無不玩也。牆屋臺榭，園囿池沼，飲食車服，聲樂嬪御，擬齊楚之君焉。至其情所欲好，耳所欲聽，目所欲視，口所欲嘗，雖殊方偏國，非齊土之所產育者，無不必致之；猶藩牆之物也。及其游也，雖山川阻險，途徑修遠，無不必之，猶人之行咫步也。賓客在庭者日百住，庖廚之下不絕煙火；堂廡之上不絕聲樂。奉養之餘，先散之宗族；宗族之餘，次散之邑里；邑里之餘，乃散之一國。行年六十，氣乾將衰，棄其家事，都散其庫藏、珍寶、車服、妾媵。一年之中盡焉，不為子孫留財。及其病也，無藥石之儲；及其死也；無瘞埋之資。一國之人受其施者，相與賦而藏之，反其子孫之財焉。禽骨釐聞之，曰：「端木叔，狂人也，辱其祖矣。」段干生聞之，曰：「端木叔，達人也，德過其祖矣。其所行也，其所為也，眾意所驚，而誠理所取。衛之君子多以禮教自持，固未足以得此人之心也。」（《列子》〈楊朱〉）

疑人偷斧

有個人丟失了一把斧子，懷疑是他鄰居家的孩子偷的，看那孩子走路的樣子像偷斧子的，神色像偷斧子的，說話像偷斧子的；動作姿態，樣樣都像偷斧子的。不久他到山谷裡掘地，找到了那把斧子。回頭再見到鄰居家孩子的時候，動作姿態再沒有一點像偷斧子的人了。

【出處】

人有亡鈇者，意者鄰之子，視其行步，竊鈇也；顏色，竊鈇也；言語，竊鈇也；動作態度無為而不竊鈇也。俄而扣其谷而得其鈇，他日復見其鄰人之子，動作態度無似竊鈇者。（《列子》〈說符〉）

得時者昌，失時者亡

魯國的施氏有兩個兒子，一個愛好學問，一個喜歡軍事。愛好學問的兒子以學術謀求齊侯任用，齊侯接納他，讓他擔任公子們的老師。愛好軍事的兒子到楚國，以兵法向楚王求職。楚王很高興，讓他擔任軍正。兩個兒子的俸祿為家庭帶來富裕，爵位也使親人感到榮耀。施氏的鄰居孟氏也有兩個兒子，所學的東西跟施家兩個兒子一樣，卻被貧困所迫。兩人羨慕施氏的成就，便去請教上進的方法。施氏兒子據實相告。於是孟氏的一個兒子來到秦國，以學術求為秦王所用。秦王說：「當今諸侯各國憑武力爭奪天下，每天考慮的是兵馬糧草。如果用仁義來治理國家，將是死路一條。」對其施以宮刑並驅逐了他。孟氏的另一個兒子來到衛國，以兵法求仕於衛侯。衛侯說：「衛國是個弱國，夾在大國中間。順服大國，安撫小國，這才是求保平安的方法。如果倚重軍事，亡國之日就不遠了。如果好好放你出去，為別國所用，衛國就要遭殃了。」於是砍斷他的雙腳才放他回魯國。回家以後，孟氏父子捶胸頓足責罵施氏。施氏說：「凡事順應時勢則昌盛，違時勢則敗亡。你們的學業與我們一樣，取得的功效不同，並不是你們的做法有問題，而是時運不濟。天下沒有永遠正確的道理，也沒有永遠錯誤的事情。昨天適用的東西，今天可能拋棄；今天拋棄的內容，明天可能適用。適用不適用，並沒有固定的標準。抓住機會，審時度勢，隨機應變，這需要智謀。智謀不到，即便博學多才如孔丘，善用兵法如呂尚，照樣不能顯達。」孟氏父子總算明白了，不再怨恨說：「我們知道了，你們不必多說了。」

【出處】

魯施氏有二子，其一好學，其一好兵。好學者以術干齊侯；齊侯納之，以為諸公子之傅。好兵者之楚，以法干楚王；王悅之，以為軍正。祿富其家，爵榮其親。施氏之鄰人孟氏同有二子，所業亦同，而窘於貧。羨施氏之有，因從請進趨之方。二子以實告孟氏。孟氏之一子之秦，以術干秦王。秦王曰：「當今諸侯力爭，所務兵食而已。若用仁義治吾國，是滅亡之道。」遂宮而放之。其一子之衛，以法干衛侯。衛侯曰：「吾弱國也，而攝乎大國之間。大國吾事之，小國吾撫之，是求安之道。若賴兵權，滅亡可待矣。若全而歸之，適於他國。為吾之患不輕矣。」遂刖之，而還諸魯。既反，孟氏之父子叩胸而讓施氏。施氏曰：「凡得時者昌，失時者亡。子道與吾同，而功與吾異，失時者也，非行之謬也。且天下理無常是，事無常非。先日所用，今或棄之；今之所棄，後或用之。此用與不用，無定是非也。投隙抵時，應事無方，屬乎智。智苟不足，使若博如孔丘，術如呂尚，焉往而不窮哉？」孟氏父子舍然無慍容，曰：「吾知之矣，子勿重言！」（《列子》〈說符〉）

歧途亡羊

楊朱的鄰居走失了一隻羊，鄰居率領全家人去追趕，還讓楊朱的僕人協助尋找。楊朱說：「唉！走失一隻羊，為什麼要派那麼多人去追呢？」鄰居說：「岔路太多了。」追羊的人回來以後，楊朱問說：「找到羊了嗎？」回答說：「丟失了。」楊朱問：「為什麼會走失呢？」回答說：「岔路之中又有岔路，我們不知道往哪兒去追，所以回來了。」楊子聽了，臉色變得很憂傷，好久不說話，整天不露笑容。學生覺得奇怪，問他說：「羊是不值錢的牲畜，再說又不歸先生所有，您卻變得不說不笑，為什麼呢？」楊朱不回答。有個學生叫孟孫陽，把老師的神情變化告訴了心都子。一天，心都子和孟孫陽一起去見楊朱，問老師說：「從前有兄弟三人，在齊魯之間遊歷，向同一位老師學習仁義之道。學成回家後，父親問他們說：『仁義之道是怎麼回事？』老大說：『仁義使我珍愛生命而輕視名譽。』老二說：『仁義使我為了獲取名譽不惜犧牲生命。』老三說：『我理解的仁義是生命與名譽二者並重。』三人對仁義的闡述迥然不同，但都源於儒學，您說三人中誰對誰錯呢？」楊朱回答說：「有個人住在河邊，熟習水性，勇於泅渡，以撐船擺渡為生，收入可以供養百十口人。自帶糧食來向他學泅水的人成群結隊，而被淹死的人幾乎達到一半。本來是來學泅水而不是學淹死的，但得利與受害的差別卻如此懸殊。你認為誰對誰錯呢？」心都子聽了，默然低頭出去。孟孫陽責備他說：「為什麼你問得如此迂迴，先生回答得那麼怪癖？我越聽越糊塗了。」心都子說：「大路岔道太多，所以丟失了羊，求學的方法太多，所以迷失了方向。學習的內容一樣，結果卻千差萬別。如果只有一條道，羊就不會走失；學習也是一樣，處於相同的起點，運用一致的方法，才不會迷失方向。你是先生門下的大弟子，學習先生的學說，卻不懂先生的譬喻，可悲啊！」

【出處】

楊子之鄰人亡羊，既率其黨，又請楊子之豎追之。楊子曰：「嘻！亡一羊何追者之眾？」鄰人曰：「多歧路。」既反，問：「獲羊乎？」曰：「亡之矣。」曰：「奚亡之？」曰：「歧路之中又有歧焉。吾不知所之，所以反也。」楊子戚然變容，不言者移時，不笑者竟日。門人怪之，請曰：「羊賤畜，又非夫子之有，而損言笑者，何哉？」楊子不答。門人不獲所命。弟子孟孫陽出，以告心都子。心都子他日與孟孫陽偕入，而問曰：「昔有昆弟三人，游齊魯之間，同師而學，進仁義之道而歸。其父曰：『仁義之道若何？』伯曰：『仁義使我愛身而後名。』仲曰：『仁義使我殺身以成名。』叔曰：『仁義使我身名並全。』彼三術相反，而同出於儒。孰是孰非邪？」楊子曰：「人有濱河而居者，習於水，勇於泅，操舟鬻渡，利供百口。裹糧就學者成徒，而溺死者幾半。本學泅，不學溺，而利害如此。若以為孰是孰非？」心都子嘿然而出。孟孫陽讓之曰：「何吾子問之迂，夫子答之僻？吾惑愈甚。」心都子曰：「大道以多歧亡羊，學者以多方喪生。學非本不同，非本不一，而末異若是。唯歸同反一，為亡得喪。子長先生之門，習先生之道，而不達先生之況也，哀哉！」（《列子》〈說符〉）

請以為薪

某人家裡有棵枯死的梧桐樹。鄰居家裡父親說枯死的梧桐樹不吉祥，那人惶恐地把梧桐樹鋸掉了。鄰居家的老人於是請求把枯樹送給他當柴燒。那人很不高興說：「鄰居家裡父親只是想要這棵樹當柴燒才教我鋸樹的。與我做鄰居卻這樣陰險，做人怎麼可以這樣呢？」

【出處】

人有枯梧樹者，其鄰父言枯梧之樹不祥。其鄰人遽而伐之。鄰

人父因請以為薪。其人乃不悅，曰：「鄰人之父徒欲為薪而教吾伐之也。與我鄰，若此其險，豈可哉？」（《列子》〈說符〉）

果不知我

柱厲叔跟隨莒敖公，認為自己不受賞識，便離開莒敖公，到海邊隱居。夏天吃菱角雞頭米，冬天吃橡子板栗。後來，莒敖公遇到危難，柱厲叔於是辭別朋友，冒著性命危險去援救。朋友說：「你認為莒敖公不賞識你才離開他，現在又冒死去救他。這樣賞識不賞識還有什麼區別呢？」柱厲叔說：「不是這樣。我自認為莒敖公不瞭解不賞識我，所以才離開他。現在冒死去救他，是用事實證明他確實不瞭解我。我去冒死相救，也是為了諷刺後世那些不瞭解臣下的君主。」

【出處】

柱厲叔事莒敖公，自為不知己，去，居海上。夏日則食菱芰，冬日則食橡栗。莒敖公有難，柱厲叔辭其友而往死之。其友曰：「子自以為不知己，故去。今往死之，是知與不知無辨也。」柱厲叔曰：「不然；自以為不知，故去。今死，是果不知我也。吾將死之，以醜後世之人主不知其臣者也。」凡知則死之，不知則弗死，此直道而行者也。柱厲叔可謂懟以忘其身者也。（《列子》〈說符〉）

類無貴賤

齊國的田氏在大堂上祭祀祖先，前來赴宴的食客多達千人。來客中有敬獻鮮魚肥鵝的，田氏看了感嘆說：「老天爺對百姓太慷慨了。繁殖五穀，又生出魚類和鳥類供我們享用。」客人聽了，都隨聲附和，鮑氏的兒子只有十二歲，也在座中，即走上前說：「我不同意您這種說法。天地萬物與人共同生存，各有其類，相互之間並沒有貴賤之分，只是根據體力和智慧的強弱相互制約，弱肉強食，不存在誰為誰生的問題。人類選擇食物，哪裡會是老天爺特別的安排？照您說來，蚊蟲吸人的血，虎狼吃人的肉，難道也是上天特意安排人做牠們的食物嗎？」

【出處】

齊田氏祖於庭，食客千人。中坐有獻魚雁者，田氏視之，乃嘆曰：「天之於民厚矣！殖五穀，生魚鳥以為之用。」眾客和之如響。鮑氏之子年十二，預於次，進曰：「不如君言。天地萬物與我並生，類也。類無貴賤，徒以小大智力而相制，迭相食；非相為而生之。人取可食者而食之，豈天本為人生之？且蚊蚋噆膚，虎狼食肉，非天本為蚊蚋生人、虎狼生肉者哉？」（《列子》〈說符〉）

恩過不相補

邯鄲的百姓在正月初一這天向趙簡子敬獻斑鳩。簡子十分高興，

類無貴賤

給予厚賞。門客問其原因。簡子說：「大年初一放生，表示我有恩德啊。」門客說：「老百姓知道您要放生，因而爭相捕捉斑鳩，被捕殺的斑鳩一定很多。您如果想放生，還不如禁止老百姓捕捉斑鳩。捕捉了再釋放，恩德和過錯並不能相彌補啊。」簡子說：「是這樣的。」於是下令禁捕斑鳩。

【出處】

邯鄲之民以正月之旦獻鳩於簡子，簡子大悅，厚賞之。客問其故。簡子曰：「正旦放生，示有恩也。」客曰：「民知君之欲放之，故競而捕之，死者眾矣。君如欲生之，不若禁民勿捕。捕而放之，恩過不相補矣。」簡子曰：「然。」（《列子》〈說符〉）

黑牛生白犢

宋國有個人好講仁義道德，一家三代都不懈怠。一次，他家黑牛無緣無故生下一頭白色的小牛，便去請教孔子。孔子說：「這是吉祥的事啊。用牠來祭祀天帝吧。」過了一年，他父親的眼睛無緣無故瞎了。接下來黑牛又生下一頭白牛犢。父親讓他再去請教孔子。他不屑說：「上次問了他，你的眼睛瞎了，再問他有什麼用呢？」父親說：「聖人的預言往往先與事實相背而後吻合，這件事尚未完結，再去問問吧。」於是再去請教孔子。孔子說：「這是吉兆啊。」仍然讓他以小白牛祭祀天帝。回家之後，父親說：「按孔子的話去做吧。」再過一年，兒子的眼睛無緣無故也瞎了。隨後不久，楚國攻打宋國，包圍了宋國的都城。老百姓餓得易子而食，剔下骨頭當柴燒。成年男子登上城牆作戰，死亡的人超過一半。父子倆因雙目失明未在徵夫之列，得以倖免。等到宋都解圍，兩人的眼睛竟奇蹟般恢復了正常。

【出處】

宋人有好行仁義者，三世不懈。家無故黑牛生白犢，以問孔子。孔子曰：「此吉祥也，以薦上帝。」居一年，其父無故而盲，其牛又復生白犢。其父又復令其子問孔子。其子曰：「前問之而失明，又何問乎？」父曰：「聖人之言先迕後合。其事未究，姑復問之。」其子又復問孔子。孔子曰：「吉祥也。」復教以祭。其子歸致命。其父曰：「行孔子之言也。」居一年，其子無故而盲。其後楚攻宋，圍其城；民易子而食之，析骸而炊之；丁壯者皆乘城而戰，死者太半。此人以父子有疾皆免。及圍解而疾俱復。（《列子》〈說符〉）

吾富可待

宋國有個人走路時撿到一張別人廢棄的契據，拿回家收藏起來，偷偷數了數契據上的刻齒。告訴鄰居說：「我發財的日子就要到了。」

【出處】

宋人有游於道，得人遺契者，歸而藏之，密數其齒。告鄰人曰：「吾富可待矣。」（《列子》〈說符〉）

勠力一志

虞氏是梁國的富人，家業殷實，黃金錢帛不計其數，資產貨物無法估量。他經常登上高樓，面朝大路設宴擺酒，一邊欣賞音樂歌舞，一邊聚眾賭博。一天，一幫俠客從樓前經過。正逢樓上賭博的人投骰子，一人中了頭彩，連勝兩局，於是開懷大笑。恰好天上一隻老鷹叼著一隻死老鼠經過，被笑聲驚嚇，死老鼠掉下來正好落在一位俠客頭上。俠客們聽見笑聲，以為死老鼠是從樓上扔下來的，便商談說：「虞氏的快活日子過得太久了，常常輕慢待人。我們並沒有招惹他，他卻用死老鼠侮辱我們。此仇不報，何以立足於天下？」於是決定同心協力，率領徒弟們剿滅虞氏全家。到了約定的夜晚，俠客們率領門徒攻入虞府，將虞氏全家全部剿滅。

【出處】

虞氏者，梁之富人也，家充殷盛，錢帛無量，財貨無訾。登高樓，臨大路，設樂陳酒，擊博樓上，俠客相隨而行，樓上博者射，明瓊張中，反兩鎬魚而笑。飛鳶適墜其腐鼠而中之。俠客相與言曰：「虞氏富樂之日久矣，而常有輕易人之志。吾不侵犯之，而乃辱我以腐鼠。此而不報，無以立慬於天下。請與若等勠力一志，率徒屬必滅其家為等倫。」皆許諾。至期日之夜，聚眾積兵以攻虞氏，大滅其家。（《列子》〈說符〉）

息之將亡

魯隱公十一年，同為周天子宗室姬姓的鄭國與息國因小事發生口角，息國國君很不冷靜，率息軍前往鄭國興師問罪。息弱鄭強，結果遭到鄭國的迎頭痛擊。君子由此評論說：「息國離亡國不遠了。息侯不衡量自己的德行，不考慮自己的力量，不善待親鄰，不分辨是非，不察覺有罪，犯了這五種錯誤，還要去攻打別國，他的喪師辱國，不是自討的嗎？」

【出處】

鄭、息有違言，息侯伐鄭。鄭伯與戰於竟，息師大敗而還。君子是以知息之將亡也。不度德，不量力，不親親，不徵辭，不察有罪，犯五不韙而以伐人，其喪師也，不亦宜乎！（《左傳》〈隱公十一年〉）

衛國卷

衛國是周朝分封的姬姓諸侯國，侯爵，始封君為文王第八子、武王的同母弟。因初封地在畿內康地，故稱康叔或康叔封。成王初年，周公旦將平叛有功的康叔改封為衛國國君，故稱衛康叔。從衛康公於成王四年（西元前1039）立國，至西元前二〇九年衛君角亡國，前後共傳四十四君、計八百三十年。衛武公姬和時衛國強盛，一度為諸侯首領，衛懿公姬赤玩物喪志，幾至滅國。春秋晚期，衛國內亂不止，國力進一步削弱。西元前二五四年，衛被魏國兼併，後又成秦國附庸。西元前二〇九年衛君角被廢為庶人，衛國徹底滅亡。衛國疆域大致位於黃河以北的河南鶴壁、河南安陽、河南濮陽、河北邯鄲、邢台一部分，以及山東聊城西部一帶，先後建都於朝歌、楚丘、帝丘和野王。商鞅、吳起、李悝、呂不韋、遽伯玉、仲由（子路）、聶政皆出於衛國。

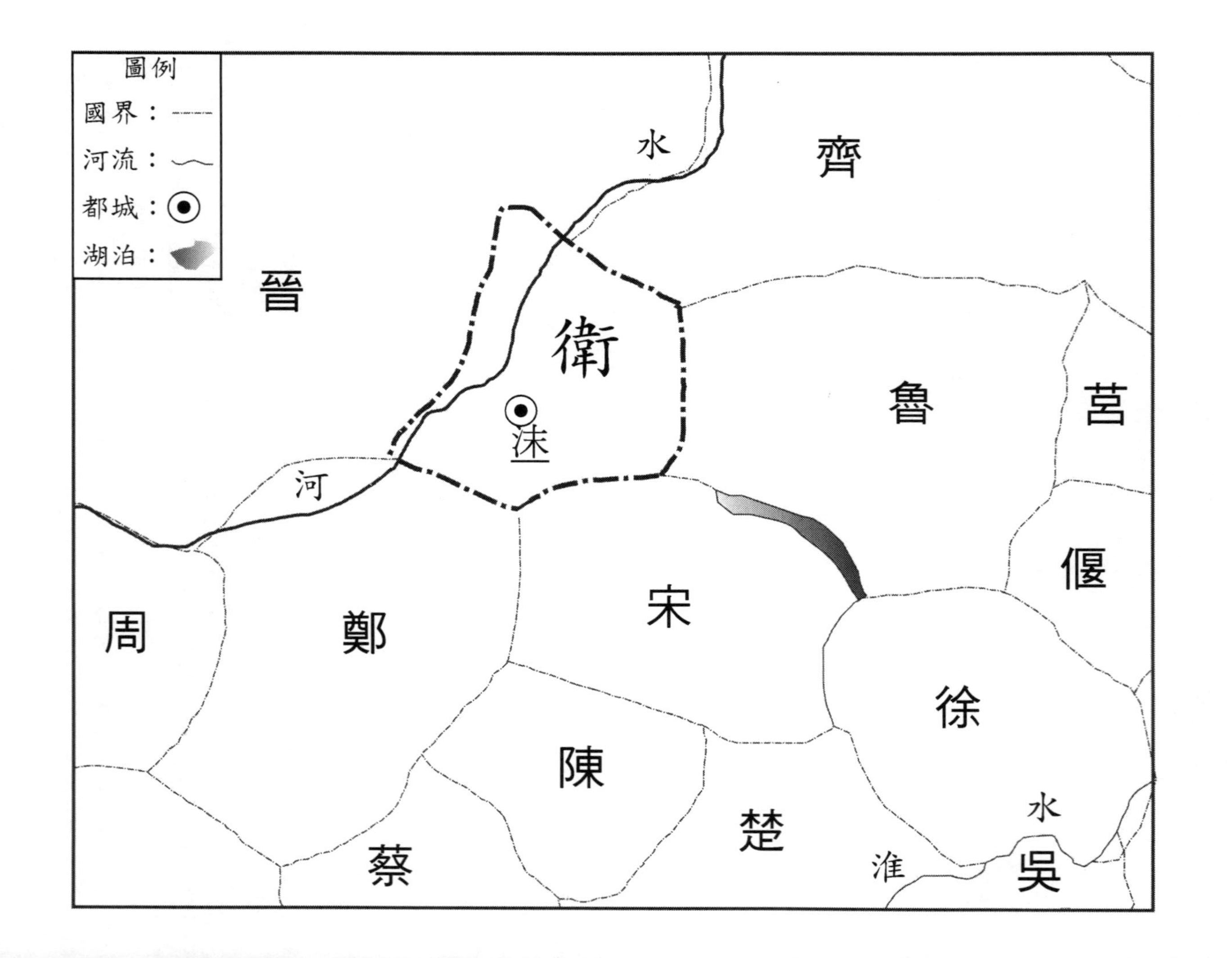

圖例
國界：
河流：
都城：
湖泊：
水
齊
晉
衛
沬
魯
莒
河
偃
周
鄭
宋
徐
陳
楚
水
蔡
淮
吳

康叔為衛君

康叔姓姬名封，是周武王的同母弟。周武王打敗殷紂後，把殷紂的遺民封給紂王的兒子武庚祿父，讓他與諸侯同位，以便奉祀先祖，世代相傳。武王擔心武庚有叛逆之心，便派自己的弟弟管叔、蔡叔監視並輔佐武庚祿父。武王逝世後，成王年幼，尚在襁褓之中。周公旦代替成王主掌國事。管叔、蔡叔懷疑周公旦有篡位野心，就與武庚祿父發動叛亂。周公旦托成王之命組織軍隊討伐殷國，殺死武庚祿父和管叔，放逐蔡叔，並把武庚殷的遺民封給康叔，立他為衛國君主，居住在黃河、淇水之間，即商朝的舊都殷墟。衛成為當時諸侯國中的大國，是周在東方的主要藩屏。

【出處】

衛康叔名封，周武王同母少弟也。其次尚有冄季，冄季最少。武王已克殷紂，復以殷餘民封紂子武庚祿父，比諸侯，以奉其先祀勿絕。為武庚未集，恐其有賊心，武王乃令其弟管叔、蔡叔傅相武庚祿父，以和其民。武王既崩，成王少。周公旦代成王治，當國。管叔、蔡叔疑周公，乃與武庚祿父作亂，欲攻成周。周公旦以成王命興師伐殷，殺武庚祿父、管叔，放蔡叔，以武庚殷餘民封康叔為衛君，居河、淇間故商墟。（《史記》〈衛康叔世家〉）

舉康叔為司寇

周公旦擔憂康叔年輕，治國缺乏經驗，反覆告誡康叔說：「你一定要找到殷朝有才德、有威望、有經驗的人，向他們瞭解殷朝興衰成敗的歷史，一定要關心愛護自己的百姓。」又告誡康叔紂滅亡的原因在於他飲酒無度，一味作樂，沉溺於女色之中。周公旦還按照匠人製作木器必用規矩的道理，撰寫了《梓材》，作為治國做法的準則，內容包括《康誥》《酒誥》《梓材》等，以之教導康叔。康叔使用這些準則治理封國，安定百姓，人民非常高興。成王成人後，親自主掌政權，任命康叔為周朝的司寇，把許多寶器祭器賜給他，用以表彰康叔的德行。

【出處】

周公旦懼康叔齒少，乃申告康叔曰：「必求殷之賢人君子長者，問其先殷所以興，所以亡，而務愛民。」告以紂所以亡者以淫於酒，酒之失，婦人是用，故紂之亂自此始。為梓材，示君子可法則。故謂之康誥、酒誥、梓材以命之。康叔之國，既以此命，能和集其民，民大說。成王長，用事，舉康叔為周司寇，賜衛寶祭器，以章有德。（《史記》〈衛康叔世家〉）

武公為公

衛共伯姬餘的弟弟姬和很得釐侯寵愛。釐侯給了和很多財物，和便用這些財物收買武士，在釐侯的墓地襲擊共伯餘，共伯被迫逃到釐侯墓道自殺。衛人把共伯埋葬在釐侯墓旁，稱之共伯，立和為衛國國君，這就是武公。武公即位後，重新整飭康叔的政務，百姓和樂安定。衛武公四十二年，犬戎攻打西周都城鎬京，殺死周幽王。衛武公得知消息，馬上率領衛國的精兵強將，協助周幽王之子周平王平息犬戎叛亂，並輔佐平王東遷洛邑。因衛武公護駕有功，平王提升衛武公的爵位為公爵。

【出處】

共伯弟和有寵於釐侯，多予之賂；和以其賂賂士，以襲攻共伯於墓上，共伯入釐侯羨自殺。衛人因葬之釐侯旁，謚曰共伯，而立和為衛侯，是為武公。武公即位，修康叔之政，百姓和集。四十二年，犬戎殺周幽王，武公將兵往佐周平戎，甚有功，周平王命武公為公。（《史記》〈衛康叔世家〉）

戒以自儆

衛武公年齡九十五歲了，還告誡國人說：「從卿以下到大夫和眾士，只要在朝中，不要認為我老了而捨棄我，在朝廷必須恭敬從事，早晚幫助我並告誡我，哪怕聽到一兩句諫言，一定要背誦記住，轉達給我，來訓導我。」在車上有勇士的規諫，在朝廷有官長的法典，在几案旁邊有誦訓官的進諫，在寢室有近侍的箴言，處理政務有瞽史的引導，平時有樂師的誦詩。史官不停止書寫，樂師不停止誦讀，用來訓導進獻，武公於是作了《懿》這首誡詩來自我警誡。等到他去世後，後人稱他是智慧聖明的武公。

【出處】

昔衛武公年數九十有五矣，猶箴儆於國，曰：「自卿以下至於師長士，苟在朝者，無謂我老耄而舍我，必恭恪於朝，朝夕以交戒我；聞一二之言，必誦志而納之，以訓導我。」在輿有旅賁之規，位寧有官師之典，倚几有誦訓之諫，居寢有褻御之箴，臨事有瞽史之導，宴居有師工之誦。史不失書，矇不失誦，以訓御之，於是乎作《懿》詩以自儆也。及其歿也，謂之睿聖武公。（《國語》〈楚語〉）

夫人莊姜

衛莊公娶了齊國太子得臣的妹妹，稱為莊姜。莊姜漂亮卻沒有生兒子，衛國人因此為她創作了《碩人》這首詩。衛莊公又在陳國迎娶了厲嬀，生下孝伯後不久就死了。跟隨厲嬀陪嫁來的妹妹戴嬀生公子姬完，莊姜把他作為自己的兒子。公子州吁得到莊公的寵愛，他喜歡軍器，莊公不加禁止。莊姜很討厭他。

【出處】

衛莊公娶於齊東宮得臣之妹，曰莊姜。美而無子，衛人所為賦《碩人》也。又娶於陳，曰厲嬀，生孝伯，早死。其娣戴嬀生桓公，莊姜以為己子。公子州吁，嬖人之子也，有寵而好兵，公弗禁，莊姜

惡之。（《左傳》〈隱公三年〉）

驕奢淫逸

衛莊公非常溺愛寵姬所生的兒子州吁。由於缺乏管教，州吁長大後非常霸道任性，生活放蕩不羈，到處惹是生非。衛國大夫石碏勸告莊公說：「我聽說，父親喜愛孩子，應當用道義來教育他，不讓他走邪路。驕橫、奢侈、荒淫、好逸的惡習，都來自邪惡。這些惡習的養成，都是父母寵愛過分的緣故。如果想立州吁為太子，那就趕快確定下來；如果不能確定，就會釀成禍亂。受寵而不驕傲，驕傲而能安於現狀，地位低下而不怨恨，怨恨而能克制的人，現實中是非常少見的。低賤的妨礙尊貴，年少的欺凌年長，疏遠的離間親近，新寵離間舊愛，弱小的欺侮強大，淫欲的破壞道義，這是六種反常的現象。國君行事得宜，臣子服從命令，父親慈愛，兒子孝順，兄愛弟、弟敬兄，這是六種正常現象。以六種反常現象取代六種正常現象，這是在加速走向禍亂。作為君主，本應該盡力剷除禍害，現在卻力促它的到來，這怎麼可以呢？」莊公不聽。石碏的兒子石厚和州吁交好，石碏制止他，石厚不聽。莊公病逝後，太子姬完繼位，稱衛桓公。石碏告老回家。第二年春天，州吁和石厚密謀殺死桓公自立為君。州吁殘暴無道，國人都不買賬。石碏聯合陳國國君巧施計謀，把州吁殺死。迎桓公的弟弟晉回國繼立為君，這就是宣公。

【出處】

石碏諫曰：「臣聞愛子，教之以義方，弗納於邪。驕、奢、淫、泆，所自邪也。四者之來，寵祿過也。將立州吁，乃定之矣，若猶未也，階之為禍。夫寵而不驕，驕而能降，降而不憾，憾而能昣者鮮矣。且夫賤妨貴，少陵長，遠間親，新間舊，小加大，淫破義，所謂六逆也。君義，臣行，父慈，子孝，兄愛，弟敬，所謂六順也。去順效逆，所以速禍也。君人者，將禍是務去，而速之，無乃不可乎？」弗聽，其子厚與州吁游，禁之，不可。桓公立，乃老。（《左傳》〈隱公三年〉）

玩火自焚

州吁公然殺死哥哥衛桓公，當上國君之後，一方面大肆搜刮百姓錢財，一方面窮兵黷武，拉攏宋、陳、蔡等國聯手攻打鄭國，藉以樹立威望，轉移國內百姓的注意力。魯隱公得知州吁弒兄篡位的消息，問大夫眾仲說：「你覺得州吁此次奪權能夠成功嗎？他的國君位置能否保住？」眾仲搖頭說：「州吁依靠武力興兵作亂，給百姓帶來災難，百姓絕不會支持他。他如此殘忍凶暴，願意跟隨他的人一定不多。眾人反對，親信背離，要想成功怎麼可能呢？兵跟火一樣。一味用兵而不加收斂節制，最終將玩火自焚。依我看，等待他的將是失敗。」果然，不到一年，州吁就被石碏設謀誅殺。

【出處】

公問於眾仲曰：「衛州吁其成乎？」對曰：「臣聞以德和民，不聞以亂。以亂，猶治絲而棼之也。夫州吁，阻兵而安忍。阻兵，無眾，安忍，無親。眾叛、親離，難以濟矣。夫兵，猶火也，弗戢，將自焚也。夫州吁，弒其君而虐用其民，於是乎不務令德，而欲以亂成，必不免矣。」（《左傳》〈隱公四年〉）

大義滅親

州吁弒兄即位後窮兵黷武，不得民心。石厚向父親石碏請教安定君位的辦法。石碏說：「朝覲周天子就可以取得合法地位。」石厚說：「怎樣朝覲呢？」石碏說：「陳桓公受到天子的寵信。現在陳、衛兩國和睦友好，如果前往陳國，懇請陳桓公代為請求，一定可以成功。」於是石厚陪同州吁前往陳國。石碏暗中派人告訴陳國說：「衛國地方狹小，我已七十多歲，不能有所作為，這兩個人確實殺死了我國君主，請您趁機除掉他們。」陳國人囚禁了州吁和石厚，請衛國派人來處理。九月，衛國派右宰醜在陳國的濮地殺死州吁，石碏則派管家獳羊肩在陳國殺死逆子石厚。君子評論此事說：「石碏真是個忠臣。除掉州吁和親子石厚。所謂『大義滅親』，就是這種情景吧！」

【出處】

州吁未能和其民，厚問定君於石子。石子曰：「王覲為可。」曰：「何以得覲？」曰：「陳桓公方有寵於王，陳、衛方睦，若朝陳使請，必可得也。」厚從州吁如陳。石碏使告於陳曰：「衛國褊小，老夫耄矣，無能為也。此二人者，實弒寡君，敢即圖之。」陳人執之，而請涖於衛。九月，衛人使右宰醜涖殺州吁於濮，石碏使其宰獳羊肩涖殺石厚於陳。君子曰：「石碏，純臣也，惡州吁而厚與焉。『大義滅親』，其是之謂乎！」(《左傳》〈隱公四年〉)

新臺故事

宣公先立夫人夷姜生的兒子伋（急）為太子，並讓右公子擔任他的老師。右公子為太子迎娶齊國美女，齊女還沒有與太子伋拜堂成親，宣公發現齊女長得漂亮，很喜歡，就自納齊女，而為太子另娶了妻子。[1]齊女宣姜為宣公生了子壽、子朔兩個兒子，宣公讓左公子擔任壽的老師。太子伋的母親夷姜死後[2]，宣姜和子朔在宣公面前讒言陷害太子，宣公因搶奪太子的妻子心有所忌，早有廢他之意。聽到讒言，怒火中燒，於是派太子伋出使齊國，暗中派殺手在邊境攔截擊殺伋。宣公讓太子持白旄，讓殺手見到手持白旄使節的人即格殺勿論。太子伋要啟程前往齊國時，子朔的哥哥子壽，得知子朔欲除掉太子之事，就對太子說：「邊界上的殺手見到手持白旄使節的人就會出手，太子千萬別去！」太子說：「違背父親的命令保全自己，這樣不好。」於是出發前往齊國。子壽見太子不聽勸告，只好偷取白旄搶先趕到邊

1. 民眾不滿宣公的行為，作《新臺》詩諷刺宣公劫奪兒媳姜氏，參見《詩經》〈邶風・新臺〉。後世因用「新臺」故事比喻不正當的翁媳關係。

2. 《左傳》〈桓公十六年〉：「衛宣公烝於夷姜，生急子」。太子伋是衛宣公和父親衛莊公的姬妾夷姜私通所生之子，衛宣公得到宣姜後，夷姜因失寵上吊自殺。

界。殺手見白旄殺人，於是殺死子壽。太子伋隨後趕到，對殺手說：「該殺的本來是我啊！」殺手於是又殺死太子伋。宣公於是立子朔為太子。宣公去世後，太子朔成為國君，這就是衛惠公。左、右二公子怨恨惠公，便擁立公子黔牟為國君，衛惠公只得逃往齊國。

【出處】

（宣公）十八年，初，宣公愛夫人夷姜，夷姜生子伋，以為太子，而令右公子傅之。右公子為太子取齊女，未入室，而宣公見所欲為太子婦者好，說而自取之，更為太子取他女。宣公得齊女，生子壽、子朔，令左公子傅之。太子伋母死，宣公正夫人與朔共讒惡太子伋。宣公自以其奪太子妻也，心惡太子，欲廢之。及聞其惡，大怒，乃使太子伋於齊而令盜遮界上殺之，與太子白旄，而告界盜見持白旄者殺之。且行，子朔之兄壽，太子異母弟也，知朔之惡太子而君欲殺之，乃謂太子曰：「界盜見太子白旄，即殺太子，太子可毋行。」太子曰：「逆父命求生，不可。」遂行。壽見太子不止，乃盜其白旄而先馳至界。界盜見其驗，即殺之。壽已死，而太子伋又至，謂盜曰：「所當殺乃我也。」盜並殺太子伋，以報宣公。宣公乃以子朔為太子。十九年，宣公卒，太子朔立，是為惠公。（《史記》〈衛康叔世家〉）

李代桃僵

宣姜是齊侯的女兒，衛宣公的夫人。起初，宣公夫人夷姜生下伋子，被立為太子。右公子職為太子娶齊女，宣公見齊女姿色過人，便佔為己有，這就是宣姜。宣姜生二子，長子名壽，次子名朔。夷姜死後，宣姜想立壽為太子，就和壽的弟弟朔設計陷害伋子。正巧宣公有事要派伋子去齊國，宣姜暗中派力士埋伏在邊境上刺殺他，囑咐說：他們一行有四匹馬，手持白旄使節的就是目標。壽聽到消息，就來勸阻太子。伋子說：「不行啊。違背長輩的命令不是人子之道。」壽猜想太子一定要去，就用計灌醉他，搶走他的旄節，伋子酒醒後找不到旄節，連忙追趕，等趕到邊境，壽已經被害。伋子很傷心壽為他而死，就對殺死壽的兇手說：「你們想殺的是我。壽有什麼罪？請殺死我吧！」伋子和壽都死了，於是朔被立為太子。宣公死後，朔繼承君位，是為惠公，惠公沒有後代，此後連續五代衛國內亂不止，到戴公時才逐漸安寧。

【出處】

宣姜者，齊侯之女，衛宣公之夫人也。初，宣公夫人夷姜生伋子，以為太子，又娶於齊，曰宣姜，生壽及朔。夷姜既死，宣姜欲立壽，乃與壽弟朔謀構伋子。公使伋子之齊，宣姜乃陰使力士待之界上而殺之，曰：「有四馬白旄至者，必要殺之。」壽聞之，以告太子曰：「太子其避之。」伋子曰：「不可。夫棄父之命，則惡用子也！」壽度太子必行，乃與太子飲，奪之旄而行，盜殺之。伋子醒，求旄不得，遽往追之，壽已死矣。伋子痛壽為己死，乃謂盜曰：「所欲殺者乃我也，此何罪，請殺我。」盜又殺之。二子既死，朔遂立為太子，宣公薨，朔立，是為惠公，竟終無後，亂及五世，至戴公而後寧。（《列女傳》〈孽嬖傳〉）

衛宣夫人

衛宣夫人是齊侯的女兒，出嫁到衛國，快進到城門的時候，衛國的君主死了。保姆說：「我們回去吧。」齊女沒有答應。入宮為衛君守孝三年，除服之後，接替哥哥即位的小叔子說：「衛國是小國，容不下兩家廚房，我們能合為一家嗎？」夫人說：「只有夫婦才能共用廚房。」不肯答應小叔子婉轉的求婚。衛君於是派人向齊侯請求，齊侯和夫人的同族兄弟都覺得可以改嫁，派使者轉告她，夫人卻不為所動，並作詩明志說：「我心匪石，不可轉也；我心匪席，不可卷也。」[3] 君子讚美她的貞操，在《詩經》中記載了她的故事。

【出處】

夫人者，齊侯之女也。嫁於衛，至城門而衛君死。保母曰：「可以還矣。」女不聽，遂入，持三年之喪，畢，弟立，請曰：「衛小國也，不容二庖，願請同庖。」夫人曰：「唯夫婦同庖。」終不聽。衛君使人愬於齊兄弟，齊兄弟皆欲與後君，使人告女，女終不聽，乃作詩曰：「我心匪石，不可轉也。我心匪席，不可卷也。」厄窮而不閔，勞辱而不苟，然後能自致也，言不失也。然後可以濟難矣。詩曰：「威儀棣棣，不可選也。」言其左右無賢臣，皆順其君之意也。君子美其貞壹，故舉而列之於《詩》也。（《列女傳》〈貞順傳〉）

---

3. 衛宣夫人亦稱衛寡夫人。「我心匪石，不可轉也。我心匪席，不可卷也。威儀棣棣，不可選也。」出自《詩經》〈邶風・柏舟〉篇。此詩的作者和主旨，歷來頗多爭論。

懿公好鶴

衛懿公即位後，喜歡養鶴，揮霍淫樂，痴迷到竟然賜給鶴官位和俸祿。魯閔公二年，翟人攻伐衛國，衛懿公率軍抵禦，士兵們紛紛背叛他。大臣們說：「君王好鶴，就派鶴去抗擊翟人吧！」翟人侵入衛國，殺死懿公。

【出處】

懿公即位，好鶴，淫樂奢侈。九年，翟伐衛，衛懿公欲發兵，兵或畔。大臣言曰：「君好鶴，鶴可令擊翟。」翟於是遂入，殺懿公。《史記》〈衛康叔世家〉

狄人伐衛

衛懿公很喜歡養鶴，鶴有乘坐軒車的。衛國要和狄人打仗，國中士兵都說：「讓鶴去打仗，鶴實際上享受俸祿有官位，我們哪能打仗呢？」衛懿公送給大夫石祁子一環玉玦，又給大夫寧莊子箭，讓二人守城，對二人說：「用這些來救助咱們的國家吧，但要選擇有利的情形去做。」他又送給他的夫人華麗的上衣，對她說：「你就聽從石祁子和寧莊子的安排吧。」渠孔為他駕馭著戰車，子伯擔任警衛站在車右，黃夷前驅打頭陣，孔嬰齊為他壓陣。衛懿公率軍與狄人在熒澤戰鬥，衛軍潰敗，狄人於是消滅了衛國。狄人囚禁了太史華龍滑和禮孔，讓他們帶路驅逐衛國人。二人說：「我們是衛國太史，掌管祭祀，不先入國祭祀衛國的祖先，你們就不可能得到衛國。」狄人讓他們先進入衛國國都。二人到了國都，告訴守衛的人說：「不能在這裡等待下去了。」於是趁夜色與國人出逃。狄人進入衛國，追到黃河岸邊，將衛人擊潰。

【出處】

冬，十二月，狄人伐衛。衛懿公好鶴，鶴有乘軒者。將戰，國人受甲者皆曰：「使鶴，鶴實有祿位，余焉能戰！」公與石祁子玦，與寧莊子矢，使守，曰：「以此贊國，擇利而為之。」與夫人繡衣，曰：「聽於二子。」渠孔御戎，子伯為右，黃夷前驅，孔嬰齊殿。及狄人戰於熒澤，衛師敗績，遂滅衛。衛侯不去其旗，是以甚敗。狄人囚史華龍滑與禮孔以逐衛人。二人曰：「我大史也，實掌其祭。不先，國不可得也。」乃先之。至，則告守曰：「不可待也。」夜與國人出。狄入衛，遂從之，又敗諸河。（《左傳》〈閔公二年〉）

臣請為褸

衛懿公有個臣子叫弘演，受命出使國外。翟人進攻衛國，衛國的百姓說：「國君封給鶴高官厚祿，讓宮中的侍女享受富貴，那就讓白鶴和宮女去迎戰吧。」於是潰散而去。翟人在滎澤趕上懿公，將其殺死，吃光了他的肉，把他的肝扔在一邊。弘演歸來，向懿公的肝覆命。覆命完畢後仰天大哭，盡了臣子哀悼君主的禮節後說：「就讓臣下充當君主的軀殼吧。」於是剖腹自殺，先把自己腹中的內臟取出來，再把懿公的肝放入腹中，而後死去。齊桓公聽到這件事說：「衛國的滅亡是因為衛君荒淫無道，而今有弘演這樣的臣子，一定不能讓衛國滅亡。」於是在楚丘重建衛國。《呂氏春秋》評價說：「弘演是真正的忠臣，他不僅是為國君而死，衛國的宗廟得以重建，也是拜他所賜啊！」

【出處】

衛懿公有臣曰弘演，有所於使。翟人攻衛，其民曰：「君之所予位祿者鶴也，所貴富者宮人也。君使宮人與鶴戰，余焉能戰！」遂潰而去。翟人至，及懿公於榮澤，殺之，盡食其肉，獨舍其肝。弘演至，報使於肝，畢，呼天而啼，盡哀而止，曰：「臣請為襮。」因自殺，先出其腹實，內懿公之肝。桓公聞之曰：「衛之亡也，以為無道也。今有臣若此，不可不存。」於是復立衛於楚丘。弘演可謂忠矣，殺身出生以徇其君。非徒徇其君也，又命衛之宗廟復立，祭祀不絕，可謂有功矣。（《呂氏春秋》〈仲冬紀・忠廉〉）

龜為有知

衛國大夫石駘仲死了，沒有嫡子，只有六個庶子，只好以占卜的方法來決定誰做繼承人。占卜的人說：「要先洗髮洗身，然後佩戴上玉，甲骨上才會顯示吉兆。」其中五子連忙洗髮洗身，佩戴上玉。而石祁子卻說：「哪有居父之喪而沐浴佩玉的道理呢？」唯獨他不洗髮洗身，也不佩玉。說來也怪，龜兆卻顯示石祁子應該做繼承人，因此，衛國人都認為龜兆非常靈驗。

【出處】

石駘仲卒，無適子，有庶子六人，卜所以為後者。曰：「沐浴佩玉則兆。」五人者皆沐浴佩玉；石祁子曰：「孰有執親之喪而沐浴佩玉者乎？」不沐浴佩玉。石祁子兆，衛人以龜為有知也。（《禮記》〈檀弓下〉）

許穆夫人

許穆夫人是衛懿公的女兒、許穆公的夫人。當初許國到衛國求婚時，齊國也來求婚。懿公想答應許國。女兒通過保姆傳話說：「從前諸侯們的女兒，都是嫁到勢力強大的國家。如今許國弱小，離衛國遠；齊國強大，離衛國近。當今之世強者稱雄，我嫁到齊國，假如我國邊境有敵人侵犯，向齊國求救豈不方便得多？如今捨近求遠，捨棄大國依附小國，一旦遇到危險，誰來為國家分憂呢？」衛侯沒有採納女兒的建議，堅持把她嫁到許國。不久，翟人攻陷衛國，許國不能救援，衛侯只好渡河逃往楚丘。齊桓公出兵趕走翟人，衛侯得以在楚丘容身。衛侯這才痛悔沒有聽從女兒的勸告。當衛侯逃亡時，許穆夫人駕車趕去弔慰父親，衛侯愧疚不已。許穆夫人作詩說：「駕起輕車快馳騁，回去弔唁衛侯。揮鞭趕馬路遙遠，到達漕邑時未久。許國大夫跋涉來，阻我行程令我愁。竟然不肯贊同我，哪能返身回許地。比起你們心不善，我懷宗國思難棄。」君子都稱讚許穆夫人孝順聰明而有遠見。

【出處】

許穆夫人者，衛懿公之女，許穆公之夫人也。初，許求之，齊亦求之，懿公將與許，女因其傅母而言曰：「古者諸侯之有女子也，所以苞苴玩弄，繫援於大國也。言今者許小而遠，齊大而近。若今之世，強者為雄。如使邊境有寇戎之事，維是四方之故，赴告大國，妾在，不猶愈乎！今舍近而就遠，離大而附小，一旦有車馳之難，孰可與慮社稷？」衛侯不聽，而嫁之於許。其後翟人攻衛，大破之，而許不能救，衛侯遂奔走，涉河，而南，至楚邱。齊桓往而存之，遂城楚邱以居。衛侯於是悔不用其言。當敗之時，許夫人馳驅而弔唁衛侯，因疾之而作詩云：「載馳載驅，歸唁衛侯，驅馬悠悠，言至於漕，大夫跋涉，我心則憂，既不我嘉，不能旋反，視爾不臧，我思不遠。」君子善其慈惠而遠識也。（《列女傳》〈仁智傳〉）

戴公復國

衛惠公即位時年齡較小，齊僖公就讓衛宣公的兒子昭伯與庶母宣姜通姦，宣姜不願意，昭伯就強迫她。宣姜後來生了齊子、戴公、文公、宋桓公夫人、許穆公夫人。衛文公毀因國內局勢動盪，就到齊國避難。等到狄人打敗衛國，宋桓公到黃河岸邊把毀接到宋國。狄人血洗衛國後，衛國都城只剩下男女一共七百三十人，加上衛國共、滕兩地的百姓共五千人。他們立衛戴公為君，寄住在曹地。許穆公的夫人做了一首《載馳》的詩。齊桓公讓公子無虧帶領三百輛戰車、三千名帶甲之士去戍守曹地。又餽贈衛戴公乘馬，祭服五套，牛、羊、豬、雞、狗各三百隻，以及做門戶的木材。還送給衛戴公夫人魚皮裝飾的軒車，精細的織錦三十匹。戴公只做了一年國君就去世了。

【出處】

初，惠公之即位也少，齊人使昭伯烝於宣姜，不可，強之。生齊子、戴公、文公、宋桓夫人、許穆夫人。文公為衛之多患也，先適齊。及敗，宋桓公逆諸河，宵濟。衛之遺民，男女七百有三十人，益之以共、滕之民，為五千人，立戴公以廬於曹。許穆夫人賦《載馳》。齊侯使公子無虧帥車三百乘、甲士三千人以戍曹。歸公乘馬，祭服五稱，牛、羊、豕、雞、狗皆三百，與門材。歸夫人魚軒，重錦三十兩。（《左傳》〈閔公二年〉）

諸侯辟疆

衛文公前往周地朝見天子，周朝的外交官詢問文公名號，文公回答說：「諸侯辟疆。」周朝的外交官因此拒絕說：「諸侯不能和天子用相同的名號。」文公於是改口說：「諸侯燬。」外交官這才接納了他。孔子聽說此事評論說：「禁止冒犯君主，意義多麼深遠啊！虛名都不允許假借於人，何況實權呢？」

【出處】

衛君入朝於周，周行人問其號，對曰：「諸侯辟疆。」周行人卻之曰：「諸侯不得與天子同號。」衛君乃自更曰：「諸侯燬。」而後內

之。仲尼聞之曰：「遠哉禁逼！虛名不以借人，況實事乎？」（《韓非子》〈外儲說右下〉）

毀請從焉

邢人、狄人進攻衛國，包圍了菟圃。衛文公想把國君的地位推讓給父兄子弟和朝廷上的其他人，說：「誰如果能治理國家，我就跟從他。」大家不同意，而後在訾婁擺開陣勢，狄軍就退去了。

【出處】

冬，邢人、狄人伐衛，圍菟圃。衛侯以國讓父兄子弟及朝眾，曰：「苟能治之，毀請從焉。」眾不可，而後師於訾婁。狄師還。（《左傳》〈僖公十八年〉）

師興而雨

秋季，衛軍進攻邢國，以報菟圃戰役之仇。此時衛國大旱，卜師為祭祀山川占卜，顯示為不吉利。寧莊子說：「從前周室發生饑荒，打敗了商朝就豐收。現在正當邢國無道，諸侯沒有領袖，上天或是要讓衛國進攻邢國吧！」衛侯聽從了他的意見，徵集軍隊準備作戰，結果天就下起了雨。

【出處】

秋，衛人伐邢，以報菟圃之役。於是衛大旱，卜有事於山川，不吉。寧莊子曰：「昔周饑，克殷而年豐。今邢方無道，諸侯無伯，天其或者欲使衛討邢乎？」從之，師興而雨。(《左傳》〈僖公十九年〉)

衛人伐邢

衛國準備攻打邢國，衛大夫禮至說：「不和他們的大官接近，是難以得到他們的國家的。我請求與我的兄弟一起去邢國做官。」於是二人前往邢國，在邢國順利謀到官位。次年春季，衛軍攻打邢國，禮氏兄弟跟隨邢國大官國子在城上巡邏，左右挾持國子，將他扔出城外摔死，衛軍乘機滅亡了邢國。

【出處】

衛人將伐邢，禮至曰：「不得其守，國不可得也。我請昆弟仕焉。」乃往，得仕。二十五年，春，衛人伐邢，二禮從國子巡城，掖以赴外，殺之。(《左傳》〈僖公二十四年〉)

寧俞貨醫

晉文公因寧俞（寧武子）忠誠，沒有處罰他，讓他陪同衛成公前往東周國都坐牢。衛成公被關押在囚室裡，由寧俞每天送稀粥給他吃。晉文公把弄死衛成公的任務交給狐偃，狐偃派醫生衍伺機下毒。寧俞守護嚴密，寸步不離，一餐一飯都親自品嚐，然後才讓衛成公吃。寧俞又賄賂醫生衍，讓他少放點毒藥，既不辱使命，又保全了衛成公性命。衛成公通過魯僖公出面求情，把玉獻給周襄王和晉文公，各十對。周襄王得到賄賂，首先表示同意。衛成公釋放出獄後，又派人賄賂周歂、冶廑並對他們說：「如果能接納我為國君，我讓你倆當卿。」周、冶二人於是殺死元咺和子適、子儀，迎接衛成公回國。衛成公在太廟祭祀先君，周、冶兩人已穿好卿的禮服，準備接受任命，周歂先進太廟，到門口突然暴斃。冶廑十分驚恐，便辭去卿位。這一次，衛成公把殺死元咺的責任推到周歂和冶廑身上，而周歂、冶廑相繼暴亡，當然又是衛成公做的手腳。

【出處】

晉侯使醫衍酖衛侯。寧俞貨醫，使薄其酖，不死。公為之請，納玉於王與晉侯。皆十瑴，王許之。秋，乃釋衛侯。衛侯使賂周歂、冶廑，曰：「苟能納我，吾使爾為卿。」周、冶殺元咺及子適、子儀。公入，祀先君。周、冶既服，將命，周歂先入，及門，遇疾而死。冶廑辭卿。（《左傳》〈僖公三十年〉）

愚不可及

寧武子是春秋時期衛國的名臣。孔子對他的評價是：「寧武子這個人，當國家有道時，他就顯得聰明；當國家無道時，他就裝傻。他的那種聰明別人可以做得到，他的那種裝傻別人就做不到了。」

【出處】

子曰：「寧武子，邦有道則知，邦無道則愚。其知可及也，其愚不可及也。」（《論語》〈公冶長〉）

同仇敵愾

魯文公四年，衛國大夫寧俞出使魯國，魯文公設宴招待。席間，文公讓樂工演唱《湛露》和《彤弓》。寧俞聽了，既未辭謝，也不賦詩回答。文公派使者私下詢問。寧俞回答說：「下臣以為是在練習演奏呢。從前諸侯正月去京師向天子朝賀，天子設宴奏樂，在這個時候賦《湛露》這首詩，表示天子對著太陽，諸侯聽從命令。諸侯把天子所痛恨的人作為敵人，團結一心，一致對敵。天子這時要賜給他們紅色的弓一把、紅色的箭一百枝、黑色的弓十把和箭一千枝，以表彰功勞而用宴樂來報答。現在陪臣前來繼續過去的友好，承君王賜宴，哪裡敢觸犯大禮自取罪過？」

【出處】

衛寧武子來聘，公與之宴，為賦《湛露》及《彤弓》。不辭，又不答賦。使行人私焉。對曰：「臣以為肄業及之也。昔諸侯朝正於王，王宴樂之，於是乎賦《湛露》，則天子當陽，諸侯用命也。諸侯敵王所愾，而獻其功，王於是乎賜之彤弓一，彤矢百，玈弓矢千，以

覺報宴。今陪臣來繼舊好，君辱貺之，其敢干大禮以自取戾。」《左傳》〈文公四年〉

苟利社稷

魯宣公十三年，晉國由於衛國救援陳國，派使者來責備衛國說：「如果沒有人承擔責任，晉國就要出兵討伐衛國。」孔達說：「如果有利於社稷，就請以我的死作為說辭吧。我在執政，當然罪過在我。」宣公十四年春季，孔達自縊而死。衛穆公以此通告諸侯說：「寡君有一個不好的臣子孔達，在敝邑和大國之間進行挑撥，如今已經伏罪，謹此通告。」衛國人因為孔達對國家有功，便為他的兒子娶妻，讓他接任父親的官位。

【出處】

清丘之盟，晉以衛之救陳也，討焉。使人弗去，曰：「罪無所歸，將加而師。」孔達曰：「苟利社稷，請以我說。罪我之由。我則為政，而亢大國之討，將以誰任？我則死之。」十四年，春，孔達縊而死。衛人以說於晉而免。遂告於諸侯曰：「寡君有不令之臣達，構我敝邑於大國，既伏其罪矣，敢告。」衛人以為成勞，復室其子，使復其位。（《左傳》〈宣公十四年〉）

君其忍之

衛定公不喜歡孫林父的為人。孫林父就以自己的封地戚邑叛衛投晉。魯成公十四年春季，衛定公到晉國進見，晉厲公強請衛定公接見孫林父，定公不肯。衛定公返回衛國後，晉厲公又派郤犨送孫林父回國，並將戚邑歸還衛國。衛定公想推辭不見，夫人定姜說：「這樣不妥。他是先君宗卿的後代，大國又以此作為請求，如果不答應，恐怕會惹惱晉國。雖然討厭他，但總比亡國強吧？君王還是忍耐一下吧！安定百姓而赦免宗卿，不也是可以的嗎？」衛定公於是接見了孫林父，並且恢復了他的職位和采邑。

【出處】

十四年春，衛侯如晉，晉侯強見孫林父焉，定公不可。夏，衛侯既歸，晉侯使郤犨送孫林父而見之。衛侯欲辭，定姜曰：「不可。是先君宗卿之嗣也，大國又以為請，不許，將亡。雖惡之，不猶愈於亡乎？君其忍之！安民而宥宗卿，不亦可乎？」衛侯見而復之。（《左傳》〈成公十四年〉）

衛姑定姜

衛姑定姜是衛定公的夫人，衛公子的母親。公子娶妻不久就死了，妻子沒有生小孩，三年喪期過後，定姜送她回娘家，親自送到城外，定姜心裡非常悲痛，遠望車子遠去，淚飛如雨，於是賦詩說：

「燕子飛翔天上，參差舒展翅膀。妹子今日遠行，相送郊野路旁。瞻望不見人影，淚流紛如雨降。」返回時走了好遠，仍然悲傷難禁，又作詩說：「常常想著父王，叮嚀響我耳旁。」君子評價說：定姜真是一位慈愛的婆婆，仁慈而寬厚。定公厭惡孫林父，定姜又勸告夫君從國家利益考慮，寬恕宗室大臣。定公於是允許孫林父回來，恢復他的職位和采邑。君子稱讚定姜使國家遠離災難。定公過世後，立敬姒的兒子衎為君主，就是獻公。獻公在居喪期間就傲慢無禮，定姜為此難過得不思飲食，嘆息說：「衛國將要衰敗，必先殘害賢人。老天要降禍給衛國呀，這都是我沒能讓鱄成為國君的緣故啊。」大夫們聽到這話都很害怕。孫文子（孫林父）因此不敢把貴重物品放在衛國。鱄是獻公的弟弟子鮮，享有賢名，定姜想立他為君但沒有成功。獻公暴虐無道，時常侮辱定姜，終於被驅逐出境。獻公讓祝宗到祖廟裡申訴自己無罪，定姜歷數獻公的罪惡說：「神是不可欺騙的。捨棄賢明的大臣而親近佞臣，這是第一宗罪；蔑視先君的老師冢卿，這是第二樁罪；粗暴對待先君的夫人，這是第三樁罪。你可以向先祖報告，卻不能說自己無罪。」後來還是善良的鱄，幫助獻公回國。君子稱讚定姜能以言辭教化。《詩》中所謂「我言切合治國實際」，說的正是她啊。有一次，鄭國皇耳率兵討伐衛國。孫文子卜卦是否追擊，把卦象給定姜看並說：「這個卦象如山林的形狀，有夫出征而喪其雄。」定姜回答說：「征伐一方喪其雄，對抵抗敵寇有利，大夫們努力吧！」於是衛國軍隊果敢出擊，在犬丘擒獲了鄭軍主將皇耳。君子因此稱讚定姜通達事理。《詩》中所謂「要向左啊就向左，君子應付很適宜」，講的就是她啊！

【出處】

衛姑定姜者，衛定公之夫人，公子之母也。公子既娶而死，其婦無子，畢三年之喪，定姜歸其婦，自送之，至於野。恩愛哀思，悲心感慟，立而望之，揮泣垂涕。乃賦詩曰：「燕燕于飛，差池其羽，之子于歸，遠送于野，瞻望不及，泣涕如雨。」送去歸泣而望之。又作詩曰：「先君之思，以畜寡人。」君子謂定姜為慈姑，過而之厚。定公惡孫林父，孫林父奔晉。晉侯使郤犨為請還，定公欲辭，定姜曰：「不可，是先君宗卿之嗣也。大國又以為請，而弗許，將亡。雖惡之，不猶愈於亡乎！君其忍之。夫安民而宥宗卿，不亦可乎！」定公遂復之。君子謂定姜能遠患難。詩曰：「其儀不忒，正是四國。」此之謂也。定公卒，立敬姒之子衎為君，是為獻公。獻公居喪而慢。定姜既哭而息，見獻公之不哀也，不內食飲，嘆曰：「是將敗衛國，必先害善人，天禍衛國也！夫吾不獲鱄也，使主社稷。」大夫聞之皆懼。孫文子自是不敢舍其重器於衛。鱄者，獻公弟子鮮也。賢，而定姜欲立之而不得。後獻公暴虐，慢侮定姜。卒見逐走，出亡至境，使祝宗告亡，且告無罪於廟。定姜曰：「不可。若令無，神不可誣。有罪，若何告無罪也。且公之行，舍大臣而與小臣謀，一罪也。先君有冢卿以為師保而蔑之，二罪也。余以巾櫛事先君，而暴妾使余，三罪也。告亡而已，無告無罪。其後賴鱄力，獻公復得反國。君子謂定姜能以辭教。《詩》云：「我言維服。」此之謂也。鄭皇耳率師侵衛，孫文子卜追之，獻兆於定姜曰：「兆如山林，有夫出征而喪其雄。」定姜曰：「征者喪雄，禦寇之利也。大夫圖之。」衛人追之，獲皇耳於犬邱。君子謂定姜達於事情。《詩》云：「左之左之，君子宜之。」此之謂也。（《列女傳》〈母儀傳〉）

以儉為禮

衛國叔孫文子問王孫夏說：「我的祖廟太小，我想擴建一下，可以嗎？」王孫夏回答說：「古代的君子以節儉為禮，現在的人崇尚奢侈。衛國雖然貧窮，難道用一雙帶花紋的鞋子去換一小塊錦繡都做不到嗎？不擴建不是因為貧窮，只是因為與禮不合而已。」孫文子於是放棄了自己的想法。

【出處】

衛叔孫文子問於王孫夏曰：「吾先君之廟小，吾欲更之，可乎？」對曰：「古之君子，以儉為禮。今之君子，以汏易之。夫衛國雖貧，豈無十履一奇，以易十稯之繡哉？以為非禮也。」文子乃止。（《說苑》〈反質〉）

攻出獻公

衛獻公十三年，樂師曹教宮中妾彈琴，妾彈得很差，曹鞭笞她以示懲罰。妾就在獻公面前說曹的壞話，故意中傷曹，獻公於是也鞭笞曹三百下。十八年時，獻公告請孫文子、寧惠子進宴，兩人如期前往待命。天晚了，獻公還未去召請他們，卻到園林去射大雁。兩人只好跟從獻公到了園林，獻公未脫射服就與他們談話。對獻公的這種無禮行為，兩人非常生氣，便到宿邑去了。孫文子的兒子多次陪侍獻公飲酒，獻公讓樂師曹唱《小雅》中《巧言》篇的最後一章。樂師曹本來就痛恨獻公以前鞭笞他三百下，於是就演唱了這首詩，想以此激怒孫文子以報復衛獻公。孫文子把這件事告訴衛大夫蘧伯玉，蘧伯玉說：「我不知道。」於是孫文子趕走了獻公。

【出處】

獻公十三年，公令師曹教宮妾鼓琴，妾不善，曹笞之。妾以幸惡曹於公，公亦笞曹三百。十八年，獻公戒孫文子、寧惠子食，皆往。日旰不召，而去射鴻於囿。二子從之，公不釋射服與之言。二子怒，如宿。孫文子子數侍公飲，使師曹歌《巧言》之卒章。師曹又怒公之嘗笞三百，乃歌之，欲以怒孫文子，報衛獻公。文子語蘧伯玉，伯玉曰：「臣不知也。」遂攻出獻公。（《史記》〈衛康叔世家〉）

過而不悛

魯襄公七年，衛國的孫文子到魯國聘問，重溫和孫桓子結盟的友好關係。魯襄公登上壇臺，孫林父與他並肩而行。叔孫穆子擔任相職，趕忙上前阻止說：「諸侯會盟，寡君從來都是走在衛君前面。現在您竟然與我國國君並肩而行，是我國國君有什麼失禮之處嗎？大夫您稍稍停留一下吧！」孫林父一句話也沒有說，但也沒有承認錯誤、請求原諒的意思。穆叔因此評價說：「孫子一定會敗亡。身為臣下卻冒行君禮，知道犯錯卻不思改過。這是家敗人亡的事啊。《詩》說：『退朝用餐享佳餚，逍遙踱步慢悠悠』，說的是小心順從的人。專橫而又自得，必然遭受挫折。」

攻出獻公

【出處】

衛孫文子來聘，且拜武子之言，而尋孫桓子之盟。公登亦登。叔孫穆子相，趨進曰：「諸侯之會，寡君未嘗後衛君。今吾子不後寡君，寡君未知所過。吾子其少安！」孫子無辭，亦無悛容。穆叔曰：「孫子必亡。為臣而君，過而不悛，亡之本也。《詩》曰：『退食自公，委蛇委蛇。』謂從者也。衡而委蛇必折。」（《左傳》〈襄公七年〉）

寗殖之托

衛國的寗殖病重，告訴悼子說：「我得罪了國君，後悔也來不及了。我的名字被諸侯記錄在案說：『孫林父、寗殖趕走了他們的國君。』國君回國，你能幫我掩蓋這件事，就是我的兒子；如果不能，假如有鬼神的話，我寗可挨餓，也不來享受你的祭祀。」悼子點頭答應了，寗殖頓時斷了氣。

【出處】

衛寗惠子疾，召悼子曰：「吾得罪於君，悔而無及也。名藏在諸侯之策，曰：『孫林父、寗殖出其君。』君入則掩之。若能掩之，則吾子也。若不能，猶有鬼神，吾有餒而已，不來食矣。」悼子許諾，惠子遂卒。（《左傳》〈襄公二十年〉）

舉棋不定

衛獻公驕橫粗暴。魯襄公十四年，衛國大夫孫文子和寧惠子發動軍事政變，衛獻公帶著母親和弟弟逃往齊國。孫文子和寧惠子把持朝政，立衛殤公狄為國君。寧惠子臨死之前，感到驅逐國君是一件恥辱，便叮囑兒子寧悼子迎回獻公。獻公讓人向寧悼子許諾：復國後決不干預國政，只掌管宗廟、祭祀等事。當時有不少大夫反對獻公復位。大夫右宰谷見到獻公之後，回來勸寧悼子說：「獻公流亡在外十二年，但粗暴的脾氣一點沒變，他要回來，大家的死期就到了。」另一位大夫叔儀也警告寧悼子說：「做事情要前後一貫，你們寧家一會兒參與驅逐國君，一會兒又要迎他回來。棋手下棋，如果舉棋不定就要失敗，這是國君廢立，如此輕率，一定會有滅族之禍的。」寧悼子獨斷獨行，以「先父遺命」為藉口，不聽勸告，一心要獨攬大權。後來他滅掉孫氏，殺死衛殤公，迎回獻公。衛獻公回國後，利用大夫公孫免餘除掉了寧悼子，報了自己被寧氏驅逐之仇。

【出處】

衛獻公自夷儀使與寧喜言，寧喜許之。大叔文子聞之，曰：「烏乎！《詩》所謂『我躬不說，皇恤我後』者，寧子可謂不恤其後矣。將可乎哉？殆必不可。君子之行，思其終也，思其復也。《書》曰：『慎始而敬終，終以不困。』《詩》曰：『夙夜匪解，以事一人。』今寧子視君不如弈棋，其何以免乎？弈者舉棋不定，不勝其耦。而況置君而弗定乎？必不免矣。九世之卿族，一舉而滅之。可哀也哉！」（《左傳》〈襄公二十五年〉）

君失其言

寧喜運作獻公回國的時候，獻公提出衛國的國政都歸寧氏主持，自己只掌管祭祀。寧喜擔心獻公回國後變卦，提出以公子鱄（子鮮）為證人訂立盟約。獻公向公子鱄再三表態，公子鱄才答應出面擔保。寧喜說：「子鮮如果能確保君主信守承諾，我哪敢不盡力促成此事呢？」公子鱄說：「如果君主失言，我將終身不享受衛國的俸祿。」獻公回國後不能忍受寧喜專政，使公孫免餘殺死了寧喜。公子鱄得知消息，撲到寧喜屍體上大哭。而後以牛車載著一家老小出奔晉國，獻公派大夫齊惡追到黃河岸邊，公子鱄當著齊惡的面將一隻活雞的頭剁下，發誓說：「我和我的家人，今後如果再踏入衛國的土地，吃到衛國的糧食，有如此雞。」公子鱄出奔晉國，隱居在邯鄲，寄住在簡陋的木屋裡，坐著的時候都不肯面向衛國。一家人靠織鞋子維持生計，公子鱄終身都沒有出來做官。

【出處】

衛獻公使子鮮為復，辭。敬姒強命之。對曰：「君無信，臣懼不免。」敬姒曰：「雖然，以吾故也。」許諾。初，獻公使與寧喜言，寧喜曰：「必子鮮在，不然必敗。」故公使子鮮。子鮮不獲命於敬姒，以公命與寧喜言，曰：「苟反，政由寧氏，祭則寡人。」（《左傳》〈襄公二十六年〉）

衛寧喜專，公患之。公孫免餘請殺之。公曰：「微寧子不及此，吾與之言矣。事未可知，只成惡名，止也。」對曰：「臣殺之，君勿與知。」乃與公孫無地、公孫臣謀，使攻寧氏。弗克，皆死。公曰：「臣也無罪，父子死余矣！」夏，免餘復攻寧氏，殺寧喜及右宰穀，尸諸朝。石惡將會宋之盟，受命而出。衣其尸，枕之股而哭之。欲斂以亡，懼不免，且曰：「受命矣。」乃行。子鮮曰：「逐我者出，納我者死，賞罰無章，何以沮勸？君失其信，而國無刑。不亦難乎！且鱄實使之。」遂出奔晉。公使止之，不可。及河，又使止之。止使者而盟於河，托於木門，不鄉衛國而坐。木門大夫勸之仕，不可，曰：「仕而廢其事，罪也。從之，昭吾所以出也。將誰愬乎？吾不可以立於人之朝矣。」終身不仕。公喪之，如稅服，終身。（《左傳》〈襄公二十七年〉）

懼死之速

衛獻公因為公孫免餘殺死恃功專權的寧喜，賜給他六十座城邑，免餘辭謝說：「只有卿才配具備一百個城邑，下臣已經有六十個邑了。下人居有上人的祿位，就會產生混亂。下臣不敢做這種事。寧子就因為城邑過多了，所以死了，下臣害怕速死。」衛獻公一定要給，他就接受了一半，出任少師。衛獻公想讓他做卿，他辭謝說：「大叔儀沒有二心，能做大事，君王還是任命他吧。」於是獻公就任命大叔儀為卿。

【出處】

公與免餘邑六十，辭曰：「唯卿備百邑，臣六十矣。下有上祿，亂也，臣弗敢聞。且寧子唯多邑，故死。臣懼死之速及也。」公固與之，受其半。以為少師。公使為卿，辭曰：「大叔儀不貳，能贊大事。君其命之！」乃使文子為卿。（《左傳》〈襄公二十七年〉）

子孫不變

衛國有個大史叫柳莊，臥病在床。衛君說：「如果病情危急，即使是我在主持祭祀也要立即向我報告。」柳莊果然在衛君主持祭祀時去世了，衛君接到報告，就拜了兩拜，叩頭，然後向祭祀中的主持者請求說：「有個臣子叫柳莊的，他不僅是我個人的臣子，也是國家的賢臣，剛才得到他去世的消息，請求您讓我現在就去。」衛君沒有脫掉祭服就趕往柳莊家，於是就把身上穿的祭服脫下贈給死者，還將裘氏邑和潘氏縣封給柳莊作采邑，又把這種封賞寫成誓約放進棺裡。誓約上寫道：「世世代代子子孫孫，萬代相傳永不改變！」

【出處】

衛有大史曰柳莊，寢疾。公曰：「若疾革，雖當祭必告。」公再拜稽首請於尸曰：「有臣柳莊也者，非寡人之臣，社稷之臣也，聞之死，請往。」不釋服而往，遂以襚之。與之邑裘氏與縣潘氏，書而納諸棺曰：「世世萬子孫毋變也。」（《禮記》〈檀弓下〉）

懼猶不足

吳國公子季札從衛國去晉國，準備在戚地住宿。聽到鐘磬的聲音，議論說：「奇怪啊！我聽說：發動變亂而沒有德行，必然被誅戮。本來就在這裡得罪過國君，擔憂還來不及，有什麼好尋歡作樂的呢？守住這塊封地，就像燕子在帳幕上壘窩，根本就不安穩。國君停棺尚未安葬，怎麼可以尋歡作樂呢？」於是沒有住在戚地。孫文子聽到這番話，終身不再聽音樂。孔子聽說了這件事後評論說：「季子能根據義來糾正別人，文子能克制自己來服從義，稱得上善於改正錯誤啊！」

【出處】

自衛如晉，將宿於戚。聞鐘聲焉，曰：「異哉！吾聞之也：『辯而不德，必加於戮。』夫子獲罪於君以在此，懼猶不足，而又何樂？夫子之在此也，猶燕之巢於幕上。君又在殯，而可以樂乎？」遂去之。文子聞之，終身不聽琴瑟。（《左傳》〈襄公二十九年〉）

郊迎之竟

蘧伯玉得罪了衛國國君，出逃至晉國，住在晉國大夫木門子高家裡。過了兩年，衛君赦免了蘧伯玉的罪過並讓他回國。木門子高讓他的兒子一直把蘧伯玉送到邊界。後來木門子高得罪了晉國國君，也來投奔蘧伯玉，蘧伯玉對衛君說：「晉國的賢大夫木門子高得罪了晉君，希望君王能以禮待他。」於是衛君出城到邊境迎接木門子高，並任他為上卿。

【出處】

蘧伯玉得罪於衛君，走而之晉。晉大夫有木門子高者，蘧伯玉舍其家。居二年，衛君赦其罪而反之。木門子高使其子送之至於境，蘧伯玉曰：「鄙夫之子反矣。」木門子高後得罪於晉君，歸蘧伯玉，伯玉言之衛君曰：「晉之賢大夫木門子高得罪於晉君，願君禮之。」於是衛君郊迎之竟，以為上卿。（《說苑》〈復恩〉）

天所置也

襄公有個小妾，很受寵愛，有孕後曾夢見有人對她說：「我是康叔，一定讓你的兒子享有衛國，你的兒子應該取名叫『元』。」小妾醒後十分驚訝，詢問孔成子。成子說：「康叔是衛國的始祖。」小妾生下孩子，果真是個男孩，就把此夢告訴襄公。襄公說：「這是上天的安排！」於是給男孩取名叫元，恰好襄公夫人未生兒子，便立元為嫡子。襄公在位九年後去世，元即位為君，這就是靈公。

【出處】

初，襄公有賤妾，幸之，有身，夢有人謂曰：「我康叔也，令若子必有衛，名而子曰『元』。」妾怪之，問孔成子。成子曰：「康叔者，衛祖也。」及生子，男也，以告襄公。襄公曰：「天所置也。」

名之曰元。襄公夫人無子，於是乃立元為嗣，是為靈公。（《史記》〈衛康叔世家〉）

所謂真人

衛國有五個男子，一起背著瓦罐到井下取水灌溉韭菜地，一整天只能灌溉一畦。鄧析經過這裡，下車教給他們方法並說：「可以製作一種機械，後重前輕，叫作橋，一天能灌溉韭菜地上百畦，人還不疲倦。」五個男子說：「我們老師說，有機智的巧思，必定有因機智招致的失敗。我們並非不知道這麼做，而是不想這麼做。你走吧，我們專心灌園，不會改變方法的。」鄧析鬱悶地離開了，眉頭緊鎖，百思難解。弟子們說：「這是些什麼人？令我們的老師如此煩惱，讓我們去殺死他們。」鄧析說：「算了吧，這些人就是所謂的『真人』，可以讓他們掌管國政。」

【出處】

衛有五丈夫，俱負缶而入井，灌韭，終日一區。鄧析過，下車為教之曰：「為機，重其後，輕其前，命曰橋。終日灌韭百區，不倦。」五丈夫曰：「吾師言曰：『有機知之巧，必有機知之敗。』我非不知也，不欲為也。子其往矣，我一心溉之，不知改已！」鄧析去，行數十里，顏色不悅懌，自病。弟子曰：「是何人也？而恨我君，請為君殺之。」鄧析曰：「釋之，是所謂真人者也。可令守國。」（《說苑》〈反質〉）

靈公叛晉

晉軍準備和衛靈公在鄟澤結盟，趙簡子說：「臣下們有誰敢和衛國國君結盟？」涉佗、成何說：「我們能和他結盟。」衛國人請他們兩人執牛耳。成何說：「衛國，不過和我國溫地、原地差不多，哪裡能和諸侯相比？」將要歃血，涉佗推開衛靈公的手，血順著淌到手腕上。衛靈公發怒，王孫賈快步走進，說：「結盟是用來伸張禮儀的，就像衛國國君所做的那樣，難道要不奉行禮儀而接受這個盟約？」衛靈公想要背叛晉國，又擔心大夫們反對。王孫賈讓衛靈公住在郊外，大夫們問什麼緣故，衛靈公把所受晉國人的侮辱告訴他們，而且說：「寡人對不起國家，還是改卜其他人擔任國君，寡人願意服從。」大夫們說：「這是衛國的禍患，哪裡是君王的過錯呢？」衛靈公說：「還有更使人擔心的事呢，他們對寡人說：『一定要你的兒子和大夫的兒子作為人質。』」大夫說：「如果有好處，公子就去，臣下們的兒子豈敢不跟隨前往的？」衛靈公接見國人，派王孫賈對大家說：「如果衛國背叛晉國，晉國攻打我們五次，會危險到什麼程度？」大家都說：「攻打我們五次，還可以有能力作戰。」王孫賈說：「那麼應當先背叛晉國，發生危險再送人質，還不晚吧？」於是背叛晉國。晉國人請求重新結盟，衛國人不同意。

【出處】

晉師將盟衛侯於鄟澤。趙簡子曰：「群臣誰敢盟衛君者？」涉佗、成何曰：「我能盟之。」衛人請執牛耳。成何曰：「衛，吾溫、原也，焉得視諸侯？」將歃，涉佗捘衛侯之手，及捥。衛侯怒，王孫賈趨進，曰：「盟以信禮也。有如衛君，其敢不唯禮是事，而受此盟也。」衛侯欲叛晉，而患諸大夫。王孫賈使次於郊，大夫問故。公以晉詬語之，且曰：「寡人辱社稷，其改卜嗣，寡人從焉。」大夫曰：「是衛之禍，豈君之過也？」公曰：「又有患焉。謂寡人『必以而子與大夫之子為質』。」大夫曰：「苟有益也，公子則往。群臣之子，敢不皆負羈紲以從？」將行。王孫賈曰：「苟衛國有難，工商未嘗不為患，使皆行而後可。」公以告大夫，乃皆將行之。行有日，公朝國人，使賈問焉，曰：「若衛叛晉，晉五伐我，病何如矣？」皆曰：「五伐我，猶可以能戰。」賈曰：「然則如叛之，病而後質焉，何遲之有？」乃叛晉。晉人請改盟，弗許。（《左傳》〈定公八年〉）

濮水之上

衛靈公去晉國，來到濮水邊，卸車放馬，布置住處準備夜宿。夜半時分，聽見有人彈奏新的樂調，很是喜歡，叫人問近侍，都回答說沒聽見。就召來師涓並告訴他說：「有人在彈奏新曲，叫人問近侍，都說沒聽見。音調好像出自鬼神，你替我聽著把它記錄下來。」師涓說：「好吧。」就靜坐彈琴認真記錄。第二天向靈公回報說：「我錄寫好了，但還不熟悉，請讓我再用一晚上熟悉它。」靈公說：「好吧。」就又留宿一晚。第二天熟悉了，才離開濮水去晉國。

【出處】

昔者，衛靈公將之晉，至濮水之上，稅車而放馬，設舍以宿。夜分，而聞鼓新聲者而說之。使人問左右，盡報弗聞。乃召師涓而告之，曰：「有鼓新聲者，使人問左右，盡報弗聞。其狀似鬼神，子為我聽而寫之。」師涓曰：「諾。」因靜坐撫琴而寫之。師涓明日報曰：「臣得之矣，而未習也，請復一宿習之。」靈公曰：「諾。」因復留宿。明日而習之，遂去之晉。（《韓非子》〈十過第十〉）

靡靡之音

師涓將自己譜寫的表現四時的新曲演奏給衛靈公聽。靈公聽了，久久沉湎於新曲，心神迷亂，以致把國家大事扔在一邊。蘧伯玉規諫靈公說：「師涓譜寫的四時新曲雖然發揚了氣律的特色，但是這些新曲都是聽了讓人心神迷亂的靡靡之音，跟風雅古曲有本質的區別，不適宜下臣推薦演奏給國君聽啊。」於是，衛靈公不再聽四時新曲而專心料理國事了。衛國臣民都讚美衛靈公。師涓對自己違背雅頌等古曲清新古樸的風格譜寫靡靡之音非常懊悔，認為喪失了作為良臣的操守，於是退隱不知去向。蘧伯玉在通達九方的鬧市街口焚燬了師涓製作的所有樂器和譜寫的新曲，唯恐後來的人們傳播這些曲子。

【出處】

師涓者出於衛靈公之世，能寫列代之樂，善造新曲，以代古聲，故有四時之樂。春有離鴻、去雁、應蘋之歌，夏有明晨、焦泉、朱華、流金之調，秋有商飇白雲、落葉、吹蓬之曲，冬有凝河、流陰、沉雲之操。以此四時之聲，奏於靈公。公情湎心惑，忘於政事。蘧伯玉諫曰：「此雖以發揚氣律，終為沉湎靡曼之音，無合於《風》《雅》，非下臣宜薦於君也。」靈公乃去新聲而親政務，故衛人美其化焉。師涓悔其違於《雅》《頌》，失為臣之道，乃退而隱跡。伯玉焚其樂器於九達之衢，恐後世傳造焉。（《太平廣記》〈卷二〇三〉）

亦有逆鱗

彌子瑕是衛靈公的男寵。彌子瑕的母親得了急病，彌子瑕得知消息，假傳命令駕著國君的車子前去探望。按照衛國法律，私駕國君的輦車要處以斷足的酷刑。靈公聽說後，不僅沒處罰彌子瑕，反而認為他很孝順，說：「真孝順啊，為了母親甘願冒斷足的懲罰。」又一次，彌子瑕和衛靈公在果園遊覽，覺得桃子很甜，就把咬了一口的桃子遞給靈公吃。衛君說：「多麼愛我啊，覺得好吃的東西就讓給我。」彌子瑕年老色衰的時候，因事得罪了靈公，靈公就說：「這人過去曾經假托君命私自駕馭我的車子，還把吃剩的桃子給我吃。」《韓非子》因此評價說：彌子瑕的行為和當初並無二樣，先前稱賢後來獲罪的原因，是衛靈公的愛憎有了變化。龍溫柔的時候可以親近，騎著牠玩，但牠的喉部下長著逆鱗，有一尺左右，如果不小心觸到逆鱗，龍就會暴怒殺人。顯然，君主也有這樣的逆鱗。

【出處】

昔者彌子瑕有寵於衛君。衛國之法：竊駕君車者刖。彌子瑕母病，人聞，有夜告彌子，彌子矯駕君車以出。君聞而賢之，曰：「孝哉！為母之故，忘其犯刖罪。」異日，與君游於果園，食桃而甘，不盡，以其半啗君。君曰：「愛我哉！亡其口味，以啗寡人。」及彌子色衰愛弛，得罪於君，君曰：「是固嘗矯駕吾車，又嘗啗我以餘桃。」故子瑕之行未變於初也，而以前之所以見賢而後獲罪者，愛憎之變也。故有愛於主，則智當而加親；有憎於主，則智不當見罪而加疏。固諫說談論之士，不可不察愛憎之主而後說焉。夫龍之為蟲也，柔可狎而騎也；然其喉下有逆鱗徑尺，若人有嬰之者，則必殺人。人主亦有逆鱗，說者能無嬰人主之逆鱗，則幾矣！（《韓非子》〈說難〉）

夢灶見公

衛靈公的時候，彌子瑕受到寵信，專權於國。有個侏儒去拜見衛靈公，對他說：「我的夢應驗了。」靈公問：「什麼夢？」侏儒說：「我夢見灶，結果見到您。」靈公發怒說：「我聽說要見到君主的人會夢見太陽，為什麼你要見我，卻夢見灶呢？」侏儒回答說：「太陽普照天下，一件東西都遮擋不住它；君主普照一國人，一個人都矇蔽不了他。所以要見君主的人會夢見太陽。如果是灶，一人對著灶門烤火，後面的人就無從看見火光。或許現在有人擋住了君主的光輝吧？這樣來看，我夢見灶不也很正常嗎？」

【出處】

衛靈公之時，彌子瑕有寵，專於衛國。侏儒有見公者曰：「臣之夢踐矣。」公曰：「何夢？」對曰：「夢見灶，為見公也。」公怒曰：「吾聞見人主者夢見日，奚為見寡人而夢見灶？」對曰：「夫日兼燭天下，一物不能當也；人君兼燭一國，一人不能擁也。故將見人主者夢見日。夫灶一人煬焉，則後人無從見矣。今或者一人有煬君者乎？則臣雖夢見灶，不亦可乎！」（《韓非子・內儲說上》〈七術〉）

天寒鑿池

衛靈公在隆冬時節讓人挖人工湖，宛春勸阻說：「在大冷天動工，恐怕老百姓受不了。」靈公問說：「天冷嗎？」宛春說：「君主穿的是狐皮袍子，坐的是熊皮墊子，房間裡燒著壁爐，當然感覺不到寒冷。現在老百姓衣服破了打不起補丁，鞋底破了無法修補。主公不冷，老百姓冷啊。」靈公點頭說：「說得是。」於是下令停工。靈公身邊的侍臣勸諫靈公說：「君主挖池子沒考慮到天冷，因為宛春說冷而停工，這樣人們就會感激宛春，而怨恨君主了。」靈公說：「話不能這麼說。宛春本來是魯國的平民百姓，我提拔他，老百姓並不瞭解他，現在可以讓老百姓知道他。況且宛春有他的長處，寡人能用他的長處，這不也說明寡人識才嗎？」靈公談宛春的這番話，說明他懂得為君之道。

【出處】

衛靈公天寒鑿池，宛春諫曰：「天寒起役，恐傷民。」公曰：「天寒乎？」宛春曰：「公衣狐裘，坐熊席，陬隅有灶，是以不寒。今民衣弊不補，履決不組，君則不寒矣，民則寒矣。」公曰：「善。」令罷役。左右以諫曰：「君鑿池，不知天之寒也，而春也知之。以春之知之也而令罷之，福將歸於春也，而怨將歸於君。」公曰：「不然。夫春也，魯國之匹夫也，而我舉之，夫民未有見焉。今將令民以此見之。曰春也有善，於寡人有也，春之善非寡人之善歟？」靈公之論宛春，可謂知君道矣。（《呂氏春秋》〈似順論・分職〉）

教為務也

衛靈公問史鰌說：「你覺得為政的哪種官職最重要？」史鰌回答說：「刑獄官最重要。辦案不公正，被處死的人不能復生，砍斷的頭不能接上，所以說刑獄官最重要。」不一會，子路來拜見靈公，靈公把史鰌的話告訴他。子路說：「軍政官最重要。兩國發生戰爭，兩軍對壘，軍政官指揮調度軍隊，一次指揮不當，就要冤死好幾萬人，所以說軍政官最重要。」過了一會，子貢入宮晉見衛靈公，衛靈公把兩人的觀點告訴他。子貢說：「真是太沒有見識了！從前大禹與有扈氏交戰，三次征伐，有扈氏仍不降服，後來施行教化，一年後有扈氏就請求歸服。如果消除百姓爭鬥的因素，哪裡會有獄案辦理？各國和平相處，哪來的戰鼓齊鳴？所以說，教化才是最重要的。」

【出處】

衛靈公問於史鰌曰：「政孰為務？」對曰：「大理為務，聽獄不中，死者不可生也，斷者不可屬也，故曰大理為務。」少焉，子路見公，公以史鰌言告之，子路曰：「司馬為務，兩國有難，兩軍相當，司馬執枹以行之，一鬥不當，死者數萬，以殺人為非也，此其為殺人亦眾矣，故曰：司馬為務。」少焉，子貢入見，公以二子言告之，子貢曰：「不識哉！昔禹與有扈氏戰，三陳而不服，禹於是修教一年，而有扈氏請服，故曰：『去民之所事，奚獄之所聽；兵革之不陳，奚鼓之所鳴。』故曰教為務也。」（《說苑》〈政理〉）

喪在北堂

衛靈公的時候，蘧伯玉賢明而不受重用，彌子瑕無德無能卻身當重任。衛大夫史鰌對此非常憂慮，多次勸諫衛靈公，衛靈公不聽。史鰌得了重病，眼看性命不保，就對兒子說：「我死之後，把我停在北堂裡辦喪事，我既不能使蘧伯玉出任要職，又不能罷免彌子瑕。生前不能匡正君主的過錯，死後就不該享受應有的禮儀。把棺材停在北堂，我就很滿足了。」史鰌死後，衛靈公到他家弔喪，看見靈柩停在北堂，問其原因，史鰌的兒子把父親的遺言轉告靈公。靈公肅然起敬，恍然大悟說：「先生生前就要我薦賢舉能，罷免無德無才的人，到死仍然念念不忘，又以屍諫，真是忠心至死不渝啊。」於是召見蘧伯玉，任命他為上卿，同時罷免彌子瑕。而後把史鰌的靈柩移至正堂，舉行喪禮後才離開，衛國的政治由此走上正軌。

【出處】

衛靈公之時，蘧伯玉賢而不用，彌子瑕不肖而任事。衛大夫史鰌患之，數以諫靈公而不聽。史鰌病且死，謂其子曰：「我即死，治喪於北堂。吾不能進蘧伯玉而退彌子瑕，是不能正君也，生不能正君，死不當成禮，置屍北堂，於我足矣。」史鰌死，靈公往弔，見喪在北堂，問其故？其子具以父言對靈公。靈公蹴然易容，寤然失位，曰：「夫子生則欲進賢而退不肖，死且不懈，又以屍諫，可謂忠而不衰矣。」於是乃召蘧伯玉而進之以為卿，退彌子瑕。徙喪正堂，成禮而後返，衛國以治。（《新序》〈雜事第一〉）

君子安可毋敬

衛國的將軍文子去拜見曾子，曾子打手勢邀請文子入座，自己卻端坐在西南角的尊位上。文子對他的車伕說：「曾子真是個蠢人！既然把我當君子，對君子怎麼可以不尊敬呢？那就把我當暴徒吧，對待暴徒怎麼可以侮辱呢？曾子沒掉腦袋，算他命大。」

【出處】

衛將軍文子見曾子，曾子不起而延於坐席，正身見於奧。文子謂其御曰：「曾子，愚人也哉！以我為君子也，君子安可毋敬也！以我為暴人也，暴人安可侮也！曾子不僇，命也。」（《韓非子》〈說林下〉）

知過故興

衛靈公身穿短內衣與婦人們在一起遊樂。子貢拜見衛靈公，衛靈公問他說：「衛國將會滅亡嗎？」子貢回答說：「從前夏桀、殷紂不承擔自己的過錯，所以滅亡；成湯、周文王、武王知道承擔自己的過錯，所以興盛。君主知錯能改的話，衛國怎麼會滅亡呢？」

【出處】

衛靈公襜被以與婦人游，子貢見公。公曰：「衛其亡乎？」對曰：「昔者夏桀、殷紂不任其過，故亡；成湯、文、武知任其過，故興，衛奚其亡也！」（《說苑》〈權謀〉）

國之福也

衛靈夫人，即衛靈公的夫人。一天晚上，靈公與夫人在宮中聽到外面有車子碾過的聲音，到了宮門口卻戛然而止，過了一會，車子又轉動起來。靈公問夫人說：「知道是誰嗎？」夫人回答說：「一定是蘧伯玉。」靈公說：「你怎麼知道呢？」夫人說：「我聽說，按照禮制，乘車經過宮門要停下來表示尊敬。忠臣與孝子不僅在大庭廣眾會保持君子風度，暗處無人時也會節操自守。蘧伯玉是衛國有名的賢大夫，為人仁厚而有智慧，對君主非常恭敬，這樣的人決不會因為在黑暗中行走而荒廢禮儀，所以我猜想是他。」靈公派人去看，果然是蘧伯玉。靈公回來時戲弄夫人說：「不是蘧伯玉！」夫人斟酒拜賀靈公。靈公問她說：「為什麼要祝賀我呢？」夫人說：「起先妾以為衛國賢人只有一個蘧伯玉，如今衛國有與他看齊的人，君主就有兩位賢臣了。國中多賢臣是國家的福分，因此祝賀你。」靈公驚奇地說：「說得太好了！」於是以實情相告。

【出處】

衛靈公之夫人也。靈公與夫人夜坐，聞車聲轔轔，至闕而止，過闕復有聲。公問夫人曰：「知此謂誰？」夫人曰：「此必蘧伯玉也。」公曰：「何以知之？」夫人曰：「妾聞：《禮》『下公門、式路馬』，所以廣敬也。夫忠臣與孝子，不為昭昭變節，不為冥冥惰行。蘧伯玉，衛之賢大夫也。仁而有智，敬於事上。此其人必不以闇昧廢禮，是以知之。」公使視之，果伯玉也。公反之，以戲夫人曰：「非也。」夫人酌觴再拜賀公，公曰：「子何以賀寡人？」夫人曰：「始妾獨以衛為有蘧伯玉爾，今衛復有與之齊者，是君有二臣也。國多賢臣，國之福也。妾是以賀。」公驚曰：「善哉！」遂語夫人其實焉。（《列女傳》〈仁智傳〉）

一石三鳥

北宮氏因平亂之功勢力越來越大，衛靈公幾乎不能控制。於是靈公派北宮結出訪齊國，私下告訴齊景公說：「把結抓起來，侵襲我國。」齊景公於是拘捕北宮結並出兵伐衛。靈公把責任推到北宮結身上，趁機削弱北宮氏的勢力，然後再和齊景公締結盟約讓其退兵，從而既解決了北宮氏尾大不掉，又不使其他大臣起疑心，同時還加強了與齊國的關係。

【出處】

使北宮結如齊，而私於齊侯曰：「執結以侵我。」齊侯從之，乃盟於瑣。（《左傳》〈定公七年〉）

其君在焉

衛靈公準備率軍前往五氏，占卜經過中牟會怎麼樣，龜甲烤焦了，衛靈公說：「行了，衛國的戰車足以禦敵一半，寡人在場也可禦敵一半，可以戰勝他們。」於是經過中牟。中牟人想進攻衛軍，逃亡到中牟的衛國人褚師圃說：「衛國雖小，但他們的國君隨征，是不能戰勝的。齊軍攻下城邑就驕傲，他們的元帥地位低賤，兩軍相遇，一定可以打敗他們，不如向齊軍挑戰。」於是放棄衛軍，轉而進攻齊軍。

【出處】

晉車千乘在中牟。衛侯將如五氏，卜過之，龜焦。衛侯曰：「可也。衛車當其半，寡人當其半，敵矣。」乃過中牟。中牟人欲伐之，衛褚師圃亡在中牟，曰：「衛雖小，其君在焉，未可勝也。齊師克城而驕，其帥又賤，遇，必敗之。不如從齊。」乃伐齊師，敗之。（《左傳》〈定公九年〉）

貞惠文子

公叔文子去世後，他的兒子戍向國君請求賜予謚號說：「大夫三月而葬，現在葬期臨近，請您賜給亡父一個謚號以便日後稱呼。」衛靈公說：「從前衛國遇到凶年饑荒，夫子施粥賑濟饑民，這不是愛民樂施的表現嗎？正與《謚法》的『惠』字相合。從前衛國發生內亂，夫子拚死保衛我，這不正合著《謚法》上的『貞』字嗎？夫子主持衛國國政，根據禮數的規定，當尊者尊，當卑者卑，以之與四鄰交往，使衛國的聲望沒有受到玷辱，這不是正合著《謚法》上的『文』字嗎？所以，我們可以用『貞惠文子』作為夫子的謚號。」

【出處】

公叔文子卒，其子戍請謚於君，曰：「日月有時，將葬矣。請所以易其名者。」君曰：「昔者衛國凶饑，夫子為粥與國之餓者，是不亦惠乎？昔者衛國有難，夫子以其死衛寡人，不亦貞乎？夫子聽衛國之政，修其班制，以與四鄰交，衛國之社稷不辱，不亦文乎？故謂夫子『貞惠文子』。」(《禮記》〈檀弓下〉)

君更圖之

太子蒯聵和靈公夫人南子有仇，想在朝會時殺死夫人，被夫人察覺後，太子逃往宋國。衛靈公四十二年春季，靈公郊遊，讓子郢駕車。郢是靈公的小兒子，字子南。靈公怨恨太子逃亡，就對郢說：

「我準備立你為太子。」郢回答說：「郢不夠格，不能辱沒國家，您再另擇人選吧。」夏天，靈公逝世，夫人傳命以子郢為太子，說：「這是靈公的命令。」郢回答說：「逃亡太子蒯聵的兒子輒在，我不敢擔當此任。」於是衛人就立輒為國君，這就是出公。

【出處】

三十九年，太子蒯聵與靈公夫人南子有惡，欲殺南子。蒯聵與其徒戲陽遫謀，朝，使殺夫人。戲陽後悔，不果。蒯聵數目之，夫人覺之，懼，呼曰：「太子欲殺我！」靈公怒，太子蒯聵奔宋，已而之晉趙氏。四十二年春，靈公游於郊，令子郢僕。郢，靈公少子也，字子南。靈公怨太子出奔，謂郢曰：「我將立若為後。」郢對曰：「郢不足以辱社稷，君更圖之。」夏，靈公卒，夫人命子郢為太子，曰：「此靈公命也。」郢曰：「亡人太子蒯聵之子輒在也，不敢當。」於是衛乃以輒為君，是為出公。（《史記》〈衛康叔世家〉）

衛二亂女

衛二亂女，指的是南子和衛伯姬。南子是宋國人，衛靈公的夫人，她與宋國的子朝私通，太子蒯聵知道這件事後非常厭惡。南子於是向靈公進讒說：「太子要殺我。」靈公怒斥蒯聵，蒯聵只得出奔宋國。靈公死後，蒯聵的兒子輒繼位，是為出公。衛伯姬是蒯聵的姐姐，孔文子的夫人、孔悝的母親。孔悝在出公時出任宰相。文子死後，伯姬和孔家的僕人渾良夫私通，並把渾良夫介紹給蒯聵。蒯聵說：「如果你能幫我回國，我就封你為乘軒，並免你三次死罪。」兩人盟誓之後，蒯聵把伯姬許給良夫為妻。良夫大喜，把消息告訴伯姬，伯姬也很高興。良夫就和蒯聵悄悄潛入孔家。到了黃昏，兩人蒙面騎馬來到伯姬的住處。晚飯後，伯姬、蒯聵帶著幾個貼身侍衛，把伯姬的兒子孔悝逼在廁所裡達成盟誓。於是出公逃往魯國，子路為救孔悝殉難而死。蒯聵繼位，是為莊公。莊公即位後殺死了南子及渾良夫。後來因為戎州之亂再次出逃。四年之後，出公回到衛國。衛國的大夫殺死孔悝的母親伯姬迎接出公。這兩個女人製造的混亂影響了整整五代人，直到悼公才消停下來。《詩經》裡說：「你看這黃鼠還有皮，人咋會不要臉面。人若不要臉面，還不如死了算啦。」說的就是這兩個女人吧。

【出處】

衛二亂女者，南子及衛伯姬也。南子者，宋女，衛靈公之夫人。通於宋子朝，太子蒯聵知而惡之。南子讒太子於靈公曰：「太子欲殺我。」靈公大怒蒯聵，蒯聵奔宋。靈公薨，蒯聵之子輒立，是為出公。衛伯姬者，蒯聵之姊也，孔文子之妻，孔悝之母也。悝相出公。文子卒，姬與孔氏之豎渾良夫淫。姬使良夫於蒯聵，蒯聵曰：「子苟能內我於國，報子以乘軒，免子三死。」與盟，許以姬為良夫妻。良夫喜，以告姬，姬大悅，良夫乃與蒯聵入舍孔氏之圃。昏時，二人蒙衣而乘，遂入至姬所。已食，姬杖戈先太子與五介胄之士，迫其子悝於廁，強盟之。出公奔魯，子路死之，蒯聵遂立，是為莊公。殺夫人南子，又殺渾良夫。莊公以戎州之亂，又出奔，四年而出公復入。將入，大夫殺孔悝之母而迎公。二女為亂五世，至悼公而後定。詩云：

「相鼠有皮，人而無儀。人而無儀，不死何為？」此之謂也。（《列女傳》〈孽嬖傳〉）

送往迎來

衛靈公想修築一座祭壇，裡面放置上下兩層的鐘架，懸掛鑄好的編鐘。這在當時是不小的工程，需要一定的財力。衛靈公把這件事交給掌管稅賦的北宮奢去辦。經過三個月的努力，北宮奢圓滿完成了交辦的任務，讓悠揚的鐘聲飄蕩在衛國都城上空。吳王僚的兒子慶忌聽說這件事，吃驚地問北宮奢說：「請問您是用什麼方法，這麼快就完成了任務呢？」北宮奢說：「我全心全意地投入工作，任其自然，不敢為造鐘存半點斂財之想。所以我做這事，心中沒有什麼牽累。收取賦稅時，迎來送往，全憑自願。有人來繳稅，我不推拒，誰都可以來；人走了，我不挽留，誰都可以走。總之，要讓百姓自願掏腰包，決不花言巧語變相搾取。雖然日夜徵稅納賦，但也沒有損害他人。就這樣，任務很順利就完成了。」

【出處】

北宮奢為衛靈公賦斂以為鐘，為壇乎郭門之外。三月而成上下之縣。王子慶忌見而問焉，曰：「子何術之設？」奢曰：「一之間，無敢設也。奢聞之：『既雕既琢，復歸於樸。』侗乎其無識，儻乎其怠疑。萃乎芒乎，其送往而迎來。來者勿禁，往者勿止。從其強梁，隨其曲傳，因其自窮。故朝夕賦斂而毫毛不挫，而況有大塗者乎！」

（《莊子》〈山木〉）

招搖過市

衛靈公四十一年，周遊列國的孔子與其弟子來到衛國。年老的衛靈公素聞孔子大名，敬佩他的學識，於是客氣地接待他，甚至開玩笑要與他結為兄弟。失意中的孔子受到如此禮遇，以為即將得到重用，心裡十分興奮。衛靈公年輕的夫人南子在宮中召見孔子。南子舉止輕浮，接見孔子時，故意只隔著一層薄薄的紗簾，賣弄風騷，把服飾上的玉珮弄得叮噹作響，使孔子非常尷尬。弟子們聞聽此事，都感到有失體統，顏面無光，氣呼呼地埋怨老師。孔子急得面紅耳赤，指天發誓說：「我見南子，是因她執掌朝政，向她宣傳我的治國主張，在此有番作為。若有他意，讓老天爺懲罰我！」一天，衛靈公攜南子乘車出遊，請孔子乘坐在隨後的第二輛車上。衛靈公得意洋洋，驅車在鬧市兜風，故意炫耀自己結識了大學問家；南子則搔首弄姿拋媚眼，醜態出盡。孔子覺察到衛靈公是在藉助自己招搖過市，其意並不在治理國家，也意識到衛靈公絕無重用自己之意，於是便帶著弟子們離開衛國，繼續周遊列國之旅。

【出處】

靈公夫人有南子者，使人謂孔子曰：「四方之君子不辱欲與寡君為兄弟者，必見寡小君。寡小君原見。」孔子辭謝，不得已而見之。夫人在絺帷中。孔子入門，北面稽首。夫人自帷中再拜，環珮玉聲璆然。孔子曰:「吾鄉為弗見，見之禮答焉。」子路不說。孔子矢之曰：「予所不者，天厭之！天厭之！」居衛月餘，靈公與夫人同車，宦者雍渠參乘，出，使孔子為次乘，招搖市過之。孔子曰:「吾未見好德如好色者也。」於是醜之，去衛，過曹。(《史記》〈孔子世家〉)

無方之禮

智伯想襲擊衛國，先送給衛君四匹馬和一塊玉璧。衛君大喜，宴請大夫飲酒，大夫們都很高興。只有南文子面帶憂容。衛君問他說：「大國送禮物給我，我請大家飲酒。大夫們都很開心，唯獨你不高興，為什麼呢？」南文子說:「無緣無故的禮物，沒有功勞的封賞，是災禍的先兆。我國並沒有送給大國什麼，他們送禮物來肯定是有緣由的，所以我很擔憂。」於是衛君使人整修渡口橋梁、加強邊境守備。智伯聽說衛國軍隊駐守在邊境上，就放棄了偷襲的打算。

【出處】

智伯欲襲衛，故遺之乘馬，先之一璧，衛君大悅，酌酒，諸大夫皆喜。南文子獨不喜，有憂色。衛君曰:「大國禮寡人，寡人故酌諸大夫酒，諸大夫皆喜，而子獨不喜，有憂色者，何也？」南文子曰：「無方之禮，無功之賞，禍之先也。我未有往，彼有以來，是以憂也。」於是衛君乃修梁津而擬邊城。智伯聞衛兵在境上，乃還。(《說苑》〈權謀〉)

非有大罪

智伯想襲擊衛國，讓他的長子顏假裝出逃，逃往衛國。南文子說：「太子顏很受智伯的寵愛，他並沒有什麼大罪，如今突然出逃，其中定有緣故。有人逃亡到此而不接待，也不吉利。」於是派官吏迎接太子顏，吩咐說：「車輛超過五乘，就不要讓他進入衛國。」智伯聽說後，只得放棄先前的謀劃。

【出處】

智伯欲襲衛，乃佯亡其太子顏，使奔衛。南文子曰：「太子顏之為其君子也，甚愛。非有大罪也，而亡，之必有故！然人亡而不受，不祥。」使吏逆之，曰：「車過五乘，慎勿內也。」智伯聞之，乃止。（《說苑》〈權謀〉）

稱疾而留

吳國的赤市出使晉國智氏，向衛國借路。南文子備下紵麻布、細葛布三百匹，準備送給吳國使者。大夫豹不理解，說：「吳國雖然是大國，我們與它並不交界，借路給他已經表示敬意了，又何必再送禮呢？」南文子不聽，堅持把禮物送給了赤市。赤市在智氏辦完事情後準備返回吳國，智伯下令把船連在一起當作橋梁。赤市心想說：「我聽說天子渡河才把船連在一起當作浮橋，諸侯渡河只用幾條船連接，大夫渡河只用兩條船相併。用兩條船相併符合我的身分，現在以天子之禮，其中定有緣故。」於是暗中觀察，發現智氏早已布置軍隊跟在後面，準備趁機襲擊衛國。吳國赤市說：「衛國借道給我，還餽贈禮物，眼見他們有難而不告知，豈不是與晉國同謀？」於是推說有病留下，派人告知衛國，衛國於是加強了警戒。智伯知道後，便放棄了襲擊衛國的計劃。

【出處】

吳赤市使於智氏，假道於衛，寧文子具紵絺三百制，將以送之，大夫豹曰：「吳雖大國也，不壤交，假之道，則亦敬矣，又何禮焉？」寧文子不聽，遂致之。吳赤市至於智氏，既得事，將歸吳，智伯命造舟為梁，吳赤市曰：「吾聞之，天子濟於水，造舟為梁，諸侯維舟，大夫方舟。方舟，臣之職也，且敬大甚必有故。」使人視之，則用兵在後矣，將以襲衛。吳赤市曰：「衛假吾道而厚贈我，我見難而不告，是與為謀也。」稱疾而留，使人告衛，衛人警戒，智伯聞之，乃止。（《說苑》〈復恩〉）

功大名美

犀首率兵攻打黃城，經過衛國，派人對衛國國君說：「敝國軍隊路過貴國城郊，貴國竟然不派使者來慰問一下嗎？現在黃城就要被攻克，攻下黃城後，我們就將移師貴國城下。」衛國國君很害怕，準備拿三百捆絲帶、三百鎰黃金給魏國人送去。南文子阻止說：「犀首如果取勝，一定不會來衛國；不能取勝，也不敢來衛國。」衛國國君問：「為什麼這麼說？」南文子說：「如果犀首在黃城取勝，憑藉獲勝的功勞就會贏得好名聲，從而居功自傲，蔑視同事。朝中大臣討厭他的高傲，就會嫉妒誹謗他。享有美名，擁有功勛，卻坐等國人的非議，犀首再愚蠢，也不會這麼做。如果不能在黃城取勝，就將心懷恐懼狼狽回國，擔心受懲罰還來不及，又怎麼敢再攻打衛國加重戰敗的罪責呢？」犀首在黃城取勝後，果然率軍直接回國，沒敢經過衛國。

【出處】

犀首伐黃，過衛，使人謂衛君曰：「弊邑之師，過大國之郊，曾無一介之使以存之乎？敢請其罪。今黃城將下矣，已將移兵而造大國之城下。」衛君懼，束組三百緄，黃金三百鎰，以隨使者。南文子止之曰：「是勝黃城必不敢來，不勝亦不敢來。是勝黃城，則功大名美，內臨其倫。夫在中者惡臨，議其事。蒙大名，挾成功，坐御以待中之議，犀首雖愚，必不為也。是不勝黃城，破心而走歸，恐不免於罪矣，彼安敢攻衛以重其不勝之罪哉？」果勝黃城，帥師而歸，遂不敢過衛。（《戰國策》〈宋衛策〉）

子贛之承

子贛（子貢）到承地去，在路上看見以破頭巾裹面、身著喪服的丹綽。子贛問他說：「從這裡到承地有多遠？」丹綽默然不語。子贛又說：「有人問話卻不回答，是為什麼？」丹綽掀開破頭巾說：「大老遠看見一個人，就輕慢地問話，這是仁嗎？走近了卻沒看見人家身穿喪服，這算智嗎？輕侮別人，這算義嗎？」子贛連忙下車道歉說：「是我不好，問話不禮貌。剛才的三句話，可以再講一遍嗎？」那人說：「這對您已經足夠了。」從此以後，子贛在車上遇到三個人時就扶軾表示友好，遇到五個人時就下車致敬。

【出處】

子贛之承，或在塗，見道側巾幣布擁蒙而衣衰，其名曰丹綽。子贛問焉，曰：「此至承幾何？」嘿然不對。子贛曰：「人問乎己而不應，何也？」屏其擁蒙而言曰：「望而黷人者，仁乎？睹而不識者，智乎？輕侮人者，義乎？」子贛下車曰：「賜不仁，過聞三言，可復聞乎？」曰：「是足於子矣，吾不告子。」於是子贛參偶則式，五偶則下。（《說苑》〈敬慎〉）

三窮而三通

衛國將軍文子問子貢說：「季文子三次困厄又三次顯達，為什麼呢？」子貢回答說：「他困厄時侍奉賢達的人，顯達時推舉困厄的人，他富裕時救濟貧困的人，尊貴時禮待低賤的人。貧困時事奉賢達的人就不會遭受欺辱，顯達時推舉貧困的人是忠於朋友，富裕時救濟窮人會使宗族親近，尊貴時禮待低賤的人會得到百姓擁戴。他的顯達是因為他遵行仁義之道，他陷於困厄是因為天命。」文子又問說：「有人陷於貧困卻再也不能顯達，是為什麼呢？」子貢說：「困厄時不侍奉賢達，顯達時不推舉困厄的人，富裕時不救濟窮人，尊貴時不禮待低賤的人。能顯達是由於天命，陷入困境是因為不遵行仁義之道。」

【出處】

衛將軍文子問子貢曰：「季文子三窮而三通，何也？」子貢曰：「其窮事賢，其通舉窮，其富分貧，其貴禮賤。窮以事賢則不悔；通而舉窮則忠於朋友，富而分貧則宗族親之；貴而禮賤則百姓戴之。其得之固道也；失之命也。」曰：「失而不得者，何也？」曰：「其窮不事賢，其通不舉窮，其富不分貧，其貴不禮賤，其得之命也，其失之固道也。」（《說苑》〈善說〉）

天生仁人之心

子羔掌管衛國的刑獄，砍過犯人的腳。後來衛國發生內亂，子羔從外城門逃跑，外城門已經關閉，守門的恰好是被他砍腳的人。守門人對他說：「那兒有個缺口。」子羔說：「君子不翻牆。」守門人又說：「前面有個小洞。」子羔說：「君子不鑽洞。」守門人說：「這兒有間房子可以暫避。」子羔於是躲進房內。追趕的人找不著就回去了。子羔離開時，對守門人說：「我不敢違背君主的法令，砍了你的腳。現在我遇上災難，正是你報仇的好時機，為什麼反而要幫我逃難呢？」守門人說：「被砍腳是我罪有應得，這是沒辦法的事。您在審理我的案子時，仔細斟酌，反覆考量，想使我免受刑法懲處，這些我都知道。案件審判後依法執行，您淒然不樂，我都看在眼裡。您對我並無私仇。您仁慈的天性感染了我，這就是我願意幫您的原因。」孔子知道這件事後評論說：「善於當官的人樹立恩德，不善當官的人積累仇怨。公正處事，子羔就是這樣的人！」

【出處】

子羔為衛政，刖人之足。衛之君臣亂，子羔走郭門，郭門閉，刖者守門，曰：「於彼有缺！」子羔曰：「君子不踰。」曰：「於彼有竇。」子羔曰：「君子不遂。」曰：「於此有室。」子羔入，追者罷。子羔將去，謂刖者曰：「吾不能虧損主之法令而親刖子之足，吾在難中，此乃子之報怨時也，何故逃我？」刖者曰：「斷足固我罪也，無可奈何。君之治臣也，傾側法令，先後臣以法，欲臣之免於法也，臣知之。獄決罪定，臨當論刑，君愀然不樂，見於顏色，臣又知之。君豈私臣哉？天生仁人之心，其固然也。此臣之所以脫君也。」孔子聞之曰：「善為吏者樹德，不善為吏者樹怨。公行之也，其子羔之謂歟？」（《說苑》〈至公〉）

嬖人求酒

衛莊公占卜他做的夢，他的寵臣曾向大叔僖子要酒，沒有得到，就和卜人勾結，告訴衛莊公說：「您有大臣在西南角，不去掉他，恐怕有危害。」於是驅逐大叔僖子。大叔僖子逃往晉國。

【出處】

衛侯占夢，嬖人求酒於大叔僖子，不得，與卜人比而告公曰：「君有大臣在西南隅，弗去，懼害。」乃逐大叔遺。遺奔晉。(《左傳》〈哀公十六年〉)

結纓而死

孔悝作亂時，子路正好有事在外，聽到這個消息就立刻趕回來。子羔從衛國城門出來，正好相遇，對子路說：「衛出公逃走了，城門已經關閉，您可以回去了，不要為他遭受禍殃。」子路說：「吃著人家的糧食就不能迴避人家的災難。」子羔離去後，正趕上有使者進城，城門開了，子路就跟了進去。找到蕢聵，蕢聵和孔悝都在臺上。子路說：「大王為什麼要任用孔悝呢？請讓我捉住他殺了。」蕢聵不聽從他的勸說。子路要放火燒臺，蕢聵害怕了，讓叫石乞、壺黶到臺下去攻打子路，斬斷了子路的帽帶。子路說：「君子可以死，帽子不能掉下來。」繫好帽子才死。

【出處】

方孔悝作亂，子路在外，聞之而馳往。遇子羔出衛城門，謂子路曰：「出公去矣，而門已閉，子可還矣，毋空受其禍。」子路曰：「食其食者不避其難。」子羔卒去。有使者入城，城門開，子路隨而入。造蕢聵，蕢聵與孔悝登臺。子路曰：「君焉用孔悝？請得而殺之。」蕢聵弗聽。於是子路欲燔臺，蕢聵懼，乃下石乞、壺黶攻子路，擊斷

嬖人求酒

子路之纓。子路曰：「君子死而冠不免。」遂結纓而死。（《史記》〈仲尼弟子列傳〉）

盟免三死

衛莊公對渾良夫說：「我繼承了先君之位而沒有得到他的寶器，怎麼辦？」渾良夫讓執燭的人出去，而後說：「疾和逃亡在外的國君，都是您的兒子，召他們回來量才而用。如果沒有才能就廢掉他們，寶器就可以得到了。」童僕密告太子。太子派五個人用車子裝上公豬跟著自己，劫持衛莊公強迫和他盟誓，而且請求殺死渾良夫。衛莊公說：「和他盟誓說過要赦免死罪三次。」太子說：「請在三次以後，再有罪就殺死他。」衛莊公說：「好啊！」十七年春季，衛莊公在藉圃建造了一座刻有虎獸紋的小木屋，造成後，聲稱要尋找一位有好名聲的人一起在裡邊吃第一頓飯。太子請求選擇渾良夫。渾良夫坐在兩匹公馬駕著的車子上，穿上紫色衣服和狐皮袍。到達後，敞開皮袍，沒有解下佩劍就吃飯。太子派人拘執他退下，舉出三條罪狀然後殺死了他。

【出處】

衛侯謂渾良夫曰：「吾繼先君而不得其器，若之何？」良夫代執火者而言，曰：「疾與亡君，皆君之子也。召之而擇材焉可也，若不材，器可得也。」豎告大子。大子使五人輿豭從己，劫公而強盟之，且請殺良夫。公曰：「其盟免三死。」曰：「請三之後，有罪殺之。」公曰：「諾哉！」（《左傳》〈哀公十六年〉）

小物不審

衛莊公就任國君之後，打算驅逐石圃。有一次，他登上高臺遠望，看到戎人聚居的戎州，就問道：「這是什麼人居住的地方？」侍從回答說：「是戎人聚居的地方。」莊公說：「我和周天子同為姬姓，戎人怎麼敢住在我的國家？」於是派人搶奪戎人的住宅，毀壞他們的州邑。這時恰好晉國出兵伐衛，戎州人乘機跟石圃一起攻殺衛莊公，立公子起為君。莊公的死是因為小事不謹慎造成的。人之常情都是如此：誰也不會被高山絆倒，卻往往栽在小土堆上。

【出處】

衛莊公立，欲逐石圃。登臺以望，見戎州而問之曰：「是何為者也？」侍者曰：「戎州也。」莊公曰：「我姬姓也，戎人安敢居國？」使奪之宅，殘其州。晉人適攻衛，戎州人因與石圃殺莊公，立公子起。此小物不審也。人之情，不蹶於山而蹶於垤。（《呂氏春秋》〈似順論・慎小〉）

匠氏攻公

衛莊公使用匠人，長久不讓休息。他又想要驅逐國卿石圃。石圃於是聯合匠人攻打衛莊公。衛莊公關上門請求饒命，石圃不答應。衛莊公翻過北牆逃跑時，折斷了大腿骨。

【出處】

公使匠久。公欲逐石圃，未及而難作。辛巳，石圃因匠氏攻公，公閉門而請，弗許。踰於北方而隊，折股。(《左傳》〈哀公十七年〉)

璧其焉往

戎州人攻打衛莊公，太子疾、公子青越牆跟從衛莊公，被戎州人殺死。衛莊公逃到戎州己氏那裡。當初，衛莊公從城上看到己氏的妻子頭髮很漂亮，派人讓她剪下來，作為自己夫人呂姜的假髮。這時莊公到了己氏家裡，把玉璧拿給己氏看說：「如能救我一命，給你玉璧。」己氏說：「殺了你，玉璧會跑嗎？」於是殺死衛莊公並獲得了他的玉璧。

【出處】

戎州人攻之。大子疾、公子青踰從公，戎州人殺之。公入於戎州己氏。初，公自城上見己氏之妻髮美，使髡之，以為呂姜髢。既入焉，而示之璧，曰：「活我，吾與女璧。」己氏曰：「殺女，璧其焉往？」遂殺之，而取其璧。(《左傳》〈哀公十七年〉)

爪牙之士

子思對衛國國君衛慎公談起茍變說：「他的才能可以統領五百輛

戰車。」衛侯說：「我知道他是個將才，不過茍變做官的時候，有一次徵稅吃了老百姓兩個雞蛋，所以我不用他。」子思說：「聖人選人做官，就好比木匠選用木料，取其所長，棄其所短；一根合抱的杞梓木，只有幾尺朽爛的地方，高明的工匠是不會扔掉它的。現在您處在戰國紛爭之世，正要選取鋒爪利牙的人才，卻因為兩個雞蛋而捨棄守城的大將，這事可不要讓鄰國知道啊！」衛侯再三拜謝說：「謝謝您的指教。」

【出處】

子思言茍變於衛侯曰：「其才可將五百乘。」公曰：「吾知其可將；然變也嘗為吏，賦於民而食人二雞子，故弗用也。」子思曰：「夫聖人之官人，猶匠之用木也，取其所長，棄其所短；故杞梓連抱而有數尺之朽，良工不棄。今君處戰國之世，選爪牙之士，而以二卵棄干城之將，此不可使聞於鄰國也。」公再拜曰：「謹受教矣！」(《資治通鑑》〈周紀一〉)

吳起休妻

吳起是衛國左氏人，他讓妻子織絲帶，結果幅寬比要求的尺度窄些。吳起讓她改過來，妻子答應說：「行啊。」織成後再量，還是不符合要求。吳起非常生氣。妻子辯解說：「開頭就把經線確定好了。不可以更改了。」吳起因此休了她。吳起的妻子請她哥哥出面說情，哥哥說：「吳起是制定法令的人，他制定法令，是想用來為大國建立功業。他必須首先在自己的妻妾身上兑現，然後才能推行開去，你別指望能回去了。」吳起妻子的弟弟受衛君重用，也去幫姐姐說情。吳起不肯，於是離開衛國到楚國去了。另一種說法是：吳起把織好的絲帶拿給妻子看，然後說：「你按照這樣子為我織一條。」絲帶織成後，新織比樣品好。吳起說：「讓你織絲帶，要求比照原來的樣子織，現在這條織得特別好，是什麼原因？」妻子回答說；「用的材料是一樣的，只是我多下了些功夫，所以織的更好。」吳起說：「我不是這樣吩咐你的。」於是讓妻子穿好衣服，把她休回娘家。岳父前來求情，吳起說：「我在家裡從來不說空話。」

【出處】

吳起，衛左氏中人也，使其妻織組，而幅狹於度。吳子使更之。其妻曰：「諾。」及成，復度之，果不中度，吳子大怒。其妻對曰：「吾始經之而不可更也。」吳子出之，其妻請其兄而索入，其兄曰：「吳子，為法者也。其為法也，且欲以與萬乘致功，必先踐之妻妾，然後行之，子毋幾索入矣。」其妻之弟又重於衛君，乃因以衛君之重請吳子。吳子不聽，遂去衛而入荊也。

一曰：吳起示其妻以組，曰：「子為我織組，令之如是。」組已就而效之，其組異善。起曰：「使子為組，令之如是，而今也異善何也？」其妻曰：「用財若一也，加務善之。」吳起曰：「非語也。」使之衣而歸。其父往請之，吳起曰：「起家無虛言。」（《韓非子》〈外儲說右上〉）

不忍以身為溝壑

子思居住在衛國，穿著亂麻為絮沒有罩衣的袍子，二十天只吃了九頓飯。田子方知道後，就派人送給子思狐白皮衣，恐怕他不接受，就對他說：「我借給別人東西，很快就會忘記。我送給別人東西，如同扔掉一樣。」子思辭謝不受。田子方又說：「我有，您沒有，為什麼不肯接受呢？」子思說：「我聽說，隨便送人東西，不如把它當廢物扔在山溝溪谷中。我雖然貧窮，但也不願意把自己當作山溝溪谷，因此不敢接受。」

【出處】

子思居於衛，縕袍無表，二旬而九食，田子方聞之，使人遺狐白之裘，恐其不受，因謂之曰：「吾假人，遂忘之；吾與人也，如棄之。」子思辭而不受，子方曰：「我有子無，何故不受？」子思曰：「伋聞之，妄與不如遺，棄物於溝壑。伋雖貧也，不忍以身為溝壑，是以不敢當也。」（《說苑》〈立節〉）

以是相參

衛嗣君非常器重如耳、寵愛世姬，又怕他們自恃受寵來矇蔽自己，於是抬高薄疑的地位與如耳匹敵，推重魏姬與世姬並列，心裡說：「用這種辦法使他們互相抗衡。」衛嗣君希望不受矇蔽，使用的辦法卻不恰當。不使賤者議論貴者，下級揭發上級，等雙方權勢相等後才敢互相議論，那就難免培植更多矇蔽自己的臣子。衛嗣君受矇蔽正是從此開始的。

【出處】

衛嗣君重如耳，愛世姬，而恐其皆因其愛重以壅己也，乃貴薄疑以敵如耳，尊魏姬以耦世姬，曰：「以是相參也。」嗣君知欲無壅，而未得其術也。夫不使賤議貴，下必坐上，而必待勢重之鈞也，而後敢相議，則是益樹壅塞之臣也。嗣君之壅乃始。（《韓非子》〈內儲說上・七術〉）

治無小而亂無大

衛嗣君在位時，有個叫胥靡的人逃往魏國，給魏襄王的王后治病。衛嗣君聽說後，派人求襄王以五十金贖回囚犯，使者往返五趟，魏王不肯，衛君於是提出以左氏城來交換囚犯。群臣勸諫衛君說：「用一座城邑去換一個囚犯，值得嗎？」衛君說：「這不是你們能理解的。治不在小，亂不在大。如果法令不確立，懲罰不兌現，即使有十個左氏城也沒有意義；如果法令確立，懲罰兌現，即使失去十個左氏城也沒有害處。」魏王聽說後說：「衛君想治理好國家，我卻拒絕他的要求，這不吉利。」於是用車子裝上囚犯送往衛國，無代價地交給衛君。

【出處】

衛嗣君之時，有胥靡逃之魏，因為襄王之后治病。衛嗣君聞之，使人請以五十金買之，五反而魏王不予，乃以左氏易之。群臣左右諫曰：「夫以一都買胥靡，可乎？」王曰：「非子之所知也。夫治無小而亂無大。法不立而誅不必，雖有十左氏無益也，法立而誅必，雖失十左氏無害也。」魏王聞之，曰：「主欲治而不聽之，不祥。」因載而往，徒獻之。（《韓非子》〈內儲說上・七術〉）

以嗣公為明察

衛嗣公派人裝扮成客商經過集市上的關卡。管理關市的官吏刁難他，他就用黃金賄賂關吏，關吏於是放他過關。嗣公叫來關吏說：「某時有個客商經過你的關卡，給了你黃金，你才放他入關。」關吏非常害怕，認為嗣公明察。

【出處】

衛嗣公使人為客過關市，關市苛難之，因事關市，以金與關吏，乃舍之。嗣公為關吏曰：「某時有客過而所，與汝金，而汝因遣之。」關市乃大恐，而以嗣公為明察。（《韓非子》〈內儲說上・七術〉）

以君為神

衛嗣君的時候，有人受命在縣令身邊窺探。縣令掀起褥子時，露出很破舊的席子。嗣公得知消息，立即派人給他送去席子，說：「我聽說你今天掀起褥子時，席子很破舊，所以賞給你席子。」縣令非常吃驚，認為衛嗣君很神明。

【出處】

衛嗣君之時，有人於縣令之左右。縣令發蓐而席弊甚，嗣公還令人遺之席，曰：「吾聞汝今者發蓐而席弊甚，賜汝席。」縣令大驚，以君為神也。（《韓非子》〈內儲說下・六微〉）

百金之馬

如耳遊說衛嗣公，衛嗣公又高興又嘆息。近侍說：「您為什麼不任命他為相國？」衛嗣公說：「一匹像鹿的馬可以標價千金，然而有價值百金的馬，沒有價值千金的鹿，因為馬能為人所用而鹿不能為人所用。如耳是做大國相國的材料，也表現出要到大國謀職的意願，他的心不在衛國，雖有辯才和智謀，也不能為我所用，所以我不任他為相。」

【出處】

如耳說衛嗣公，衛嗣公說而太息。左右曰：「公何為不相也？」

公曰：「夫馬似鹿者，而題之千金。然而有百金之馬而無千金之鹿者，何也？馬為人用而鹿不為人用也。今如耳萬乘之相也，外有大國之意，其心不在衛，雖辯智，亦不為寡人用，吾是以不相也。」（《韓非子》〈外儲說右上〉）

人主之蔡嫗

衛嗣君對薄疑說：「你嫌我國家小，認為不值得做官，但我有能力滿足你做官的要求，讓你晉爵為上卿。」於是賞賜給薄疑一萬頃土地。薄疑說：「我母親認為我的能力做大國的相綽綽有餘，但我家有個姓蔡的老巫婆，我母親事事都聽從她。我的智慧足以勝任家事，我母親也完全聽信我。但母親和我商量過的事，還要經蔡巫婆來定。要說我的智慧才能，母親認為我做大國的相綽綽有餘；要說親密關係，無過母子之間。即便如此，母親還是不免要和蔡巫婆商量。現在我和君主，關係比不上母子，而君主身邊蔡巫婆之類的人物卻很多。君主身邊的蔡巫婆，大多握有權勢。握有權勢的人如果徇私舞弊，就可以逍遙法外，而我要依法辦事，就會與他們發生對立。」

【出處】

衛嗣君謂薄疑曰：「子小寡人之國以為不足仕，則寡人力能仕子，請進爵以子為上卿。」乃進田萬頃。薄子曰：「疑之母親疑，以疑為能相萬乘所不窕也。然疑家巫有蔡嫗者，疑母甚愛信之，屬之家事焉。疑智足以信言家事，疑母盡以聽疑也。然已與疑言者，亦必復決之於蔡嫗也。故論疑之智能，以疑為能相萬乘而不窕也；論其親，則子母之間也；然猶不免議之於蔡嫗也。今疑之於人主也，非子母之親也，而人主皆有蔡嫗。人主之蔡嫗，必其重人也。重人者，能行私者也。夫行私者，繩之外也；而疑之所言，法之內也。繩之外與法之內，仇也，不相受也。」（《韓非子》〈外儲說右上〉）

不如在民

衛嗣君打算通過增加賦稅來囤積糧食，民心因此躁動不安。衛嗣君對薄疑說：「老百姓太愚昧了。我囤積糧食，還不是為了他們。他們把糧食放在自己的倉庫裡與放在國庫裡有什麼差別呢？」薄疑說：「不是這樣的。糧食在老百姓家裡，就歸他們所有，君主就不能得到；囤積在國庫，就歸君主所有，老百姓就不能得到。」

【出處】

衛嗣君欲重稅以聚粟，民弗安，以告薄疑曰：「民甚愚矣。夫聚粟也，將以為民也。其自藏之與在於上奚擇？」薄疑曰：「不然。其在於民而君弗知，其不如在上也。其在於上而民弗知，其不如在民也。」（《呂氏春秋》〈審應覽・審應〉）

以弗安而安

薄疑用統一天下的方略遊說衛嗣君，衛嗣君對他說：「我只是擁有千輛兵車的小國國君，希望就此聽取您的指教。」薄疑回答說：「烏獲能力舉千鈞，何況一斤呢？」杜赫用安定天下遊說周昭文君，昭文君對杜赫說：「我希望學習安定周國的方法。」杜赫回答說：「我說的您做不到，周國就不能安定；我說的您做到了，周國自然就安定了。」杜赫的這種方法，就是不刻意去安定而使它自然安定啊。

【出處】

薄疑說衛嗣君以王術，嗣君應之曰：「所有者，千乘也，願以受教。」薄疑對曰：「烏獲舉千鈞，又況一斤？」杜赫以安天下說周昭文君，昭文君謂杜赫曰：「願學所以安周。」杜赫對曰：「臣之所言者不可，則不能安周矣；臣之所言者可，則周自安矣。」此所謂以弗安而安者也。（《呂氏春秋》〈士容論・務大〉）

取金於蒲

秦國攻打衛國的蒲地。胡衍對樗里疾說：「您來進攻蒲地，是為了秦國呢？還是為魏國？如果為魏國，那麼對魏國很有利；如果是為秦國，那麼對秦國不利。衛國所以是衛國，就是因為有蒲地。現在如果蒲地歸入秦國，衛國必然掉頭投向魏國。魏國失去西河以外的土地後，再也沒能奪回來，是因為魏國已經衰弱了。如果衛國併入魏國，魏國就會強大起來，奪回西河以外的土地就有了可能。做損害秦國而有利於魏國的事，秦王一定會怨恨您。」樗里疾說：「那怎麼辦呢？」胡衍說：「您放棄攻打蒲地，我替您去告訴蒲城的守備，讓衛國國君感激您的恩德。」樗里疾說：「好吧。」胡衍於是進入蒲城，對蒲城守備說：「樗里疾知道蒲城守備薄弱，聲稱一定要攻下蒲城。現在我能讓樗里疾放棄攻打蒲城。」蒲城守備兩次拜謝，並奉獻黃金三百鎰，說：「秦兵若能撤離，我會讓衛國國君重重賞您。」胡衍不僅從蒲城得到酬金，還受到衛國國君的厚待。樗里疾得到三百鎰酬金收兵回國，衛國國君也對他感恩戴德。

【出處】

秦攻衛之蒲，胡衍謂樗里疾曰：「公之伐蒲，以為秦乎？以為魏乎？為魏則善，為秦則不賴矣。衛所以為衛者，以有蒲也。今蒲入於秦，衛必折於魏。魏亡西河之外，而弗能復取者，弱也。今並衛於魏，魏必強。魏強之日，西河之外必危。且秦王亦將觀公之事。害秦以善魏，秦王必怨公。」樗里疾曰：「奈何？」胡衍曰：「公釋蒲勿攻，臣請為公入戒蒲守，以德衛君。」樗里疾曰：「善。」胡衍因入蒲，謂其守曰：「樗里子知蒲之病也，其言曰：『吾必取蒲。』今臣能使釋蒲勿攻。」蒲守再拜，因效金三百鎰焉，曰：「秦兵誠去，請厚子於衛君。」胡衍取金於蒲，以自重於衛。樗里子亦得三百金而歸，又以德衛君也。（《戰國策》〈宋衛策〉）

以君令相公期

衛嗣君病重。富術對殷順且說：「您按照我說的話去勸衛君，衛君一定會信任您。人活著時候的所作所為，與快要死的時候想法是不一樣的。過去衛君貪圖榮華富貴，任用繼錯、挐薄之類的佞臣。群臣都認為衛君沒把國家大事放在心上，很少去跟他談論國事。您對衛君說：『您治理國家的行為很荒謬。繼錯在國內獨斷專行，挐薄則助紂為虐，長此以往，衛國非亡國不可。』」殷順且把富術的話轉告衛嗣君，衛嗣君說：「太好了。」於是把相印交給殷順且說：「我死之後，你來執政。」衛嗣君死後，殷順且憑先君的遺命輔佐公子期，繼錯、挐薄之流盡被驅逐。

【出處】

衛嗣君病。富術謂殷順且曰：「子聽吾言也以說君，勿益損也，君必善子。人，生之所行，與死之心異。始君之所行於世者，食高麗也；所用者，繼錯、挐薄也。群臣盡以為君輕國而好高麗，必無與君言國事者。子謂君：『君之所行天下者，甚謬。繼錯主斷於國，而挐薄輔之，自今以往者，公孫氏必不血食矣。』」君曰：「善。」與之相印，曰：「我死，子制之。」嗣君死，殷順且以君令相公期。繼錯、挐薄之族皆逐也。（《戰國策》〈宋衛策〉）

孟賁過河

孟賁渡河，沒按次序上船，船伕很生氣，用木槳敲他的腦袋，因為船伕不知道他是孟賁。到了河中間，孟賁瞪大眼睛怒視船伕，頭髮直立，兩眼圓睜，鬢髮都翹動起來。船上的人紛紛躲避他，很多人掉到了河裡。如果船上的人知道他是孟賁，連正眼也不敢看他，沒人敢搶在他前面渡河，更何況敲他的頭侮辱他呢？

【出處】

孟賁過於河，先其五。船人怒，而以楫虓其頭，顧不知其孟賁也。中河，孟賁瞋目而視船人，髮植，目裂，鬢指，舟中之人盡揚播入於河。使船人知其孟賁，弗敢直視，涉無先者，又況於辱之乎！此以不知故也。（《呂氏春秋》〈孝行覽・必己〉）

緩於事己

衛國派一位客卿侍奉魏國，三年沒得到召見。衛國客卿很擔憂，就去拜見梧下先生請求幫助，答應事成後給他一百金酬謝。於是梧下前往拜見魏王說：「臣下聽說秦國出兵，不知要去攻打哪個國家。秦、魏兩國不修舊好已久。希望大王專心侍奉秦國，不要有其他打算。」魏王說：「好吧。」梧下先生匆匆離去，走到廊門又返回來說：「臣下擔心大王侍奉秦國不那麼主動積極。」魏王說：「為什麼？」梧下先生說：「讓別人侍奉自己很著急，自己去侍奉別人就會磨磨蹭蹭。現在大王對侍奉自己都不著急，又怎麼會急著去侍奉別人呢？」魏王說：「何以見得？」梧下先生說：「衛國客卿說，他來侍奉大王，三年了還沒得到召見呢。」魏王立即傳令召見衛國客卿。

【出處】

衛使客事魏，三年不得見。衛客患之，乃見梧下先生，許之以

孟賁過河

百金。梧下先生曰：「諾。」乃見魏王曰：「臣聞秦出兵，未知其所之。秦、魏交而不修之日久矣。願王博事秦，無有佗計。」魏王曰：「諾。」客趨出，至郎門而反，曰：「臣恐王事秦之晚。」王曰：「何也？」先生曰：「夫人於事己者過急，於事人者過緩。今王緩於事己者，安能急於事人。」「奚以知之？」「衛客曰：『事王三年不得見。』臣以是知王緩也。」魏王趨見衛客。（《戰國策》〈宋衛策〉）

衛宗二順

衛宗二順，指的是衛國宗室靈王的夫人及其侍妾。秦國滅掉衛國後，封靈王為世家，讓他繼續祭奉祖先。靈王死後，夫人沒有兒子，侍妾生的兒子嗣位。侍妾伺候夫人八年，非常小心謹慎。夫人對她說：「你對我太好了。你有兒子祀奉祖先，仍然以侍妾的身分伺候我，我不敢當。我聽說主君的母親不得以侍妾的身分伺候他人。我沒生兒子，按照禮法應該搬出去住，能留下來守節已經很幸運了。現在你還按從前的老規矩伺候我，我實在擔當不起。我寧願搬出去住，大家偶爾見見面，我也方便些。」侍妾哭著回答說：「夫人是想要我們家族承受三樣不祥嗎？先君不幸早逝，這是一樣不祥；夫人無子而婢妾有子，這是二樣不祥；夫人出居外室而婢妾留居內室，這是第三樣不祥啊。我聽說忠臣侍奉君主從無怠惰疲倦；孝子孝敬父母雙親只怕時日不多。我哪敢因一點小小的富貴就改變自己的志節呢？供養夫人是我分內的職責，夫人不必介意。」夫人說；「無子之人反要主君之母服侍，即便你願意，別人也會認為我不懂禮儀。我還是願意搬出去住。」侍妾於是求助兒子說：「我聽說君子遵循常情，奉行上下尊卑的儀節，遵照古聖先王的禮數，這是順道。而今夫人要搬出去住，讓我住在家裡，這是逆道啊。與其逆道求生，不如順道而死。」於是想自殺，兒子哭著勸阻，夫人得知消息，趕忙答應留下來，終身接受供養。

【出處】

衛宗二順者，衛宗室靈王之夫人及其傅妾也。秦滅衛君，乃封靈王世家，使奉其祀。靈王死，夫人無子而守寡，傅妾有子。傅妾事夫人，八年不衰，供養愈謹。夫人謂傅妾曰：「孺子養我甚謹。子奉祀而妾事我，我不聊也。且吾聞主君之母不妾事人。今我無子，於禮，斥絀之人也，而得留以盡其節，是我幸也。今又煩孺子不改故節，我甚內慚。吾願出居外，以時相見，我甚便之。」傅妾泣而對曰：「夫人欲使靈氏受三不祥耶！公不幸早終，是一不祥也；夫人無子而婢妾有子，是二不祥也；夫人欲出居外，使婢子居內，是三不祥也。妾聞忠臣事君無怠倦時，孝子養親患無日也。妾豈敢以小貴之故變妾之節哉！供養固妾之職也。夫人又何勤乎！」夫人曰：「無子之人而辱主君之母，雖子欲爾，眾人謂我不知禮也。吾終願居外而已。」傅妾退而謂其子曰：「吾聞君子處順，奉上下之儀，修先古之禮，此順道也。今夫人難我，將欲居外，使我居內，此逆也。處逆而生，豈若守順而死哉！」遂欲自殺。其子泣而止之，不聽。夫人聞之懼，遂許傅妾留，終年供養不衰。（《列女傳》〈貞順傳〉）

衛人迎新婦

衛國有個人迎娶新媳婦。新娘子上車就問道：「兩邊拉套的馬是誰家的？」車伕說：「借的。」新娘子就對車伕說：「打兩邊的馬，別打中間駕轅的馬。」車子到了夫家門口，新娘子剛被扶下車，就囑咐伴娘說：「快去滅掉灶膛裡的火，小心火災。」她走進屋裡，看見地上有塊石臼，就說：「快把它搬到窗外去，放在這裡妨礙人來回走路。」夫家的人聽了，都禁不住笑她。這三句話本來都是很要緊的話，卻不免被人恥笑，那是因為當時還不是說這些話的時候啊。

【出處】

衛人迎新婦，婦上車，問：「驂馬，誰馬也？」御曰：「借之。」新婦謂僕曰：「拊驂，無笞服。」車至門，扶，教送母：「滅灶，將失火。」入室見臼，曰：「徙之牖下，妨往來者。」主人笑之。此三言者，皆要言也，然而不免為笑者，蚤晚之時失也。（《戰國策》〈宋衛策〉）

黎莊夫人

黎莊夫人是衛侯的女兒，黎莊公的夫人。出嫁之後與丈夫情趣各異，喜好不同。因為經常見不到丈夫，情緒極為低落。她的傅母可憐她為人賢惠，卻不受寵愛，就對她說：「夫婦之道，有情義就在一起，沒情義就離開，現在你備受冷落，為什麼不離開他呢？」又作詩說：「天黑了，天黑了，為什麼還不回家？」黎莊夫人回答說：「婦人之道，從一而終。他雖然不理睬我，我又怎麼能背離婦道呢？」也作詩說：「如果不是為君主，何以還在露水中！」她始終執著堅守，不違婦道，時刻等待夫君的召喚。因此君子將她的故事寫進了《詩經》。

【出處】

黎莊夫人者，衛侯之女，黎莊公之夫人也。既往而不同欲，所務者異，未嘗得見，甚不得意。其傅母閔夫人賢，公反不納，憐其失意，又恐其已見遣而不以時去，謂夫人曰：「夫婦之道，有義則合，無義則去。今不得意，胡不去乎？」乃作詩曰：「式微式微，胡不歸？」夫人曰：「婦人之道，壹而已矣。彼雖不吾以，吾何可以離於婦道乎！」乃作詩曰：「微君之故，胡為乎中路？」終執貞壹，不違婦道，以俟君命。君子故序之以編《詩》。（《列女傳》〈貞順傳〉）

善相劍者

曾從子是鑑定劍的專家。衛君怨恨吳王。曾從子說：「吳王喜歡劍，我是鑑定劍的專家，請派我到吳國替吳王相劍，在拔劍給他看的時候趁機刺殺他。」衛君說：「你現在做這件事，不是緣於正義，而是為了利益。吳國強大而富有，衛國弱小而貧困。你一定要去，我怕你會被吳王用來對付我哩。」於是便把他攆走了。

【出處】

曾從子，善相劍者也。衛君怨吳王。曾從子曰：「吳王好劍，臣相劍者也。臣請為吳王相劍，拔而示之，因為君刺之。」衛君曰：「子之為是也，非緣義也，為利也。吳強而富，衛弱而貧。子必往，吾恐子為吳王用之於我也。」乃逐之。（《韓非子》〈說林上〉）

衛人嫁女

有個衛國人嫁女，私下對她說：「一定要私下攢些錢財，被人休回娘家是常有的事，世上有多少白頭偕老的？」女兒出嫁後果然熱衷於攢私房錢。婆婆認為她私心太重，就休了她。女兒返回娘家時，攢的錢比出嫁時多了一倍。她父親不歸罪於自己教育子女不對，反而自以為有先見之明。

【出處】

衛人嫁其子而教之曰：「必私積聚。為人婦而出，常也；其成居，幸也。」其子因私積聚，其姑以為多私而出之。其子所以反者倍其所以嫁。其父不自罪於教子非也，而自知其益富。念人臣之處官者，皆是類也。（《韓非子》〈說林上〉）

衛婦祈禱

衛國有對夫妻祈禱，妻子許願說：「讓我沒有災難，得到一百捆布幣。」丈夫在一邊說：「為什麼要求這麼低？」妻子回答說：「超過這個數目，您就會用它去買小老婆。」

【出處】

衛人有夫妻禱者而祝曰：「使我無故，得百束布。」其夫曰：「何少也？」對曰：「益是，子將以買妾。」（《韓非子》〈內儲說下・六微〉）

謀以殉葬

陳子車死在衛國。他的妻子和管家打算以活人為他殉葬，商定之後，陳子車的弟弟陳子亢來了。兩人告訴陳子亢說：「他老人家有病，沒人在地下伺候他，希望能以活人為他殉葬。」陳子亢說：「用活人殉葬不合禮儀。儘管如此，兄長有病，應當有人去伺候，除了妻子和管家外，誰還能做這種事呢？我的意思是不用活人殉葬；如果一定要這麼做，那我就想用你們兩人來殉葬。」陳妻和管家當即放棄以活人殉葬的打算。

【出處】

陳子車死於衛，其妻與其家大夫謀以殉葬，定而後陳子亢至，以告曰：「夫子疾，莫養於下，請以殉葬。」子亢曰：「以殉葬，非禮也。雖然，則彼疾當養者孰若妻與宰？得已，則吾欲已；不得已，則吾欲以二子者之為之也。」於是弗果用。（《禮記》〈檀弓下〉）

宋國卷

宋國是周朝分封的異姓諸侯國，公爵，始封君為殷紂王的庶兄微子啟。周成王四年（西元前1039），周公旦輔佐成王平定武庚叛亂，遵循「興滅繼絕」的傳統，封微子啟於商朝故地，建立宋國，都城商丘，被周天子尊為「三恪」之一。*春秋時期，宋襄公在齊國內亂時幫齊公子復國，欲代齊為盟主，泓水之戰中因不切實際的「仁義」被楚成王挫敗。戰國時期，宋康王「行王政」，東敗齊、南敗楚、西敗魏，為三國忌恨，於西元前二八六年被三國所滅，領土被瓜分。宋國從微子啟至宋康王共歷三十五君、七百五十四年。版圖最大時包括今河南東部、江蘇西北部、安徽北部和山東西南端之間。宋國是華夏聖賢文化的發祥地，處於中國傳統文化核心地位的儒家、道家、墨家、名家學派等，在宋國均有重量級代表人物。如墨子、莊子、惠子均出生於宋國，孔子祖籍也為宋國。

* 「恪」，尊敬之意。歷代王朝立國之初，按慣例封前代王室後裔爵位，稱二王後或三恪，給予王侯名號，贈予封邑，祭祀宗廟，以示尊敬，顯示本朝正統地位。杜佑《通典》考證「三恪二王後」，認為封前二代後裔為二王後，封前三代後裔為三恪。顏師古認為：周以舜後並夏後、商後為三恪，即以虞舜後裔封陳國，夏朝後裔封杞國，商代後裔封宋國。

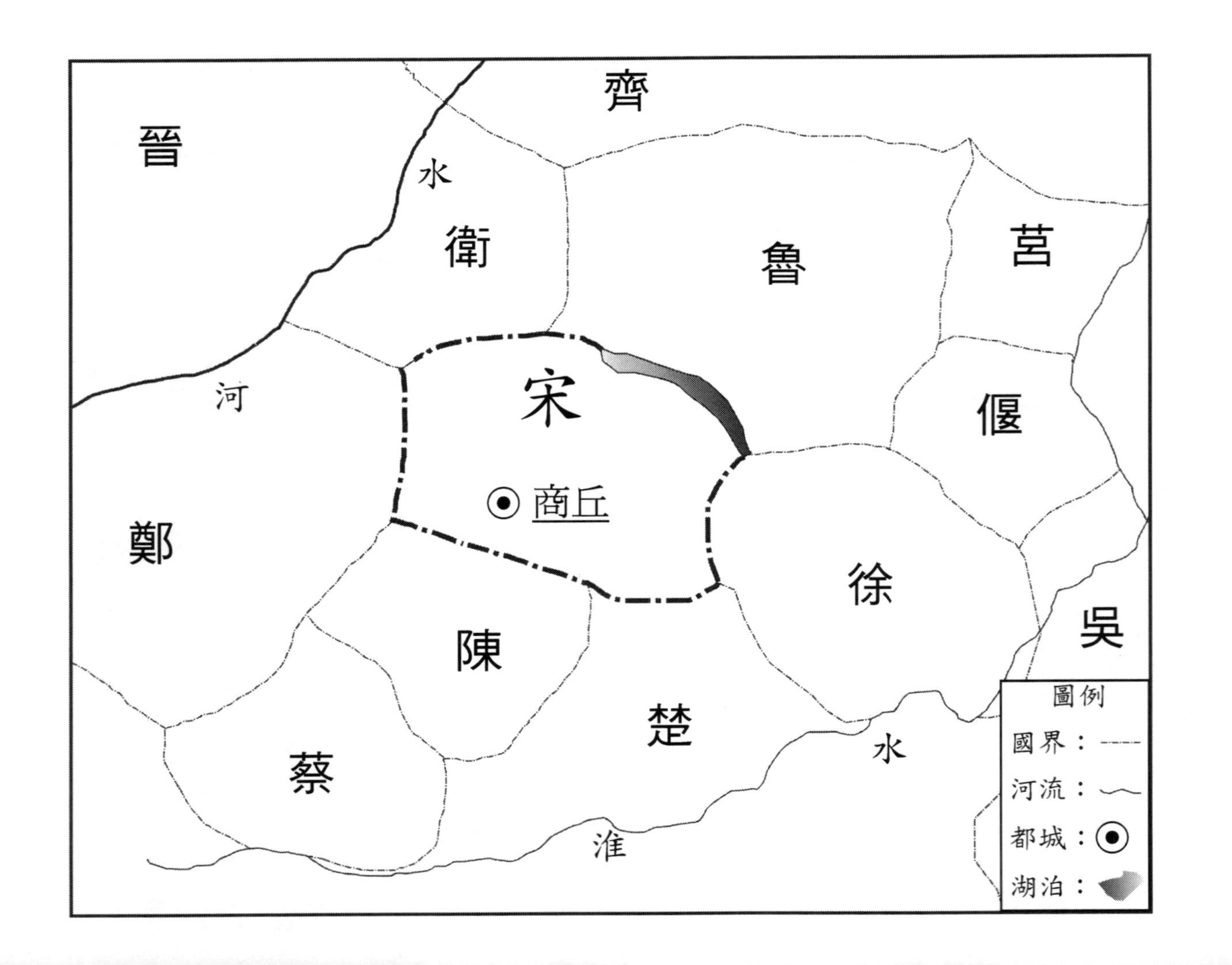

齊
晉
水
衛
魯
莒
河
宋
偃
商丘
鄭
徐
吳
陳
楚
水
蔡
淮
圖例
國界：
河流：
都城：
湖泊：

微子立宋

商紂王淫亂不止。紂王的庶兄微子多次勸諫，紂王不聽。微子和太師、少師商量之後逃離了殷國。比干說：「為人臣，不能不拚死進諫。」於是極力勸諫。紂王大怒說：「我聽說聖人的心有七個孔。」於是剖開比干的胸膛，挖出心來看。箕子非常害怕，假裝得了瘋癲病去給人家當奴隸。紂王知道後又把箕子囚禁起來。太師、少師逃往周國。周武王於是統率諸侯討伐殷紂。商紂王自焚而死，周武王砍下他的頭掛在太白旗竿上示眾。又處死妲己，釋放箕子，修繕比干的墳墓和商容的里巷。武王封紂的兒子武庚祿父，讓他承續殷的祭祀，隨後把微子封在宋國，來延續殷的後代。

【出處】

紂愈淫亂不止。微子數諫不聽，乃與大師、少師謀，遂去。比干曰：「為人臣者，不得不以死爭。」乃強諫紂。紂怒曰：「吾聞聖人心有七竅。」剖比干，觀其心。箕子懼，乃詳狂為奴，紂又囚之。殷之大師、少師乃持其祭樂器奔周。周武王於是遂率諸侯伐紂。紂亦發兵距之牧野。甲子日，紂兵敗。紂走，入登鹿臺，衣其寶玉衣，赴火而死。周武王遂斬紂頭，縣之白旗。殺妲己。釋箕子之囚，封比干之墓，表商容之閭。封紂子武庚祿父，以續殷祀，令修行盤庚之政。殷民大說。於是周武王為天子。其後世貶帝號，號為王。而封殷後為諸侯，屬周。周武王崩，武庚與管叔、蔡叔作亂，成王命周公誅之，而立微子於宋，以續殷後焉。（《史記》〈殷本紀〉）

肉袒面縛

微子說：「父子之間有骨肉之情，下臣對君主有道義上的責任。父親如果有錯，兒子屢次勸諫不聽，還可以繼續哀求；人臣屢次規勸，君主不聽，人臣盡到責任，就可以離開君主了。」微子再三勸諫紂王未果，太師、少師於是勸告微子遠離避禍。周武王征伐紂王、戰勝殷朝之後，微子手持祭器來到軍門。他露出上身，兩手綁在背後，左邊讓人牽著羊，右邊讓人拿著茅，跪在地上前行求告武王。於是武王釋放了微子，恢復了他原來的爵位。

【出處】

微子曰：「父子有骨肉，而臣主以義屬。故父有過，子三諫不聽，則隨而號之；人臣三諫不聽，則其義可以去矣。」於是太師、少師乃勸微子去，遂行。周武王伐紂克殷，微子乃持其祭器造於軍門，肉袒面縛，左牽羊，右把茅，膝行而前以告。於是武王乃釋微子，復其位如故。（《史記》〈宋微子世家〉）

常倫所序

武王滅亡殷朝後，便去訪問箕子。武王說：「唉！上天默默地安定百姓，使他們安居樂業，我卻不知道上天定民的常理次序。」箕子回答說：「早先鯀堵塞大水，擾亂了上天五行的規律，上帝就怒氣衝衝，天道大法九類常理因此敗壞。鯀被殺死，禹就接續而興起。上天賜給禹天道大法九種，常理因而有了順序。這九種大法，一叫五行，二叫五事，三叫八政，四叫五紀，五叫皇極，六叫三德，七叫稽疑，八叫庶徵，九叫任用五福，而讓人畏懼六種災禍。」武王聽完箕子的一番陳述，就把朝鮮封給箕子，未讓他作臣民。後來，箕子朝拜周王，經過故都殷墟，感傷於宮室毀壞坍塌、禾苗叢生，十分悲痛，想大哭一場而不能；想小聲哭泣，又覺得像個女人，於是觸景生情吟出《麥秀》，詩中說：「麥芒尖尖啊，禾苗綠油油。那個小子啊，不和我友好！」所謂小子，就是紂王。殷的百姓看到這首詩，都為之泣下。

【出處】

武王既克殷，訪問箕子。武王曰：「於乎。維天陰定下民，相和其居，我不知其常倫所序。」箕子對曰「在昔鯀堙鴻水，汨陳其五行，帝乃震怒，不從洪範九等，常倫所斁。鯀則殛死，禹乃嗣興。天乃錫禹洪範九等，常倫所序。初一曰五行；二曰五事；三曰八政；四曰五紀；五曰皇極；六曰三德；七曰稽疑；八曰庶徵；九曰向用五福，畏用六極。……於是武王乃封箕子於朝鮮而不臣也。其後箕子朝周，過故殷虛，感宮室毀壞，生禾黍，箕子傷之，欲哭則不可，欲泣為其近婦人，乃作麥秀之詩以歌詠之。其詩曰：「麥秀漸漸兮，禾黍油油。彼狡僮兮，不與我好兮！」所謂狡童者，紂也。殷民聞之，皆為流涕。（《史記》〈宋微子世家〉）

宣公知人

宋宣公的太子名叫與夷。宣公擔任國君十九年，臨終前把君位讓給弟弟和並說：「父親死了，兒子繼位，哥哥死了，弟弟繼位，是天下通行的規矩。我要立你為國君。」和多次謙讓，最後才接受，他就是宋穆公。穆公在位九年，病重時對大司馬孔父說：「先君宣公捨棄太子與夷而把君位讓給我，我從未忘記。我死後，一定要立與夷為國君。」孔父說：「大臣們都希望立公子馮呢。」穆公說：「不能立馮，我不能辜負宣公啊。」於是穆公讓兒子馮出居鄭國。八月庚辰日，穆公去世，宣公的兒子與夷即位，這就是殤公。君子評論此事說：「宋宣公可以說是知人善任了，立自己的弟弟為國君成就仁義，自己的兒子最終仍能享有國家。」

【出處】

宣公有太子與夷。十九年，宣公病，讓其弟和，曰：「父死子繼，兄死弟及，天下通義也。我其立和。」和亦三讓而受之。宣公卒，弟和立，是為穆公。穆公九年，病，召大司馬孔父謂曰：「先君宣公舍太子與夷而立我，我不敢忘。我死，必立與夷也。」孔父曰：「群臣皆原立公子馮。」穆公曰：「毋立馮，吾不可以負宣公。」於是穆公使馮出居於鄭。八月庚辰，穆公卒，兄宣公子與夷立，是為殤公。君子聞之，曰：「宋宣公可謂知人矣，立其弟以成義，然卒其子復享之。」(《史記》〈宋微子世家〉)

民苦不堪

殤公以孔父嘉為司馬，華督為太宰。宋殤公好戰，百姓苦不堪言。殤公九年的一天，大司馬孔父嘉的夫人魏氏外出，路遇太宰華督，華督為孔父嘉夫人驚人的美貌傾倒，自此日夜思念，魂魄俱銷。為佔有孔父妻，就讓人在國中揚言說：「殤公即位十年，竟打了十一次大仗，百姓苦不堪言，這都是孔父的罪過，我要殺死孔父以安定人民。」第二年，華督殺死孔父，強佔了他的妻子。殤公非常生氣。華督索性殺死殤公，從鄭國迎回穆公的兒子馮，立他為君王，這就是宋莊公。

【出處】

九年，大司馬孔父嘉妻好，出，道遇太宰華督，督說，目而觀之。督利孔父妻，乃使人宣言國中曰：「殤公即位十年耳，而十一戰，民苦不堪，皆孔父為之，我且殺孔父以寧民。」是歲，魯弒其君隱公。十年，華督攻殺孔父，取其妻。殤公怒，遂弒殤公，而迎穆公子馮於鄭而立之，是為莊公。（《史記》〈宋微子世家〉）

過而改之，是猶不過

宋國發生水災，魯國派人前往慰問，宋閔公回答說：「因為我無才無德，齋戒時不夠恭敬，封地沒治理好，使用民力不按時節，所以上天降災禍於我，又讓貴國國君為我擔憂，承蒙掛念，實不敢當。」

孔子知道這件事後說：「宋國應該有希望了吧。」有人問說：「為什麼這樣說呢？」孔子說：「從前夏桀、殷紂不肯承擔自己的過錯，他們滅亡得很快；成湯、周文王、周武王懂得承擔自己的過錯，他們興盛得也很快。有了過錯只要能改，就是好事，所以說宋國很有希望。」宋君聽到這些話後，早起晚睡，很早就上朝，很晚才退朝。弔唁死去的臣民，慰問患病的百姓，專注於國家治理。過了三年，宋國糧食豐收，政通人和。

【出處】

宋大水，魯人弔之曰：「天降淫雨，谿谷滿盈，延及君地，以憂執政，使臣敬弔。」宋人應之曰：「寡人不佞，齋戒不謹，邑封不修，使人不時，天加以殃，又遺君憂，拜命之辱。」君子聞之曰：「宋國其庶幾乎！」問曰：「何謂也？」曰：「昔者夏桀、殷紂不任其過，其亡也忽焉；成湯、文、武知任其過，其興也勃焉。夫過而改之，是猶不過。故曰其庶幾乎！」宋人聞之，夙興夜寐，早朝晏退，弔死問疾，戮力宇內。三年，歲豐政平。（《說苑》〈君道〉）

吾弗敬子

乘丘戰役中，魯莊公用一種名叫金僕姑的利箭射中了宋國的南宮長萬，長萬由此被莊公的車右歂孫活捉。宋閔公請求魯國人將南宮長萬釋放回國。長萬力大無窮。宋閔公開玩笑說：「原來我尊敬你，如今你成了魯國的囚犯，以後我不再敬重你了。」南宮長萬聽了，自此懷恨在心。

【出處】

乘丘之役，公以金僕姑射南宮長萬，公右歂孫生搏之。宋人請之，宋公靳之，曰：「始吾敬子，今子，魯囚也。吾弗敬子矣。」病之。（《左傳》〈莊公十一年〉）

宋人醢萬

閔公與南宮萬到蒙澤打獵時下棋，宮女們在一旁觀戰。宋閔公問南宮萬說：「魯君和我誰長得帥些？」南宮萬說：「魯君長得英俊，天下諸侯中只有魯君無可挑剔，最適宜做君主了。」閔公覺得在宮女面前很失面子，當即斥責南宮萬說：「你是魯國的俘虜，你懂個屁！」南宮萬十分惱怒，一巴掌朝閔公臉上打去，閔公牙齒被打落在口腔裡，血水堵住喉嚨，當場就嗆死了。南宮萬返回國都時，又在城門口劈死了大夫仇牧。而後再殺太宰華督，改立公子游為國君。眾公子逃往蕭邑，公子御說逃奔亳地。南宮萬的弟弟南宮牛和猛獲帶領軍隊包圍亳地。冬天，蕭叔大心和宋戴公、武公、宣公、穆公、莊公的族人向曹國借兵討伐南宮牛，殺死了南宮牛和新君子游，擁立閔公的弟弟御說為國君，這就是宋桓公。猛獲逃往衛國。南宮萬出逃陳國，他自己駕車拉著母親，一天就到達了。宋國派人賄賂陳國。陳國人讓美女用酒將南宮萬灌醉，再用皮革將其牢牢捆裹，而後送回宋國。宋國人對南宮萬施以醢刑[1]。

---

1. 醢刑：中國古代的一種酷刑之一，是指將屍體剁成肉醬。

【出處】

十年夏，宋伐魯，戰於乘丘，魯生虜宋南宮萬。宋人請萬，萬歸宋。十一年秋，湣公與南宮萬獵，因博爭行，湣公怒，辱之，曰：「始吾敬若；今若，魯虜也。」萬有力，病此言，遂以局殺湣公於蒙澤。大夫仇牧聞之，以兵造公門。萬搏牧，牧齒著門闔死。因殺太宰華督，乃更立公子游為君。諸公子奔蕭，公子御說奔亳。萬弟南宮牛將兵圍亳。冬，蕭及宋之諸公子共擊殺南宮牛，弒宋新君游而立湣公弟御說，是為桓公。宋萬奔陳。宋人請以賂陳。陳人使婦人飲之醇酒，以革裹之，歸宋。宋人醢萬也。（《史記》〈宋微子世家〉）

天下之惡一也

蕭叔大心向曹國借兵討伐南宮牛和猛獲。在陣前殺死南宮牛，猛獲逃到衛國。宋國人向衛國請求歸還猛獲，衛國人不想答應。石祁子說：「不行。普天下邪惡的人走到哪裡都是惡人。在宋國作惡而在我國受到保護，這有什麼好處？得到一個人而失去一個國家，結交邪惡的人而丟掉友好的國家，這不是好主意。」衛國人於是把猛獲歸還宋國。宋國人把猛獲和南宮長萬剁成了肉醬。

【出處】

宋人請猛獲於衛，衛人欲勿與，石祁子曰：「不可。天下之惡一也，惡於宋而保於我，保之何補？得一夫而失一國，與惡而棄好，非謀也。」衛人歸之。（《左傳》〈莊公十二年〉）

仁孰大焉

宋桓公病重，太子茲父再三請求說：「目夷年長，而且仁愛，君王應該立他為國君。」宋桓公於是下令讓目夷（子魚）繼承君位。目夷推謝說：「能夠把國家辭讓給別人，還有比這更大的仁愛嗎？下臣不如他！而且這也不符合立君的順序。」於是就退了出去。

【出處】

宋公疾，大子茲父固請曰：「目夷長，且仁，君其立之。」公命子魚，子魚辭，曰：「能以國讓，仁孰大焉？臣不及也，且又不順。」遂走而退。（《左傳》〈僖公八年〉）

茲父讓國

宋桓公的太子名叫茲父，桓公後妻生的兒子叫目夷。桓公很寵愛目夷，茲父便向父親推薦改立目夷為太子，說：「請改立目夷為太子，我做國相輔佐他。」桓公問：「為什麼呢？」茲父回答說：「我舅舅在衛國，他很喜歡我，如果立我為嗣，我就不能前往衛國，這樣就會與衛國斷絕往來，這是背叛母親的行為。況且目夷的才能也在我之上。」桓公起初不同意，茲父再三請求，桓公於是答應改立公子目夷為太子，目夷推辭說：「兄長立為太子，弟弟在他手下，這是符合禮儀的。現在改立弟弟為太子，而讓兄長在弟弟手下，這不合禮儀。不符合禮儀的事卻讓我做，我待不下去了。」於是逃往衛國，茲父隨後也跟隨他到了衛國。過了三年，桓公病重，派人召喚茲父說：「如果你不回來，我會憂愁而死。」茲父這才返回，桓公重新立他為太子。不久，目夷也返回了宋國。

【出處】

宋襄公茲父為桓公太子，桓公有後妻子曰公子目夷，公愛之，茲父為公愛之也，欲立之，請於公曰：「請使目夷立，臣為之相以佐之。」公曰：「何故也？」對曰：「臣之舅在衛，愛臣，若終立，則不可以往，絕跡於衛，是背母也。且臣自知不足以處目夷之上。」公不許，強以請公，公許之，將立公子目夷，目夷辭曰：「兄立而弟在下，是其義也；今弟立而兄在下，不義也。不義而使目夷為之，目夷將逃。」乃逃之衛，茲父從之。三年，桓公有疾，使人召茲父，若不來，是使我以憂死也，茲父乃反，公復立之，以為太子，然後目夷歸也。（《說苑》〈立節〉）

吉凶由人

魯僖公十六年春季，天空有隕石落在宋國境內，由於刮颶風，六隻鷁鳥後退著飛過宋國國都。成周的內使叔興到宋國聘問，宋襄公請教他說：「這兩件事是什麼預兆？吉凶在哪裡？」叔興回答說：「今年魯國多半會有大的喪事，明年齊國將有動亂。至於君主，一定會得到諸侯的擁護，但卻不會有好結果。」叔興退下來後對人說：「國君詢問得不恰當，這是有關自然界的事情，與人事吉凶有什麼關係。

人世間的吉凶是由人決定的。我這樣回答，是因為不敢違背國君的緣故。」

【出處】

十六年春，隕石於宋五，隕星也。六鷁退飛過宋都，風也。周內史叔興聘於宋，宋襄公問焉，曰；「是何祥也？吉凶焉在？」對曰：「今茲魯多大喪，明年齊有亂，君將得諸侯而不終。」退而告人曰：「君失問。是陰陽之事，非吉凶所生也。吉凶由人，吾不敢逆君故也。」（《左傳》〈僖公十六年〉）

宋襄求盟

宋襄公想會合諸侯。臧文仲知道後說：「以自己的願望服從別人還行，強迫人家服從自己的願望很難成功。」魯僖公二十一年春季，宋國在鹿上舉行會盟，向楚國要求之前歸附楚國的中原諸侯奉自己為盟主，楚國人答應了。公子目夷說：「小國爭當盟主，這是災禍。宋國也許會亡國吧！失敗得晚一點就算走運了。」秋季，楚成王、陳穆公、蔡莊公、鄭文公、許僖公、曹共公等在盂地會見宋襄公。子魚說：「禍根就在這裡了！國君的欲望太過分，別人豈能忍受？」在會上，楚國拘住宋襄公並討伐宋國。冬季，諸侯在薄地會盟，釋放了宋襄公。子魚搖頭說：「禍殃還沒有完，這點夠不上懲罰國君。」

【出處】

二十一年春，宋人為鹿上之盟，以求諸侯於楚。楚人許之。公子目夷曰：「小國爭盟，禍也。宋其亡乎，幸而後敗。」秋，諸侯會宋公於盂。子魚曰：「禍其在此乎！君欲已甚，其何以堪之？」於是楚執宋公以伐宋。冬，會於薄以釋之。子魚曰：「禍猶未也，未足以懲君。」（《左傳》〈僖公二十一年〉）

仁義之師

宋襄公十三年夏天，宋國討伐鄭國。目夷說：「宋國的災難到了。」秋天，楚國為救援鄭國而討伐宋國，襄公準備應戰，目夷進諫說：「上天拋棄商朝的後代已經很久了，您不可能復興它，違背天意要受懲罰的。」宋襄公不聽。冬十一月，宋軍在泓水與楚軍對壘。宋軍已經列好陣形，楚軍還沒有全部渡過河。目夷說：「他們兵多，我們兵少，趁他們還沒有全部渡河，請君王下令攻擊他們。」宋襄公說：「不行。」楚軍渡過河之後，還沒有整頓好隊伍，目夷又建議說：「可以攻打了。」襄公卻說：「等他們排好陣勢再打。」等到楚軍排好陣形，宋襄公才下令出戰。結果宋軍大敗，跟隨襄公的護衛被殲滅，襄公的大腿也受了傷。宋國的將士們紛紛責怪襄公。襄公辯解說：「君子不趁人之危，不兩次傷害敵人，不捉拿頭髮花白的敵人。古代作戰，不靠關塞險阻取勝。寡人雖然是殷商亡國的後裔，也絕不會攻擊沒有擺開陣勢的敵人。」目夷說：「國君根本不懂得戰爭。強大的敵人，由於地形狹隘而沒有擺開陣勢，這是老天在幫助我們。將敵人攔腰截斷再給予攻擊不也很好嗎？即便如此還害怕不能取勝呢。面對強大的敵人，即便對方是老頭子，捉住了也不能放，管他頭髮花白不花白。應該明確告訴士兵，戰敗才是恥辱，打仗就是多殺敵人。敵人受傷而沒有死，為什麼不可以再次打擊？如果愛惜敵人的傷員而不予打擊，那一開始就不要傷害他；愛惜那些頭髮花白的人，那就向他們投降好了。打仗獲勝才是硬道理，說些空洞的道理又有什麼用呢？」

【出處】

楚人伐宋以救鄭。宋公將戰，大司馬固諫曰：「天之棄商久矣，君將興之，弗可赦也已。」弗聽，冬十一月己巳朔，宋公及楚人戰於泓。宋人既成列，楚人未既濟。司馬曰：「彼眾我寡，及其未既濟也請擊之。」公曰：「不可。」既濟而未成列，又以告。公曰：「未可。」既陳而後擊之，宋師敗績。公傷股，門官殲焉。國人皆咎公。公曰：「君子不重傷，不禽二毛。古之為軍也，不以阻隘也。寡人雖亡國之餘，不鼓不成列。」子魚曰：「君未知戰。勍敵之人隘而不列，天贊我也。阻而鼓之，不亦可乎？猶有懼焉。且今之勍者，皆吾敵也。雖及胡耇，獲則取之，何有於二毛？明恥教戰，求殺敵也，傷未及死，如何勿重？若受重傷，則如勿傷；愛其二毛，則如服焉。三軍以利用也，金鼓以聲氣也。利而用之，阻隘可也；聲盛致志，鼓儳可也。」（《左傳》〈僖公二十二年〉）

退兵修德

宋國包圍曹國，久攻不下。司馬目夷對國君說：「周文王攻打崇國，軍隊駐紮在崇人城下，三十天崇人都不肯投降。文王撤兵修治教化後再來攻打崇國。剛紮下營壘，崇人就投降了。現在曹國久攻不下，莫非君主的德行有所欠缺嗎？為什麼不撤兵修養德教，等到沒有欠缺時再來攻打呢？」

【出處】

宋圍曹，不拔。司馬子魚謂君曰：「文王伐崇，軍其城，三旬不降，退而修教，復伐之，因壘而降。今君德無乃有所闕乎？胡不退修德，無闕而後動。」（《說苑》〈指武〉）

襄公夫人

宋襄夫人王姬是天子周襄王的姐姐。宋襄公死後，兒子王臣繼位，即宋成公。王姬在宮中過著寡居生活。宋成公做了十七年國君後去世。一年後，成公的少子杵臼繼位為君，這就是宋昭公。昭公昏庸無道，對襄公夫人有失禮遇。昭公的弟弟鮑革一表人才，又禮賢下士，頗得民心。襄公夫人想與孫子輩的公子鮑私通，公子鮑不肯。但她並不因此記恨，而是一味支持、成全他。宋國發生饑荒，襄公夫人讓公子鮑把家裡糧食拿出來施捨。對七十歲以上的老人還按時令加送珍貴食品。除了巴結六卿，對國內享有名望的士子也給予禮敬，親屬中手頭不寬餘的也慷慨賙濟。襄公夫人首先剷除了昭公身邊的黨羽，覺得時機成熟，就與公子鮑合謀趁昭公去孟諸打獵時殺死他。昭公得知消息，帶上全部珍寶出行。司城蕩意諸說：「何不到諸侯那裡去？」昭公說：「得不到君祖母及眾大夫和國人的信任，誰肯接納我？而且已經做了君主，再去做別人的臣下，還不如死了好。」昭公將隨身攜帶的珍寶賜給左右的隨行人員，讓他們離去。襄公夫人派人轉告蕩意諸，讓他離開昭公，蕩意諸回答說：「做他的臣下，卻在他遇難時逃避，以後還怎麼侍奉國君呢？」襄公夫人派人在通往孟諸的途中殺死了昭公，蕩意諸也因此而死。由於襄公夫人的鼎力相助，公子鮑得以順利繼位，這就是宋文公。

【出處】

宋襄夫人，襄王之姊也，昭公不禮焉。夫人因戴氏之族，以殺襄公之孫孔叔、公孫鍾離及大司馬公子卬，皆昭公之黨也。……宋公子鮑禮於國人，宋饑，竭其粟而貸之。年自七十以上，無不饋飴也，時加羞珍異。無日不數於六卿之門，國之才人，無不事也，親自桓以下，無不恤也。公子鮑美而豔，襄夫人欲通之，而不可，夫人助之施。昭公無道，國人奉公子鮑以因夫人。於是華元為右師，公孫友為左師，華耦為司馬，鱗魚矔為司徒，蕩意諸為司城，公子朝為司寇。初，司城蕩卒，公孫壽辭司城，請使意諸為之。既而告人曰：「君無道，吾官近，懼及焉。棄官則族無所庇。子，身之貳也，姑紓死焉。雖亡子，猶不亡族。」既，夫人將使公田孟諸而殺之。公知之，盡以寶行。蕩意諸曰：「盍適諸侯？」公曰：「不能其大夫至於君祖母以及國人，諸侯誰納我？且既為人君，而又為人臣，不如死。」盡以其寶賜左右以使行。夫人使謂司城去公，對曰：「臣之而逃其難，若後君何？」冬十一月甲寅，宋昭公將田孟諸，未至，夫人王姬使帥甸攻而殺之。蕩意諸死之。書曰：「宋人弒其君杵臼。」君無道也。文公即位，使母弟須為司城。華耦卒，而使蕩虺為司馬。（《左傳》〈文公十六年〉）

疇昔之羊

宋文公四年春季，鄭國在楚國的支持下討伐宋國。宋軍以華元為統帥。鄭軍打敗宋軍，俘虜了華元。交戰前夜，華元殺羊犒勞士兵，為他駕車的羊斟卻沒有分到羊羹，因此十分怨恨。第二天兩軍交戰時，羊斟說：「昨天的羊是你做主，今天打仗是我做主！」於是駕車直接衝入鄭軍的隊列。華元因此被俘，宋軍戰敗。宋文公請求以一百輛兵車、四百匹毛色漂亮的駿馬贖回華元。僅送去一半，華元就逃了回來。華元見到羊斟說：「您的馬不受駕馭才會這樣吧？」羊斟回答說：「不是馬，是人。」說完就逃到了魯國。

【出處】

將戰，華元殺羊食士，其御羊斟不與。及戰，曰：「疇昔之羊，子為政，今日之事，我為政。」與入鄭師，故敗。君子謂：「羊斟非人也，以其私憾，敗國殄民。於是刑孰大焉。《詩》所謂『人之無良』者，其羊斟之謂乎，殘民以逞。」宋人以兵車百乘、文馬百駟以贖華元於鄭。半入，華元逃歸，立於門外，告而入。見叔牂，曰：「子之

馬然也。」對曰：「非馬也，其人也。」既合而來奔。（《左傳》〈宣公二年〉）

析骨而炊

宋文公十六年，楚國使者路過宋國，宋國與楚國有舊仇，就逮捕了楚國使者。同年九月，楚莊王出兵包圍宋都達五月之久，城內告急，無糧可吃，華元便在一天夜裡暗中會見楚國將領子反。子反告訴莊王。莊王問：「城中怎麼樣？」子反回答：「城內人劈開人骨作柴燒，交換幼子果腹。」莊王說：「這話是真的呀！我軍也只有兩天的口糧了。」因為華元的誠實，楚國終於罷兵解圍而去。

【出處】

十六年，楚使過宋，宋有前仇，執楚使。九月，楚莊王圍宋。十七年，楚以圍宋五月不解，宋城中急，無食，華元乃夜私見楚將子反。子反告莊王。王問：「城中何如？」曰：「析骨而炊，易子而食。」莊王曰：「誠哉言！我軍亦有二日糧。」以信故，遂罷兵去。（《史記》〈宋微子世家〉）

棄君於惡

魯成公二年八月，宋文公去世。宋國為其舉行了隆重的葬禮。棺材內塞入蚌蛤和石灰，除了增加陪葬的車馬和珍寶器物，還以活人殉葬。槨的四面呈坡形，棺有翰、檜等裝飾。君子評論此事說：「華元、樂舉有失為臣之道。臣子應該為國君解除煩惱、去掉迷惑，對待國君的失誤應該拚死去勸諫。可是這兩個人，國君活著時縱容他作惡，死了後又增加他的奢侈，這樣來增加國君的惡名，算什麼臣子？」

【出處】

八月，宋文公卒。始厚葬，用蜃炭，益車馬，始用殉。重器備，槨有四阿，棺有翰檜。君子謂：「華元、樂舉，於是乎不臣。臣治煩去惑者也，是以伏死而爭。今二子者，君生則縱其惑，死又益其侈，是棄君於惡也。何臣之為？」（《左傳》〈成公二年〉）

宋恭伯姬

伯姬是魯宣公的女兒、成公的妹妹。母親繆姜把伯姬許配給宋恭公。可是結婚那天，恭公並沒有親自來迎接。伯姬迫於父母之命而嫁。抵達宋國三個月後，按照禮法拜過祖廟就應該與宋恭公行夫妻之道。但伯姬因為恭公沒有親自去迎親，不肯跟他完婚。宋恭公派人告知魯國，魯國派大夫季文子到宋國勸伯姬，伯姬這才遵照禮法跟宋恭公行夫妻之禮。伯姬嫁給恭公十年之後，恭公去世，伯姬守寡。到宋景公時，有一天夜裡，伯姬住的地方突然失火，左右侍女連忙說：「夫人快出去避火啊！」伯姬回答說：「按婦人的禮法，如果保姆傅母不在，是不可以晚上出門的。等她們來了再說吧。」過了一會兒，保姆到了，可傅母還沒到。身邊的侍女哀求說：「夫人請趕緊離開吧！」伯姬說：「傅母沒來。為了求生我罔顧禮法，還不如謹守禮法而死。」執意不肯離開，終於被火燒死。君子評論說：「伯姬奉行的是大閨女而不是媳婦的守則。大閨女應當等待傅母，媳婦就可以看具體情況行事。」《春秋》把這事詳細記錄下來，稱讚伯姬賢德，把婦女的「貞」看得比生命還重。諸侯得知消息，沒有不哀悼傷心的。錢財丟掉還可以再掙，人死卻不能復生。於是諸侯都到澶淵來聚會，一起悼念伯姬。君子評論此事說：「按照禮法，沒有傅母在旁，婦人夜晚不可以獨自出門，走夜路一定要有燭光，伯姬在生命遇到危險時也不失禮儀。」

【出處】

伯姬者，魯宣公之女，成公之妹也。其母曰繆姜，嫁伯姬於宋恭公。恭公不親迎，伯姬迫於父母之命而行。既入宋，三月廟見，當行夫婦之道。伯姬以恭公不親迎，故不肯聽命。宋人告魯，魯使大夫季文子於宋，致命於伯姬。還覆命。公享之，繆姜出於房，再拜曰：「大夫勤勞於遠道，辱送小子，不忘先君以及後嗣，使下而有知，先君猶有望也。敢再拜大夫之辱。」伯姬既嫁於恭公十年，恭公卒，伯姬寡。至景公時，伯姬嘗遇夜失火，左右曰：「夫人少避火。」伯姬曰：「婦人之義，保傅不俱，夜不下堂，待保傅來也。」保母至矣，傅母未至也。左右又曰：「夫人少避火。」伯姬曰：「婦人之義，傅母不至，夜不可下堂，越義求生，不如守義而死。」遂逮於火而死。《春秋》詳錄其事，為賢伯姬，以為婦人以貞為行者也。伯姬之婦道盡矣。當此之時，諸侯聞之，莫不悼痛，以為死者不可以生，財物猶可復，故相與聚會於澶淵，償宋之所喪。《春秋》善之。君子曰：「禮，婦人不得傅母，夜不下堂，行必以燭。伯姬之謂也。」《詩》云：「淑慎爾止，不愆於儀。」伯姬可謂不失儀矣。（《列女傳》〈貞順傳〉）

同罪異罰

宋國的華弱和樂轡小時候很親暱，長大了也常常相互戲謔誹謗。樂轡有一次發怒，在朝廷上用弓套住華弱的脖子，如同枷鎖一樣。宋平公見了，不高興說：「司武而在朝廷上帶枷鎖，打仗還怎麼取勝呢。」於是就把華弱趕走。華弱逃到魯國後，司城子罕為他鳴不平說：「罪過相同而懲罰不同，這不合於刑法。在朝廷上專橫和侮辱別人，還有比這更大的罪過嗎？」於是也趕走樂轡，樂轡把箭射在子罕的大門上，威脅他說：「過了不幾天，你的下場一樣。」子罕害怕，與樂轡和好如初。

【出處】

宋華弱與樂轡少相狎，長相優，又相謗也。子蕩怒，以弓梏華弱於朝。平公見之，曰：「司武而梏於朝，難以勝矣！」遂逐之。夏，宋華弱來奔。司城子罕曰：「同罪異罰，非刑也。專戮於朝，罪孰大焉！」亦逐子蕩。子蕩射子罕之門，曰：「幾日而不我從！」子罕善之如初。（《左傳》〈襄公六年〉）

且詛有祝

宋國的皇國父做太宰，奉命給宋平公建造一座高臺，妨礙了農時。子罕請求等農事完畢以後再開工建造，平公不答應。築臺的人編出歌謠唱道：「宮門裡的貴人，要我們做苦力；城裡的下人，體貼我們的心意。」子罕聽到了，親自拿著竹鞭，巡行督察築臺的百姓，又鞭打那些幹活不賣力的人，訓斥說：「我們這些下等人都有房子抵寒避暑，現在國君造個臺子還不很快完成，怎麼做事呢？」唱歌的人不再哼哼。有人問子罕為什麼這麼凶，子罕說：「宋國很小，不能既有詛咒，又有歌頌，這往往是禍亂之源。」

【出處】

宋皇國父為大宰，為平公築臺，妨於農功。子罕請俟農功之畢，公弗許。築者謳曰：「澤門之皙，實興我役。邑中之黔，實尉我心。」子罕聞之，親執扑，以行築者，而抶其不勉者，曰：「吾儕小人，皆有闔廬以辟燥濕寒暑。今君為一臺而不速成，何以為役？」謳者乃止。或問其故，子罕曰：「宋國區區，而且詛有祝，禍之本也。」（《左傳》〈襄公十七年〉）

小國之大災

宋國的向戌和晉國的趙文子、楚國的令尹子木關係很好。向戌想調停諸侯之間的戰爭。他先去晉國，把想法告訴趙文子。趙文子和大夫們商量。韓宣子說：「戰爭殘害百姓，消耗錢財，給小國帶來災難，要徹底消除它可能辦不到，但一定要答應。如果我們不答應，楚國答應了，就會以此來號令諸侯，我國就失去盟主地位了。」晉國人答應了向戌。向戌於是遊說楚國，楚國也答應了。再去齊國，齊國人感到為難。陳文子說：「晉國、楚國都答應了，我們怎能不答應？而且別人說『消除戰爭』，我們不答應，百姓就會離心，將來還怎麼使用他們？」齊國人於是也答應了。再去遊說告訴秦國，秦國也答應了。再告知其他小國，終於在宋國完成了盟會。

【出處】

宋向戌善於趙文子，又善於令尹子木，欲弭諸侯之兵以為名。如晉，告趙孟。趙孟謀於諸大夫，韓宣子曰：「兵，民之殘也，財用之蠹，小國之大災也。將或弭之，雖曰不可，必將許之。弗許，楚將許之，以召諸侯，則我失為盟主矣。」晉人許之。如楚，楚亦許之。如齊，齊人難之。陳文子曰：「晉、楚許之，我焉得已。且人曰弭兵，而我弗許，則固攜吾民矣！將焉用之？」齊人許之。告於秦，秦亦許之。皆告於小國，為會於宋。(《左傳》〈襄公二十七年〉)

宋子維城

宋國的寺人柳受到宋平公的寵信，太子佐很討厭他。華合比說：「我去殺了他。」寺人柳得知消息，就在郊外挖了個坑、殺死一頭牲口、把盟書放在牲口上埋入坑內，然後去向宋平公報告說：「合比準備將逃亡在外的人召回來，已經在北邊外城結盟了。」宋平公派人去查看，果然得到印證，於是下令驅逐華合比。華合比只得逃往衛國。華亥想要取代華合比右師的職位，就和寺人柳勾結，為他做證說：「這件事我早就聽說了。」宋平公於是讓他代替華合比。華亥見到左師，左師斥責他說：「你這個人一定會完蛋。你毀壞你的宗族，對別人怎樣，別人也會對你怎樣。《詩》中說：『嫡長子就是城垣，不要使城垣毀壞，使自己孤立會很可怕。』你難道不害怕嗎？」

【出處】

宋寺人柳有寵，大子佐惡之。華合比曰：「我殺之。」柳聞之，乃坎、用牲、埋書，而告公曰：「合比將納亡人之族，既盟於北郭矣。」公使視之，有焉，遂逐華合比，合比奔衛。於是華亥欲代右師，乃與寺人柳比，從為之徵，曰：「聞之久矣。」公使代之，見於左師。左師曰：「女夫也。必亡！女喪而宗室，於人何有？人亦於女何有？《詩》曰：『宗子維城，毋俾城壞，毋獨斯畏。』女其畏哉！」（《左傳》〈昭公六年〉）

固不可解

有個來自魯國偏僻地區的山民送給宋元王一個連環結。宋元王向全國下令，讓所有心靈手巧的人來解這個連環結。誰也解不開。兒說的弟子請求試解，只能解開其中的一個，於是說：「不是可以解開而我解不開，是這個繩結本來就解不開。」詢問魯國的山民，回答說：

「是的，這個繩結本來就解不開，我打好這個連環結才知道它不能解開。現在這人沒打這個結就知道它不能解開，比我手更巧啊！」

【出處】

魯鄙人遺宋元王閉，元王號令於國，有巧者皆來解閉。人莫之能解。兒說之弟子請往解之，乃能解其一，不能解其一，且曰：「非可解而我不能解也，固不可解也。」問之魯鄙人，鄙人曰：「然，固不可解也，我為之而知其不可解也。今不為而知其不可解也，是巧於我。」故如兒說之弟子者，以「不解」解之也。（《呂氏春秋》〈審分覽・君守》）

不勝其怒

宋國的司馬華費遂，有三個兒子：華貙、華多僚和華登。華多僚得到國君宋元公的信任，就經常在元公面前說兩個兄弟的壞話。華登被迫逃亡到國外後，他又在元公面前誣陷華貙，說他打算接納逃亡的人。宋元公說：「司馬因為我，讓他的兒子華登逃亡。死和逃亡都是命中注定的，我不能讓他的兒子再逃亡了。」華多僚又用言語威脅宋元公。元公經不住華多僚一再挑撥，便派人通知華費遂，叫他驅逐華貙。華費遂知道這件事是華多僚幹的，恨不得殺死他，但又不能不執行國君的命令。他準備在打獵的時候打發兒子華貙離開宋國。打獵出發的時候，宋元公給華貙敬酒，送給他一份厚禮，並賞賜隨行的人。司馬也顯出戀戀不捨地樣子。張匄感到奇怪說：「其中一定有原因。」

於是暗中查清了事情的來龍去脈。張匄提議殺死華多僚。華貙說：「司馬年老了，華登的逃亡已經很傷他的心，我不能再加重他的傷心，還是出逃吧。」華貙將要出逃時，去與父親告別，恰好遇見華多僚得意洋洋地在為華費遂駕車上朝。張匄不勝其憤，控制不住自己，衝上前去殺死了華多僚，無奈的華貙只得與臼任、鄭翩、張匄等劫持父親叛變，召集逃亡的人一起反叛宋國。

【出處】

宋華費遂生華貙、華多僚、華登。貙為少司馬，多僚為御士，與貙相惡，乃譖諸公曰：「貙將納亡人。」亟言之。公曰：「司馬以吾故，亡其良子。死亡有命，吾不可以再亡之。」對曰：「君若愛司馬，則如亡。死如可逃，何遠之有？」公懼，使侍人召司馬之侍人宜僚，飲之酒而使告司馬。司馬嘆曰：「必多僚也。吾有讒子而弗能殺，吾又不死，抑君有命，可若何？」乃與公謀逐華貙，將使田孟諸而遣之。公飲之酒，厚酬之，賜及從者。司馬亦如之。張匄尤之，曰：「必有故。」使子皮承宜僚以劍而訊之。宜僚盡以告。張匄欲殺多僚，子皮曰：「司馬老矣，登之謂甚，吾又重之，不如亡也。」五月丙申，子皮將見司馬而行，則遇多僚御司馬而朝。張匄不勝其怒，遂與子皮、臼任、鄭翩殺多僚，劫司馬以叛，而召亡人。壬寅，華、向入。樂大心、豐愆、華牼禦諸橫。華氏居盧門，以南里叛。六月庚午，宋城舊鄘及桑林之門而守之。（《左傳》〈昭公二十一年〉）

得華登矣

宋元公十一年冬季，逃亡在外的華登率領吳軍回國救援華氏，齊國則派烏枝鳴支援宋國戍守。廚邑大夫濮說：「《軍志》裡有這樣的話：『先發制人可以摧毀敵人的士氣，後發制人要等到敵人士氣衰竭。』何不乘他們疲勞沒有安定時發起進攻呢？如果敵人攻進來，軍心穩定，華氏人多，我們就後悔不及了。」烏枝鳴採納了濮的建議。齊、宋聯軍在鴻口擊敗吳軍，俘虜了他們的兩個將領公子苦雂、偃州員。華登率領餘部捲土重來，漸處上風。宋元公想要逃跑，濮說：「我是小人，可以為君王死難，不能陪君王逃亡，請君王稍等一下。」於是巡行全軍說：「揮舞旗幟的，都是國君的戰士。」將士們按他的話揮舞旗幟。宋元公在楊門上見到這種情況，鼓起勇氣下城巡視說：「國亡君死，是各位的恥辱，哪是我一人的罪過，大家拚死戰鬥吧！」烏枝鳴建議說：「我們的兵力少，不如撤去守備，輕裝上陣，手持長劍去和他們肉搏血戰。」宋公點頭同意。華氏漸漸抵擋不住，宋、齊聯軍乘機追趕。廚邑大夫濮用裙子包著一顆砍下的腦袋，扛在肩上一邊跑一邊喊說：「殺死華登了，殺死華登了！」叛軍聽到濮的喊聲，以為華登真的死了，頓時軍心渙散。於是宋、齊聯軍得勝。華登逃往楚國求援。楚國派使者向宋元公施壓，迫其赦免華氏。華氏流亡到楚國，宋國的內亂至此平息。

【出處】

冬十月，華登以吳師救華氏。齊烏枝鳴戍宋。廚人濮曰：「《軍志》有之：『先人有奪人之心，後人有待其衰。』盍及其勞且未定也伐諸？若入而固，則華氏眾矣，悔無及也。」從之。丙寅，齊師、宋師敗吳師於鴻口，獲其二帥公子苦雂、偃州員。華登帥其餘以敗宋師。公欲出，廚人濮曰：「吾小人，可藉死而不能送亡，君請待之。」乃徇曰：「楊徽者，公徒也。」眾從之。公自楊門見之，下而巡之，曰：「國亡君死，二三子之恥也，豈專孤之罪也？」齊烏枝鳴曰：「用少莫如齊致死，齊致死莫如去備。彼多兵矣，請皆用劍。」從之。華氏北，復即之。廚人濮以裳裹首而荷以走，曰：「得華登矣！」遂敗華氏於新里。翟僂新居於新里，既戰，說甲於公而歸。華姓居於公里，亦如之。（《左傳》〈昭公二十一年〉）

心之精爽

魯昭公二十五年春季，魯國的昭子（叔孫婼）到宋國聘問。宋元公設享禮招待他，席間賦《新宮》一詩，叔孫婼賦《車轄》作答。第二天設宴喝酒，很是高興，宋元公讓昭子坐在右邊，兩人說著說著就相對流起淚來。樂祁協助主持宴會，退下去對人說：「今年國君和昭子恐怕都要死了吧！我聽說：『該高興的時候悲哀，該悲哀的時候高興，都是心意喪失的表現。』心的精華神明，叫作魂魄，魂魄離去了，怎麼能活得長久呢？」果然，這年十月，昭子死於家中，十一月，宋元公死於曲棘。

【出處】

宋公享昭子，賦《新宮》。昭子賦《車轄》。明日宴，飲酒，樂，

心之精爽

宋公使昭子右坐，語相泣也。樂祁佐，退而告人曰：「今茲君與叔孫，其皆死乎？吾聞之：『哀樂而樂哀，皆喪心也。』心之精爽，是謂魂魄。魂魄去之，何以能久？」（《左傳》〈昭公二十五年〉）

君有三善

宋景公時，熒惑星出現在東方的心宿附近，景公感到很害怕，召見司星子韋說：「熒惑星出現在心宿的位置，意味著什麼呢？」子韋說：「熒惑星是上天降罰的徵兆，心宿，對應宋國的分野，災禍將落在國君身上。雖然如此，災禍可以轉嫁給宰相。」景公說：「宰相肩負治理國家的重任，把死亡轉嫁給他，不吉利，我還是自己承擔好了。」子韋說：「也可以轉嫁給老百姓。」景公說：「老百姓都死了，我還當誰的君主呢？我寧願獨自承受死亡。」子韋說：「還可以轉嫁給年成。」景公搖頭說：「年成不好，老百姓沒飯吃就得餓死。以餓死老百姓求得自己的生存，那誰還把我當國君呢？寡人的陽壽到頭了，你不要再說了。」子韋聽完宋君的話，回身緊走幾步，面北向景公再拜大禮說：「臣下冒昧地祝賀主公，老天爺在天上，能聽到下方的私語。主公連說了三句仁德的話，老天爺一定會給主公三次獎賞，今晚熒惑星一定會移動位置，主公的壽命會延長二十一年。」景公說：「你怎麼知道呢？」子韋說：「主公三次表現仁德，所以要受到三次獎勵，熒惑星一定會移動三次。熒惑星經過七個星宿，每一宿等於三年，三七二十一，所以說延長壽命二十一年。臣今晚就在宮殿的臺階下觀察，熒惑星若不移動，臣下情願領受死刑。」景公說：「好吧！」這天晚上，熒惑星果然三次移動，就像子韋所說的一樣。《老子》說：「能為國家承擔災禍的君主，才是成就王業的君主啊！」

【出處】

宋景公時，熒惑在心，懼，召子韋而問曰：「熒惑在心，何也？」子韋曰：「熒惑，天罰也；心，宋分野也，禍當君身，雖然，可移於宰相。」公曰：「宰相，所使治國也，而移死焉，不詳，寡人請自當也。」子韋曰：「可移於民。」公曰：「民死，將誰君乎，寧獨死耳。」子韋曰：「可移於歲。」公曰：「歲饑民餓，必死，為人君者，欲殺其民以自活，其誰以我為君乎。是寡人之命固盡矣。子無復言矣。」子韋還走北面再拜曰：「臣敢賀君。天之處高而聽卑，君有仁之言三，天必三賞君，今夕星必三徙舍，君延壽二十一歲。」公曰：「子何以知之？」對曰：「君有三善，故三賞，星必三徙舍，舍行七星，星當一年，三七二十一，故曰延壽二十一年，臣請伏於陛下以司之，星不徙，臣請死之。」公曰：「可。」是夕也，星果三徙舍，如子韋言。老子曰：「能受國之不祥，是謂天下之王也。」（《新序》〈雜事第四〉）

殃及池魚

宋國的桓司馬有顆寶珠。他犯了罪逃亡在外，宋景公派人問他寶珠藏在哪裡，他回答說：「把它扔到池塘裡了。」於是弄乾了池塘來尋寶珠。寶珠沒找到，池塘裡的魚卻因此都死了。

【出處】

宋桓司馬有寶珠，抵罪出亡。王使人問珠之所在，曰：「投之池中。」於是竭池而求之，無得，魚死焉。此言禍福之相及也。紂為不善於商，而禍充天地，和調何益？（《呂氏春秋》〈孝行覽・必己〉）

宋公伐曹

宋景公三十年，宋景公親自率軍進攻曹國，宋軍準備撤兵回國時，宋國將領褚師子肥走在最後。曹國人辱罵褚師子肥，褚師子肥就停留不走，全軍等待褚師子肥。宋景公聽說此事後大怒，命令回兵繼續進攻曹國。由於曹國背叛晉國，所以晉國不來救援，於是宋軍攻滅曹國，擒獲曹國國君曹伯陽和司城公孫強而回，並殺死他們二人。

【出處】

八年春，宋公伐曹，將還，褚師子肥殿。曹人詬之，不行，師待之。公聞之，怒，命反之，遂滅曹。執曹伯及司城強以歸，殺之。（《左傳》〈哀公八年〉）

許瑕求邑

宋景公三十一年，鄭國武子賸的寵臣許瑕求取封邑，沒有地方可以封給他。許瑕請求取之於外國，武子賸答應，所以包圍宋國的雍丘。宋國將領皇瑗包圍鄭軍，每天挖溝修築堡壘，連成一線。鄭國軍士號啕大哭，武子賸前去救援，大敗而歸。同年二月十四日，宋軍在雍丘全殲鄭軍，讓有才能的人留下性命，帶著郟張和鄭羅而回。

【出處】

鄭武子賸之嬖許瑕求邑，無以與之。請外取，許之。故圍宋雍丘。宋皇瑗圍鄭師，每日遷舍，壘合，鄭師哭。子姚救之，大敗。二月甲戌，宋取鄭師於雍丘，使有能者無死，以郟張與鄭羅歸。（《左傳》〈哀公九年〉）

李史受笥

戴驩擔任宋國的太宰，夜晚指使人說：「我聽說這幾天夜裡有人坐著臥車到李史門口。請替我監視一下。」派出去的人回報說：「沒有看到臥車，只看到有人捧著竹笥和李史說話，過了一會兒，李史收下了竹笥。」

【出處】

戴驩，宋太宰，夜使人曰：「吾聞數夜有乘轀車至李史門者，謹為我伺之。」使人報曰：「不見轀車，見有奉笥而與李史語者，有間，李史受笥。」（《韓非子》〈內儲說上・七術〉）

君亡不從

宋國的司城子罕很器重子韋，吃飯穿衣都跟他保持一致。後來子罕出逃，子韋並沒有追隨他。子罕返回後，對子韋禮敬如初。子罕身邊的人說：「您如此善待子韋，但您出逃時他卻不追隨您，現在回來仍然器重他，您不覺得愧對忠於您的臣屬嗎？」子罕說：「我因為沒有聽從子韋的勸告，所以導致出逃；現在能夠返回，多虧了子韋先前的德澤和教誨，我當然要加倍禮敬他。再說，那些協助我出逃的人，對於避免我出逃又有多少幫助呢？」

【出處】

宋司城子罕之貴子韋也，入與共食，出與同衣；司城子罕亡，子韋不從，子罕來，復召子韋而貴之。左右曰：「君之善子韋也，君亡不從，來又復貴之，君獨不愧於君之忠臣乎？」子罕曰：「吾唯不能用子韋，故至於亡；今吾之得復也，尚是子韋之遺德餘教也，吾故貴之。且我之亡也，吾臣之削跡拔樹以從我者，奚益於吾亡哉？」（《說苑》〈尊賢〉）

魚不可脫於淵

司城子罕擔任宋國的國相，對宋君說：「國家的安危，百姓的治亂，取決於君王所施行的賞罰政策。獎賞得當，好人就會受到鼓勵，刑罰合適，奸佞小人就會收斂。賞罰不當，好人得不到鼓勵，壞人不會收斂。奸佞邪惡的人結黨營私，欺瞞尊長，矇蔽君王，爭奪爵位和俸祿，不能不謹慎啊！獎賞、恩賜、推舉之類的事，人之所愛，由君王您來施行；懲處殺伐之類的事，人之所恨，就由我來承擔。」宋君說：「好吧，你專管那些人們厭惡的事，我來做人們喜歡的事，我斷定不會被諸侯們笑話。」於是宋君專行賞賜之權，而讓子罕主持刑罰。由於生殺大權掌握在子罕手裡，大臣親近他，百姓歸附他。一年之後，子罕就像突然竄出來的豬一樣趕走宋君而獨攬宋國政權。所以說：「不要削弱君王而使大夫強大。」《老子》也說：「魚兒不能離開水池，國家的權柄不能隨便交給別人。」道理就在這裡。

【出處】

司城子罕相宋，謂宋君曰：「國家之危定，百姓之治亂，在君之行賞罰也；賞當則賢人勸，罰得則奸人止；賞罰不當，則賢人不勸，奸人不止，奸邪比周，欺上蔽主，以爭爵祿，不可不慎也。夫賞賜讓與者，人之所好也，君自行之；刑罰殺戮者，人之所惡也，臣請當之。」君曰：「善，子主其惡，寡人行其善，吾知不為諸侯笑矣。」於是宋君行賞賜而與子罕刑罰，國人知刑戮之威，專在子罕也，大臣親之，百姓附之，居期年，子罕逐其君而專其政，故曰：無弱君而強大夫。《老子》曰：「魚不可脫於淵，國之利器不可以借人。」此之謂也。（《說苑》〈君道〉）

宋不可攻

工尹池為楚國出使宋國，司城子罕留他在家裡喝酒。子罕南邊鄰居家的院牆向前突出，使得子罕家的院牆不直；子罕西邊鄰居家的髒水從子罕的宅院穿過，子罕也不堵塞。工尹池問說：「為什麼呢？」子罕說：「南面的一家是工匠，是做鞋的，我要他搬家，那家的父親說：『我家靠做鞋餬口，已經三代了，現在搬走了，買鞋的人就找不到我的住址，我們就會沒飯吃，希望相國體念我家混口飯吃的苦衷。』因為這個緣故，我就沒讓他們搬走。西邊鄰居家地勢高，我家地勢低，髒水從我家院內流過很方便，因此沒必要堵塞。」士尹池回國後，適逢楚國準備發兵進攻宋國。士尹池規勸楚王說：「宋國不能攻打。他們的君主賢明，相國仁德。賢明會贏得民心，仁德的人能任用人才。攻打宋國將無功而返，被天下人恥笑。」楚國於是放過宋國轉而進攻鄭國。孔子聽到這件事後評論說：「在朝廷上改善政治，竟能使千里之外的敵人退兵，說的就是司城子罕啊！」

【出處】

工尹池為荊使於宋，司城子罕止而觴之，南家之牆，擁於前而不直；西家之潦，經其宮而不止。工尹池問其故，司城子罕曰：「南家，工人也，為鞔者也，吾將徙之，其父曰：『吾恃為鞔，已食三世矣，今徙，是宋邦之求鞔者，不知吾處也，吾將不食，願相國之憂吾不食也。』為是故吾不徙。西家高，吾宮卑，潦之經吾宮也利，為是故不禁也。」工尹池歸荊，荊王適興兵欲攻宋，工尹池諫於王曰：「宋不可攻也，其主賢，其相仁。賢者能得民，仁者能用人，攻之無功，為天下笑。」楚釋宋而攻鄭。孔子聞之曰：「夫修之於廟堂之上，而折衝於千里之外者，司城子罕之謂也。」（《新序》〈刺奢第六〉）

以不受為寶

宋國有個農夫耕地得到了一塊玉，拿它獻給司城子罕，子罕不接受。農夫請求說：「這是我的寶物，希望相國賞臉收下它。」子罕說：「你把玉當作寶物，我把不接受別人的餽贈當作寶物。如果把玉給我，我們兩人就都喪失了寶物，不如各人保有各人的寶物。」所以宋國德高望重的人說：「子罕不是沒有寶物，只是他的寶物與別人不同啊！」

【出處】

宋人有得玉者，獻諸司城子罕，子罕不受。獻玉者曰：「以示玉人，玉人以為寶，故敢獻之。」子罕曰：「我以不貪為寶，爾以玉為寶。若與我者，皆喪寶也，不若人有其寶。」故宋國之長者曰：「子罕非無寶也，所寶者異也。」（《新序》〈節士第七〉）

凡民有喪，匍匐救之

晉國準備攻打宋國，派人前去觀察動靜。宋國都城陽門有個守衛的士兵死了，司城子罕哭得十分傷心。偵察的人返回來報告國君說：「宋國都城陽門有個衛士死了，子罕為此哭得十分傷心，百姓們對這一舉動都心悅誠服，現在攻打宋國恐怕不合適。」孔子聽到這件事後說：「這個偵探的觀察真是仔細啊！《詩經》上說：『凡是百姓有喪事，竭盡全力去救助。』子罕做到了這一點。不單是晉國，天下哪個國家能夠與宋國為敵呢？因此周任說過這樣的話：『百姓擁護關愛他們的人，這樣的人是不可抵擋的。』」

【出處】

晉將伐宋，使人覘之，宋陽門之介夫死，司城子罕哭之哀。覘者反，言於晉侯曰：「陽門之介夫死，而子罕哭之哀，民咸悅。宋殆未可伐也。」孔子聞之，曰：「善哉，覘國乎！《詩》云：『凡民有喪，匍匐救之。』子罕有焉，雖非晉國，天下其孰能當之。是以周任有言曰：『民悅其愛者，弗可敵也。』」（《孔子家語》，卷十，〈曲禮子貢問〉）

君日長矣

有人對宋國的大尹說：「宋國的國君一天比一天長大，眼看就要親自理政，那您就再也沒有執掌政事的機會了。您不如讓楚王來恭賀宋君的孝心，那麼宋君就不會剝奪太后執掌政事的權力，您也就可以長期掌權了。」

【出處】

謂大尹曰：「君日長矣，自知政，則公無事。公不如令楚賀君之孝，則君不奪太后之事矣，則公常用宋矣。」（《戰國策》〈宋衛策〉）

亡而能悟

宋昭公出逃到郊外偏遠的地方，長嘆一聲說：「我明白自己為什麼要逃亡了。朝廷上有臣子千人，我發布政令、謀劃國事，沒有哪個人不說他們的君主聖明；身邊侍奉衣食住行的好幾百人，我穿好衣服站在那兒，沒有哪個不說他們的君主多麼英俊。在宮廷內外都聽不到自己的過失，所以才落到這個地步啊。」從宋昭公的情況看，君主逃離國家失去江山，是因為阿諛奉承的人太多了。宋昭公雖然逃亡卻能醒悟，所以能重回宋國執政。

【出處】

宋昭公出亡，至於鄙，喟然嘆曰：「吾知所以亡矣。吾朝臣千人，發政舉吏，無不曰吾君聖者；侍御數百人，被服以立，無不曰吾君麗者。內外不聞吾過，是以至此。」由宋君觀之，人主之所以離國家失社稷者，諂諛者眾也。故宋昭亡而能悟，卒得反國云。（《新序》〈雜事第五〉）

實有所歸

魏（梁）王發兵攻打趙都邯鄲，向宋國請求增援。宋國國君派使者請求趙王說：「魏國軍隊強悍而權勢大，現在要求敝國出兵相助。敝國如不從命，就會與魏國結怨；幫助魏國進攻趙國，寡人也不忍心，希望大王幫敝國出個主意。」趙王說：「宋國不敢得罪魏國，寡人理解；削弱趙國以壯大魏國，對宋國也不利。有什麼好辦法呢？」宋國使者說：「要不這樣，宋國出兵攻打趙國的一座邊境城邑，慢慢進攻拖延時間，等待您的下屬守住它。」趙王說：「好吧！」宋國於是發兵進入趙國邊境，圍困了一座城邑。魏王很高興說：「宋國人幫助我們攻打趙國了。」趙王也高興地說：「宋國人果然說話算數。」這樣魏國退兵、邯鄲解除危險之後，宋國既對魏國有恩，又與趙國無怨。而宋國既得到名望，也撈到實惠。

【出處】

梁王伐邯鄲，而徵師於宋。宋君使使者請於趙王曰：「夫梁兵勁而權重，今徵師於弊邑，弊邑不從，則恐危社稷；若扶梁伐趙，以害趙國，則寡人不忍也。願王之有以命弊邑。」趙王曰：「然。夫宋之不足如梁也，寡人知之矣。弱趙以強梁，宋必不利也，則吾何以告子而可乎？」使者曰：「臣請受邊城，徐其攻，而留其日，以待下吏之有城而已。」趙王曰：「善。」宋人因遂舉兵入趙境，而圍一城焉。梁王甚說，曰：「宋人助我攻矣。」趙王亦說，曰：「宋人止於此矣。」故兵退難解，德施於梁，而無怨於趙。故名有所加，而實有所歸。（《戰國策》〈宋衛策〉）

祥反為禍

宋康王在位時，有隻烏雀在城牆的角落裡孵出一隻鸇，康王讓史官占卜吉凶，史官說：「小雀生出來大鸇，預示宋國必將稱霸天下。」康王大喜，於是滅掉滕國，討伐薛邑，佔領了淮北地區。康王信心爆棚，想要使稱霸的夢想早日實現，於是仰射天神，下擊土神，砍倒社稷的牌位放火焚燒，口出狂言說：「我的威勢懾服天地鬼神。」他責罵進諫的國家元老，做了一個沒有頂子的帽子戴在頭上以顯示自己的勇武，然後他劈開駝背人的脊骨，斬斷天寒清晨過河人的小腿，舉國上下因此惶惶不安。齊國得知消息，出兵討伐宋國，百姓四散而去，城池失守，康王逃到郳侯的館舍，後來生重病死了。看到好兆頭卻做不該做的事，吉祥就會變成災禍。

【出處】

宋康王時，有爵生鸇於城之陬，使史占之，曰：「小而生巨，必霸天下。」康王大喜，於是滅滕，伐薛，取淮北之地，乃愈自信，欲霸之亟成，故射天笞地，斬社稷而焚之，曰：「威伏天地鬼神。」罵國老之諫者，為無頭之冠，以示有勇，剖傴者之背，鍥朝涉之脛，而國人大駭。齊聞而伐之，民散，城不守，王乃逃郳侯之館，遂得病而死。故見祥而為不可祥，反為禍。（《新序》〈雜事第四〉）

正行以求之

宋康公攻打阿邑，屠單父城。成公趙說：「起初我不明事理，以為居於千乘之國，萬乘之國就不敢來攻打；處於萬乘之國，那麼天下就沒有人敢來圖謀。現在我居於阿邑，而宋國竟然將單父屠城，我還有什麼臉面自立於世，我要去刺殺宋王。」成公趙進入宋國，一連三個月見不到宋王。有人說：「為什麼不通過鄰國的使者求見宋王呢？」成公趙說：「不行。如果我通過鄰國使者去行刺宋王，那會使後世的使者不被信任，符節之類的憑證失去信用，人們會說：『是成公趙使事情弄成這樣』。」有人說：「為什麼不通過群臣引見，而後安排隱士去刺殺宋王？」成公趙說：「不行。如果通過群臣引見，後世的忠臣就會失去信任，才辯之士就不會受重用，人們會說：『這都是成公趙造成的』。我聽說古代的士人發怒時不喪失理智，危難時不忘記道義，我一定要用正當行為來實現目的。」一年後，宋康公病死。成公趙說：「廉潔之士不會辱沒自己的名聲，誠實守信的人不會行動懈怠。我居於阿邑，宋王屠單父城，這是辱沒我的名聲；我想刺殺宋王，一年多沒達到目的，這是行動懈怠。像這樣活著，有什麼臉面對天下的士子呢？」於是站立在彭山上枯槁而死。

【出處】

宋康公攻阿，屠單父，成公趙曰：「始吾不自知，以為在千乘則萬乘不敢伐，在萬乘則天下不敢圖。今趙在阿而宋屠單父，則是趙無以自立也。且往誅宋！」趙遂入宋，三月不得見。或曰：「何不因鄰國之使而見之。」成公趙曰：「不可，吾因鄰國之使而刺之，則使後世之使不信，荷節之信不用，皆曰：『趙使之然也。』不可！」或曰：「何不因群臣道徒處之士而刺之。」成公趙曰：「不可，吾因群臣道徒處之士而刺之，則後世之臣不見信，辯士不見顧，皆曰：『趙使之然也。』不可！吾聞古之士怒則思理，危不忘義，必將正行以求之耳。」期年，宋康公病死，成公趙曰：「廉士不辱名，信士不惰行，今吾在阿，宋屠單父，是辱名也；事誅宋王，期年不得，是惰行也。吾若是而生，何面目見天下之士！」遂立槁於彭山之上。（《說苑》〈立節〉）

群臣之畏

宋王問國相唐鞅說：「我殺死的人不少，但臣子們並不因此懼怕我，什麼原因呢？」唐鞅回答說：「您懲治的都是一些歹人。對歹人治罪，好人當然不會畏懼。如果您不分好歹胡亂治罪殺人，臣子們就會畏懼您了。」過了不久，宋王殺死了唐鞅。

【出處】

宋王謂其相唐鞅曰：「寡人所殺戮者眾矣，而群臣愈不畏，其故何也？」唐鞅對曰：「王之所罪，盡不善者也。罪不善，善者故為不畏。王欲群臣之畏也，不若無辨其善與不善而時罪之，若此則群臣畏矣。」居無幾何，宋君殺唐鞅。（《呂氏春秋》〈審應覽・淫辭〉）

心猶可服

惠盎謁見宋康王，康王跺著腳咳嗽著，大聲說：「我喜歡勇武有力的人，不喜歡行仁義的人。客人有何指教？」惠盎回答說：「我有這樣的道術，使人雖然勇武，卻刺不進您的身體，雖然有力，卻擊不中您。大王難道無意於這種道術嗎？」康王說：「好，這正是我想要聽的。」惠盎說：「雖然刺不進您的身體，擊不中您，但您還是受辱了。我有這樣的道術：使人雖然勇武卻不敢刺您，雖然有力卻不敢擊您。大王難道無意於這種道術嗎？」康王說：「好，這正是我想知道的。」惠盎說：「那些人雖然不敢刺，不敢擊，並不是沒有這樣的想法啊。我有這樣的道術，使人根本就沒有這樣的想法。大王難道無意於這種道術嗎？」康王說：「好，這正是我所希望的。」惠盎說：「那些人雖然沒有這樣的想法，卻還沒有愛您的心。我有這樣的道術；使天下的男女都愉快地愛您遵從您。這就不僅勝過勇武有力，也居於上面所說的四種道術之上。大王難道無意於這種道術嗎？」康王說：「這正是我想要得到的。」惠盎回答說：「孔丘、墨翟的品德就能這樣。孔丘、墨翟，他們沒有領土，但卻能像當君主一樣得到尊榮；他們沒有官職，但卻能像當官長一樣受到尊敬。天下的男女誰不伸長脖子、踮起腳跟盼望他們，希望他們平安順利？現在大王是擁有萬輛兵車大國的君主，如果真有這樣的志向，那麼全天下就都能得到您的利益，百姓對您的愛戴就能遠遠超過孔丘、墨翟。」宋王無話可答。惠盎快步走了出去，宋王對身邊的人說：「說得好，客人的言論說服了我。」宋王是個平庸的君主，可是他的心還是可以說服，這是因為惠盎能因勢利導。能因勢利導，貧賤可以戰勝富貴，弱小也可以制服強大。

【出處】

惠盎見宋康王，康王蹀足謦欬，疾言曰：「寡人之所說者，勇有力也，不說為仁義者。客將何以教寡人？」惠盎對曰：「臣有道於此；使人雖勇，刺之不入；雖有力，擊之弗中。大王獨無意邪？」王曰：「善！此寡人所欲聞也。」惠盎曰：「夫刺之不入，擊之不中，此猶辱也。臣有道於此：使人雖有勇弗敢刺，雖有力不敢擊。大王獨無意邪？」王曰：「善！此寡人之所欲知也。」惠盎曰：「夫不敢刺，不敢擊，非無其志也。臣有道於此：使人本無其志也。大王獨無意邪？」王曰：「善！此寡人之所願也。」惠盎曰：「夫無其志也，未有愛利之心也。臣有道於此，使天下丈夫女子莫不驩然皆欲愛利之。此其賢於勇有力也，居四累之上。大王獨無意邪？」王曰：「此寡人之所欲得。」惠盎對曰：「孔、墨是也。孔丘、墨翟，無地為君，無官為長。天下丈夫女子莫不延頸舉踵，而願安利之。今大王，萬乘之主也，誠有其志，則四境之內皆得其利矣，其賢於孔、墨也遠矣。」宋王無以應。惠盎趨而出，宋王謂左右曰：「辨矣！客之以說服寡人也。」宋王，俗主也，而心猶可服，因矣。因則貧賤可以勝富貴矣，小弱可以制強大矣。（《呂氏春秋》〈慎大覽・順說〉）

狂夫之大

齊國攻打宋國，宋王派人去偵察齊軍到了哪裡。派去的人回來說：「齊寇已經臨近，國人已經慌了。」左右的侍臣都對宋王說：「這就是俗話說的『肉自己生蛆』啊。以宋國的強大，齊兵的孱弱，怎麼可能這樣呢？」宋王大怒，把回來報告的人殺了。接著又派人去偵察，回報的情況跟前人一樣，宋王很生氣，又把回來報告的人殺了。連續三次後再派人去查看。齊軍更加臨近，國人更為慌張。派去的人在路上遇見哥哥。對他說：「先期三人因為回報真情而被冤殺。如果我回報真情必死，不回報真情恐怕也難免一死。該怎麼辦呢？」哥哥說：「如果回報真情，你會比戰敗被殺和逃亡的人先死。」弟弟點頭說：「我明白了。」於是回報宋王說：「根本沒看到齊寇在哪裡啊，國人也非常安定。」宋王十分高興。左右近臣都說：「先前被殺的人真是該死啊。」宋王賞賜回來報告謊言的人大量錢財。齊軍很快就到了，宋王飛奔上車，急忙逃命去了。說謊的人徙居他國，生活非常富足。《呂氏春秋》據此評論說：「登上高山往下看，牛就跟羊一樣，羊像小豬一樣。牛實際上不像羊那樣小，羊也不是小豬那樣小。之所以覺得它們小，是因為觀察的地勢不對。因為對牛羊竟然這樣小而發怒，無異於頭等狂夫。在狂亂狀態下濫行賞罰，這就是宋國滅絕的原因。」

【出處】

齊攻宋，宋王使人候齊寇之所至。使者還，曰：「齊寇近矣，國

狂夫之大

人恐矣。」左右皆謂宋王曰：「此所謂『肉自生蟲』者也。以宋之強，齊兵之弱，惡能如此？」宋王因怒而詘殺之。又使人往視齊寇，使者報如前，宋王又怒詘殺之。如此者三，其後又使人往視。齊寇近矣，國人恐矣。使者遇其兄曰：「國危甚矣，若將安適？」其弟曰：「為王視齊寇。不意其近，而國人恐如此也。今又私患鄉之先視齊寇者，皆以寇之近也報而死；今也報其情死，不報其情又恐死。將若何？」其兄曰：「如報其情，有且先夫死者死，先夫亡者亡。」於是報於王曰：「殊不知齊寇之所在，國人甚安。」王大喜。左右皆曰：「鄉之死者宜矣。」王多賜之金。寇至，王自投車上馳而走，此人得以富於他國。夫登山而視牛若羊，視羊若豚，牛之性不若羊，羊之性不若豚，所自視之勢過也。而因怒於牛羊之小也，此狂夫之大者。狂而以行賞罰，此戴氏之所以絕也。（《呂氏春秋》〈貴直論・壅塞〉）

臧子索救於荊

齊國進攻宋國，宋國派臧子向楚國求救。楚王很高興，表態會全力援救。返回宋國時，一路上臧子憂心忡忡。車伕問他說：「楚國答應救援了，為什麼您還憂心忡忡呢？」臧子說：「宋國是小國，齊國是大國。援救弱小的宋國而得罪強大的齊國，這是任何國君都會憂慮的事情，楚王卻顯得非常高興。我料想楚國一定是想讓我們自己抵抗齊國。我們堅決頂住齊國，齊國就會因此疲弊，這對楚國當然有好處。」臧子回到宋國，齊國一連攻下了宋國的五座城邑，而楚國的援兵卻沒有到達。

【出處】

齊攻宋，宋使臧子索救於荊。荊王大說，許救甚勸。臧子憂而反。其御曰：「索救而得，有憂色何也？」臧子曰：「宋小而齊大。夫救於小宋，而惡於大齊，此王之所憂也。而荊王說甚，必以堅我。我堅而齊弊，荊之利也。」臧子乃歸。齊王果攻，拔宋五城，而荊王不至。（《戰國策》〈宋衛策〉）

因賣楚重

宋國和楚國結為兄弟之國。齊國進攻宋國，楚王聲言援救宋國，宋國依仗楚國的威勢向齊國求和，齊國沒有聽從。蘇秦替宋國對齊國相國說：「不如同宋國講和，以此表明宋國曾向齊國炫耀自己有楚國支持。楚王惱怒，一定會同宋國斷交來討好齊國。齊、楚兩國聯合，攻打宋國就容易了。」

【出處】

宋與楚為兄弟。齊攻宋，楚王言救宋。宋因賣楚重以求講於齊，齊不聽。蘇秦為宋謂齊相曰：「不如與之，以明宋之賣楚重於齊也。楚怒，必絕於宋而事齊，齊、楚合，則攻宋易矣。」（《戰國策》〈宋衛策〉）

宋有富人

宋國有個富人，因為天下雨淋壞了院牆。他兒子提醒說：「不修好恐怕會招惹小偷。」鄰居的父親也這麼說。晚上家裡果然被盜，丟了很多財物。全家人都認為兒子聰明，卻懷疑鄰居的父親是小偷。

【出處】

宋有富人，天雨牆壞。其子曰「不築且有盜」，其鄰人之父亦云，暮而果大亡其財，其家甚知其子而疑鄰人之父。（《史記》〈老子韓非列傳〉）

歪理奪衣

宋國有個人叫澄子，丟了一件黑色衣服。他在路上到處尋找，看見一個婦女身穿黑衣，上前抓住她不放，要脫下她的衣服並說：「昨天我丟了件黑色農服。」婦女說：「您雖然丟了件黑色衣服，不過這件衣服確實是我自己做的。」澄子說：「你不如趕快把衣服給我。昨天我丟的是絲質的黑衣服，現在你這件黑衣服是單面的。拿單面的黑衣服抵償絲質的黑衣服，你難道還不佔便宜嗎？」

【出處】

宋有澄子者，亡緇衣。求之途，見婦人衣緇衣，援而弗舍，欲取其衣，曰：「今者，我亡緇衣。」婦人曰：「公雖亡緇衣，此實吾所自為也。」澄子曰：「子不如速與我衣。昔吾所亡者，紡緇也。今子之衣，禪緇也。以禪緇當紡緇，子豈不得哉？」（《呂氏春秋》〈審應覽・淫辭〉）

不足專恃

宋國有個人急著趕路，他的馬不肯快步前行，他就把馬殺死扔到了溪水裡。換了馬繼續趕路，馬仍然不肯配合，於是又把馬殺死扔到溪水裡。如此反覆三次。即使是造父馴馬的威嚴做法，也不過如此了。這個宋國人沒有造父馭馬的技術，只曉得運用威嚴，這對於駕馬有什麼好處呢？《呂氏春秋》說：「那些愚蠢的君主也跟這個宋人類似。他們沒有掌握役使人民的方法，只想憑藉君主的威嚴。越強調威嚴，人民越不配合。亡國的君主大都是憑威嚴驅使人民。所以，威嚴不可以沒有，卻也不足倚仗。」

【出處】

宋人有取道者，其馬不進，倒而投之鸂水。又復取道，其馬不進，又倒而投之鸂水。如此者三。雖造父之所以威馬，不過此矣。不得造父之道，而徒得其威，無益於御。人主之不肖者，有似於此。不得其道，而徒多其威。威愈多，民愈不用。亡國之主，多以多威使其民矣。故威不可無有，而不足專恃。（《呂氏春秋》〈離俗覽・用民〉）

宋鮑女宗

女宗，指的是宋鮑蘇的妻子。她奉養婆婆非常恭敬。鮑蘇在衛國做官三年，又娶了外室，她知道後對婆婆更加恭敬。她還托來往的人問候丈夫，並送給外室厚重的禮物。女宗的嫂子對她說；「你可以走了！」女宗問說：「為什麼呢？」嫂子說：「你丈夫既然另有新歡，你還留下來幹什麼呢？」女宗說：「女人應該從一而終，即便丈夫死了也不應該改嫁。用心專一是為貞，溫順善良為之順。貞順是婦女的最高境界，怎麼能以丈夫是否專寵為標準呢？如果只想滿足自己的欲望而扼殺丈夫的喜好，我不認為這符合婦德的要求。按照禮制，天子可以娶十二個妻子，諸侯可以娶九個妻子，卿大夫一妻二妾，士大夫一妻一妾。我丈夫是士大夫，有一妻一妾不正好嗎？況且婦人有七出之法，丈夫連一條也沒有。七出之法中，嫉妒是第一條，其他淫僻、竊盜、長舌、驕侮、無子、惡病都排在後面。嫂子不教我居家過日子的禮數，反要讓我做出七出的行為，怎麼可能這樣呢？」於是一如既往孝敬婆婆。宋公聽說她的事蹟，為教化鄉民，封她為「女宗」，即婦女模範的意思。

【出處】

女宗者，宋鮑蘇之妻也。養姑甚謹。鮑蘇仕衛三年，而娶外妻，女宗養姑愈敬。因往來者請問其夫，賂遺外妻甚厚。女宗姒謂曰：「可以去矣。」女宗曰：「何故？」姒曰：「夫人既有所好，子何留乎？」女宗曰：「婦人一醮不改，夫死不嫁，執麻枲，治絲繭，織紝組紃，以供衣服，以事夫室，澈漠酒醴，羞饋食，以事舅姑。以專一為貞，以善從為順。豈以專夫室之愛為善哉？若其以淫意為心，而扼夫室之好，吾未知其善也。夫禮，天子十二，諸侯九，卿大夫三，士二。今吾夫誠士也。有二，不亦宜乎！且婦人有七見去。夫無一去義。七去之道，妒正為首。淫僻、竊盜、長舌、驕侮、無子、惡病皆在其後。吾姒不教吾以居室之禮，而反欲使吾為見棄之行，將安所用此？」遂不聽，事姑愈謹。宋公聞之，表其閭，號曰女宗。（《列女傳》〈賢明傳〉）

通乎大理

高陽應打算蓋房子，木匠答覆說：「現在不行。木料還沒乾，上面加上泥，一定會被壓彎的。用濕木料蓋房子，眼下看上去沒問題，以後一定會倒塌的。」高陽應說：「照你的說法，房子恰恰不會倒塌。木料越乾就會越結實有力，泥越乾重量越輕，用越來越結實的木料承擔越來越輕的泥巴，肯定不會倒塌。」木匠無言以對，只好奉命而行。房子剛蓋好時看上去很好，過後不久就倒塌了。高陽應關注小節，卻不懂得大道理。

【出處】

高陽應將為室家，匠對曰：「未可也。木尚生，加塗其上，必將撓。以生為室，今雖善，後將必敗。」高陽應曰：「緣子之言，則室不敗也。木益枯則勁，塗益乾則輕，以益勁任益輕則不敗。」匠人無

辭而對。受令而為之。室之始成也善，其後果敗。高陽應好小察，而不通乎大理也。（《呂氏春秋》〈似順論・別類〉）

據地而吐

東方有個士人名叫爰旌目，出發到某地去，卻餓暈在路上。狐父有個叫丘的強盜看見了，摘下盛有水飯的壺去餵他。爰旌目嚥下幾口後睜開眼睛，問說：「請問你是誰呀？」回答說：「我是狐父地方的人，名叫丘。」爰旌目說：「你不是強盜嗎？為什麼給我吃東西？我寧願餓死，也絕不吃強盜的食物！」說罷，兩手抓地往外嘔吐，喀喀吐不出來，而後趴在地上死了。

【出處】

東方有士焉曰爰旌目，將有適也，而餓於道。狐父之盜曰丘，見而下壺餐以餔之。爰旌目三餔之而後能視，曰：「子何為者也？」曰：「我狐父之人丘也。」爰旌目曰：「譆！汝非盜邪？胡為而食我？吾義不食子之食也。」兩手據地而吐之，不出，喀喀然遂伏地而死。（《呂氏春秋》〈季冬紀・介立〉）

守株待兔

宋國有個農夫耕田，田邊上有棵大樹樁，一隻兔子奔跑時撞在樹樁上，碰斷脖子死了。從此這個農夫便扔下手中的農具，整天守在樹樁旁，希望再撿到撞死的兔子。他再也沒撿到兔子，自己倒成了宋國人的笑柄。

【出處】

宋人有耕者，田中有株，兔走觸株，折頸而死，因釋其耒而守株，冀復得兔，兔不可復得，而身為宋國笑。今欲以先王之政，治當世之民，皆守株之類也。(《韓非子》〈五蠹〉)

揠苗助長

一天，有個擔憂自己禾苗長不高而把禾苗往上拔的宋國人，十分疲憊地回到家，對他的兒子說：「今天我累壞了，我幫助禾苗長高了！」他兒子去看那些禾苗，發現禾苗都枯萎了。天下犯這種錯誤的人很多。以為沒有用處而放棄的人，就像是不給禾苗鋤草的懶漢；違反事理急於求成的人，就像拔苗助長一樣，不但沒有給予幫助，反而害了它。

【出處】

必有事焉而勿正，心勿忘，勿助長也。無若宋人然：宋人有閔其苗之不長而揠之者，芒芒然歸。謂其人曰：「今日病矣，予助苗長矣！」其子趨而往視之，苗則槁矣。天下之不助苗長者寡矣。以為無益而舍之者，不耘苗者也；助之長者，揠苗者也。非徒無益，而又害之。(《孟子》〈公孫丑上〉)

殺敵為果

宋國大夫狂狡與鄭國人交戰，對方不小心掉進了井裡。狂狡把戟柄倒著放入井內拉對方起來。誰知鄭國人出井後反而持戟俘虜了狂狡。君子因此評論說：「丟掉禮而違背命令，活該被俘。打仗，服從命令奮勇作戰就叫禮，殺死敵人就是果敢，達到果敢就是剛毅。如果反過來，就要被殺戮。」

【出處】

狂狡輅鄭人，鄭人入於井，倒戟而出之，獲狂狡。君子曰：「失禮違命，宜其為禽也。戎，昭果毅以聽之之謂禮，殺敵為果，致果為毅。易之，戮也。」（《左傳》〈宣公二年〉）

三年雕葉

有個宋國人，為他的君主用象牙雕刻樹葉，三年後刻成了。它的寬狹、筋脈、絨毛、色澤，即使是混雜在真的樹葉中也不能辨別出來。這個人因此功勞而在宋國當官。列子聽到後說：「假使自然界要經過三年才長成一片葉子，那麼有葉子的東西也就太少了！」所以不依靠自然條件而僅憑一個人的本事，不順應自然法則而表現一個人的智巧，都屬於用三年時間雕刻一片葉子的行為。所以冬天裡種出的莊稼，后稷也不能使它多產；豐年裡旺盛的莊稼，臧獲也不能使它枯敗。僅憑一人的力量，就是后稷也難以成事；順應自然規律，奴僕也會成事有餘。所以《老子》說：「仰仗萬物自然而然地發展而不敢勉強去做。」

【出處】

宋人有為其君以象為楮葉者，三年而成。豐殺莖柯，毫芒繁澤，亂之楮葉之中而不可別也。此人遂以功食祿於宋邦。列子聞之曰：「使天地三年而成一葉，則物之有葉者寡矣。」故不乘天地之資而載一人之身，不隨道理之數而學一人之智，此皆一葉之行也。故冬耕之稼，后稷不能羨也；豐年大禾，臧獲不能惡也。以一人之力，則后稷不足；隨自然，則臧獲有餘。故曰：「恃萬物之自然而不敢為也。」（《韓非子》〈喻老〉）

視子猶蚤蝨

子圉把孔子引見給宋國太宰。孔子走後，子圉進來，詢問太宰對孔子的看法。太宰說：「我見過孔子之後，再看你就像渺小的跳蚤蝨子一樣了。我現在就把他引見給君主。」子圉怕孔子被君主看重，便對太宰說：「君主見過孔子後，只怕也會把你當作跳蚤蝨子一般。」於是太宰不再向宋君引見孔子。

【出處】

子圉見孔子於商太宰。孔子出，子圉入，請問客。太宰曰：「吾已見孔子，則視子猶蚤蝨之細者也，吾今見之於君。」子圉恐孔子貴

於君也，因謂太宰曰：「君已見孔子，亦將視子猶蚤蝨也。」太宰因弗復見也。（《韓非子》〈說林上〉）

以醉亡天下

紹績昧醉酒睡著後丟失了皮衣。宋君說：「醉酒足以丟失皮衣嗎？」紹績昧回答說：「夏桀因為醉酒丟失了天下。《尚書》〈康誥〉裡說：『不要彝酒。』彝酒就是常常喝酒。如果常常喝酒，是天子就會失去天下，是平民也會失去性命。」

【出處】

紹績昧醉寐而亡其裘。宋君曰：「醉足以亡裘乎？」對曰：「桀以醉亡天下，而〈康誥〉曰：『毋彝酒。』彝酒者，常酒也。常酒者，天子失天下，匹夫失其身。」（《韓非子》〈說林上〉）

美者自美

楊朱路過宋國東邊的旅店。店主有兩個妾，其中醜的地位高。漂亮的地位低。楊朱問店主緣由，旅店的主人回答說：「長得漂亮的自以為漂亮，我不覺得她漂亮；長得醜的自以為醜，我不覺得她醜。」楊朱頗有感悟，對他的弟子說：「做了好事，要去掉自以為好事的想法，到哪兒不受到讚美呢？」

【出處】

楊子過於宋東之逆旅，有妾二人，其惡者貴，美者賤。楊子問其故。逆旅之父答曰：「美者自美，吾不知其美也；惡者自惡，吾不知其惡也。」楊子謂弟子曰：「行賢而去自賢之心，焉往而不美。」（《韓非子》〈說林上〉）

子亦猶是

楊朱的弟弟楊布穿著白衣服出門。天下雨了，他脫掉白衣服，穿著黑衣服回到家裡。他家的狗不知道，對著他汪汪大叫。楊布很生氣，想要打牠。楊朱說：「你不要打牠，你自己也會這樣的。假如你的狗白顏色出去，變成黑顏色回來，你能不奇怪嗎？」

【出處】

楊朱之弟楊布衣素衣而出，天雨，解素衣，衣緇衣而反，其狗不知而吠之。楊布怒，將擊之。楊朱曰：「子勿擊也，子亦猶是。曩者使女狗白而往，黑而來，子豈能毋怪哉！」（《韓非子》〈說林下〉）

改言自保

宋國的太宰地位尊貴而處事專斷。季子去拜會宋君，梁子告誡他說：「你和君主說話的時候，一定要像太宰在場一樣。不然的話，就難免遭殃。」季子因此說了一些君主要多保重身體，少操勞國家事務之類的話。

【出處】

宋太宰貴而主斷。季子將見宋君，梁子聞之曰：「語必可與太宰三坐乎，不然，將不免。」季子因說以貴主而輕國。（《韓非子》〈說林下〉）

理其毀瑕

有個叫監止子的宋國富商，同人爭買一塊價值百金的玉璞，假裝失手摔破了玉璞，賠上百金，他將摔破的玉璞重新雕琢，竟然賣出千鎰金的價錢。

【出處】

宋之富賈有監止子者，與人爭買百金之璞玉，因佯失而毀之，負其百金，而理其毀瑕，得千溢焉。事有舉之而有敗，而賢其毋舉之者，負之時也。（《韓非子》〈說林下〉）

服喪而毀

宋國都城東門有個平民，服喪的時候，因為過度悲哀，人瘦得幾乎變形。宋君認為他對父母慈愛，就提拔他做了官。第二年，全國因服喪過度悲哀而死的人竟有十多個。

【出處】

宋崇門之巷人，服喪而毀，甚瘠，上以為慈愛於親，舉以為官師。明年，人之所以毀死者歲十餘人。(《韓非子》〈內儲說上・七術〉)

何見於市

商太宰派遣年輕的侍僕到市場上去，等他回來後問說：「在市場上見到什麼沒有？」侍僕回答說：「沒見到什麼。」太宰說：「再想想看。」侍僕回答說：「市場南門外牛車很多，僅能勉強通行。」太宰告誡他說：「不要告訴別人我問過你。」於是召來管理市場的官吏責罵說：「南門外的市場上為什麼有那麼多牛屎？」市場官吏很奇怪太宰料事如神，從此忠於職守，不敢怠慢。

【出處】

商太宰使少庶子之市，顧反而問之曰：「何見於市？」對曰：「無見也。」太宰曰：「雖然，何見也？」對曰：「市南門之外甚眾牛車，僅可以行耳。」太宰因誡使者：「無敢告人吾所問於女。」因召市吏而誚之曰：「市門之外何多牛屎？」市吏甚怪太宰知之疾也，乃悚懼其所也。(《韓非子》〈內儲說上・七術〉)

試度其功

宋國和齊國為敵時，修建練武場。謳癸唱起歌來，走路的人停下來觀看，建築的人不感到疲勞。宋王聽說後，召見謳癸並給予賞賜。謳癸回答說：「我老師射稽的歌唱得比我還好。」宋王召來射稽唱歌，走路的人繼續行走，建築的人感到疲倦。宋王責怪謳癸說：「走路的人沒停下來，建築的人感到疲勞，誰說射稽唱得比你好？」謳癸回答說：「大王檢查一下兩人的功效吧。」謳癸唱歌時建築的人只築了四板，射稽唱歌時卻築了八板；再檢查牆的堅固程度，謳癸唱歌時築的牆能打進去五寸，射稽唱歌時築的牆只能打進去兩寸。

【出處】

宋王與齊仇也，築武宮，謳癸倡，行者止觀，築者不倦。王聞，召而賜之。對曰：「臣師射稽之謳又賢於癸。」王召射稽使之謳，行者不止，築者知倦。王曰：「行者不止，築者知倦，其謳不勝如癸美，何也？」對曰：「王試度其功。」癸四板，射稽八板；擿其堅，癸五寸，射稽二寸。（《韓非子》〈外儲說左上〉）

白馬之賦

宋國人兒說，是非常善於言辭的辯論家。他曾經提出「白馬非馬」的命題，說服了稷下的學者。但是他乘白馬過關口時，仍然得繳納馬稅。憑藉虛浮的言辭，他能壓倒齊國稷下的學者，然而現實生活中，他連一個人也欺騙不了。

【出處】

兒說，宋人，善辯者也，持「白馬非馬也」服齊稷下之辯者。乘白馬而過關，則顧白馬之賦。故籍之虛辭則能勝一國，考實按形不能謾於一人。《韓非子》〈外儲說左上〉

紳之束之

《尚書》上說：「反覆約束自己。」宋國有個研究這部書的人，就用重疊的帶子把自己束縛起來。別人問：「你這是幹什麼？」他回答說：「書上是這樣說的，當然要這樣做。」

【出處】

《書》曰：「紳之束之。」宋人有治者，因重帶自紳束也。人曰：「是何也？」對曰：「書言之，固然。」（《韓非子》〈外儲說左上〉）

酒酸不售

宋國有個賣酒的人，從不缺斤短兩，待客非常殷勤，酒的味道也非常醇美，酒旗掛得又高又顯眼，但酒卻賣不出去，都變酸了。他對此深感詫異，不知原因何在，就去問他熟悉的地方長老楊倩，楊倩說：「你養的狗凶嗎？」他說：「狗凶，可是這跟酒賣不出去有什麼關係呢？」楊倩說：「人們怕狗呀。有人讓小孩子揣著錢拿著酒壺去買酒，猛狗卻迎上來咬他。這就是酒賣不出去變酸的原因啊。」國家也有猛狗。有抱負的士子懷有治國的策略，想使大國的君主明察起來，大臣卻像猛狗一樣迎上去亂咬，這就是君主被矇蔽和挾持，而有抱負的士子不能受到重用的原因啊。

【出處】

宋人有酤酒者，升概甚平，遇客甚謹，為酒甚美，縣幟甚高，然而不售，酒酸。怪其故，問其所知閭長者楊倩，倩曰：「汝狗猛耶？」曰：「狗猛則酒何故而不售？」曰：「人畏焉。或令孺子懷錢挈壺罋而往酤，而狗迓而齕之，此酒所以酸而不售也。」夫國亦有狗，有道之士懷其術而欲以明萬乘之主，大臣為猛狗，迎而齕之，此人主之所以蔽脅，而有道之士所以不用也。（《韓非子》〈外儲說右上〉）

穿井得一人

宋國的丁氏，家裡沒有井，經常要安排專人外出打水。後來他家裡挖了口井，就告訴別人說：「家裡挖了口井，相當於得到一個人。」這句話傳出去就變成了「丁氏挖井，挖出一個人來。」宋國國君聽人談論這件事，就派人去問丁氏。丁氏說：「我是說挖了口井，相當於多出個人可以使喚，並不是說從井裡挖出一個人。」對傳聞如果不細加甄別，還不如沒有聽到。

【出處】

宋之丁氏，家無井而出溉汲，常一人居外。及其家穿井，告人曰：「吾穿井得一人。」有聞而傳之者曰：「丁氏穿井得一人。」國人道之，聞之於宋君。宋君令人問之於丁氏，丁氏對曰：「得一人之使，非得一人於井中也。」求能之若此，不若無聞也。（《呂氏春秋》〈慎行論・察傳〉）

堅瓠之類

齊國有個隱士叫田仲，宋人屈穀見到他說：「我聽說您很有骨氣，不仰仗別人生活。現在我有一個大葫蘆，堅硬得像塊石頭，厚實得沒有空隙，想把它獻給您。」田仲說：「葫蘆可貴的地方在於可以用它裝東西。現在它厚實得沒有空隙，就不能剖開裝東西了；它堅硬得像一塊石頭，就不能剖開來斟酒了。我拿這個葫蘆毫無用處。」屈穀說：「說得對，我這就扔了它。」現在田仲不仰仗別人吃飯，對國家也沒有什麼用處，這不是和堅硬的實心葫蘆一樣嗎？

【出處】

齊有居士田仲者，宋人屈穀見之，曰：「穀聞先生之義，不恃人而食，今穀有樹瓠之道，堅如石，厚而無竅，獻之。」仲曰：「夫瓠所貴者，謂其可以盛也。今厚而無竅，則不可以剖以盛物；而任重如堅石，則不可以剖而以斟。吾無以瓠為也。」曰：「然，穀將棄之。」今田仲不恃人而食，亦無益人之國，亦堅瓠之類也。（《韓非子》〈外儲說左上〉）

昌明文庫 · 悅讀國學　A0602022

國學經典故事：鄭國　衛國　宋國卷

主　　編　萬安培
版權策畫　李煥芹

發 行 人　林慶彰
總 經 理　梁錦興
總 編 輯　張晏瑞
編 輯 所　萬卷樓圖書股份有限公司
排　　版　菩薩蠻數位文化有限公司
印　　刷　百通科技股份有限公司
封面設計　菩薩蠻數位文化有限公司

出　　版　昌明文化有限公司
桃園市龜山區中原街 32 號
電話　(02)23216565
發　　行　萬卷樓圖書股份有限公司
臺北市羅斯福路二段 41 號 6 樓之 3
電話　(02)23216565
傳真　(02)23218698
電郵　SERVICE@WANJUAN.COM.TW
大陸經銷　廈門外圖臺灣書店有限公司
　電郵　JKB188@188.COM

ISBN 978-986-496-556-4
2020 年 2 月初版
定價：新臺幣 480 元

如何購買本書：
1. 轉帳購書，請透過以下帳戶
　合作金庫銀行　古亭分行
　戶名：萬卷樓圖書股份有限公司
　帳號：0877717092596
2. 網路購書，請透過萬卷樓網站
　網址　WWW.WANJUAN.COM.TW
大量購書，請直接聯繫我們，將有專人為您服務。客服：(02)23216565　分機 610

如有缺頁、破損或裝訂錯誤，請寄回更換
版權所有・翻印必究
Copyright©2020 by WanJuanLou Books CO., Ltd.
All Right Reserved　　**Printed in Taiwan**

國家圖書館出版品預行編目資料

國學經典故事：鄭國 衛國 宋國卷 / 萬安培主編. -- 初版. -- 桃園市：昌明文化出版；臺北市：萬卷樓發行, 2020.02
　面；　公分. -- (昌明文庫；A0602022)
ISBN 978-986-496-556-4(平裝)

1.漢學 2.通俗作品

030　　　　109002910

本著作物經廈門墨客知識產權代理有限公司代理，由湖北人民出版社有限公司授權萬卷樓圖書股份有限公司（臺灣）出版、發行中文繁體字版版權。